量子力学
―その基本的な構成―
（改訂版）

日置善郎 著

吉岡書店

はじめに

　極微世界のさまざまな現象を見事に記述する量子力学は，現代科学を根底から支える重要な基礎体系である．従って，量子力学の修得は，単に物理学専攻の学生のみならず，広範囲に亙る理系分野の学生にとって必須と言えよう．ところが，そこにおいては，物体の運動の情報は，古典力学における位置ベクトルや速度ベクトルのような理解しやすい量ではなく，初学者にとっては何とも掴み所のない波動関数という量に全て含まれており，その波動関数の振る舞いを規定するのは，これまたニュートンの運動方程式ではなく，シュレディンガー方程式という名の波動方程式である．この結果，一旦学習を始めても，多くの学生は，その入り口で頭を混乱させ立ち往生することになってしまう．

　本書は，この量子力学への軟着陸を目指した筆者自身の講義ノートに基づく入門書であり，この体系の基本的な構成，特に出発点であるシュレディンガー方程式の理解を到達目標としている．読者としては，一刻も早く量子力学に触れてみたいと思っている大学1・2年生，物理学専攻ではないが量子力学のある程度の知識・理解が要求される分野の2～4年生，および本格的な教科書に取り組み始めたものの その広さの中で道に迷っている物理学専攻の学生などを念頭に置いた．また，予備知識としては，大学初年級の力学，微積分と線型代数（及び電磁気学の一部）程度を想定しているが，数学に関しては必要に応じて参照できるように基本事項を付録としてまとめた．

　但し，本書は，既存のほとんどの教科書と比較して非標準的であることは，予めお断りしておかねばならない．標準的な教科書なら必ず扱っている項目でも，その複雑さのために初学者にとってシュレディンガー方程式の理解の妨げとなる恐れのあるものは，躊躇なくカットしているからだが，その分，扱う題材を絞り込み，式変形も含めかなり詳しく説明を加えた．勿論，カットされた項目は勉強する必要がない，などと主張するつもりは毛頭ない．特に，量子力学の

必要度の高いコースの学生は，その基本的な構成・考え方を一通り修得したのち，十分な時間をかけてそれらの項目に取り組むべきである．この，言わば第2段階の学習については，既に出版されている数多くの標準的教科書に安心してお任せ出来ると思う．まずは，各自のペースに合わせて本書を何度でも繰り返し読み，量子力学の基本的な構成と考え方を学んで欲しい．筆者の経験では，週1回90分の講義においてなら，ゆっくり進んで1年間で終了する程度の分量となっている．

本書の執筆に際し，京都産業大学・理学部の櫻井明夫教授には，原稿に目を通して頂き，多くの貴重なご意見を頂いた．本文の構成スタイルについては，京都大学・総合人間学部の青山秀明教授から以前より頂いていた幾つかのコメントが大変参考になった．日立製作所・基礎研究所の外村彰博士には，電子ビーム干渉実験の貴重な写真を提供して頂いた．また，徳島大学・大学院の坂口知世さん，同・総合科学部の宇高彰子さん，神戸大学・大学院の大熊一正君，大山聡君，馬渡健太郎君からも，不明確な表現や誤植についての指摘を頂いた．この場を借りてお礼申し上げたい．とは言っても内容に誤りや不適切な記述があれば，それは筆者のみの責任であることは言うまでもない．最後に，本書の出版においては，吉岡書店の前田重穂氏に大変お世話になったことを，感謝の念を込めて明記しておきたい．

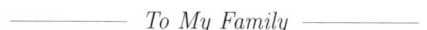

To My Family

2001年 7月　日置 善郎

本書に関する情報（補足や訂正など）につきましては 著者サイト
https://www-phys.st.tokushima-u.ac.jp/theory/hioki-jp.html
をご覧下さい（吉岡書店 HP 内の本書紹介頁からもリンク有）．

改訂に際して

　早いもので，本書の初版が出てから12年が経過した．この間，幾つかの大学・高専において教科書・参考書に指定されるなど，初版は予想より遥かに多くの方々に活用して頂くことが出来た．これは筆者にとっては大変に嬉しい驚きであり，また，"実に単純"というお叱りもあろうかとは覚悟しつつも，量子力学への軟着陸という本書の執筆目的は間違っていなかった，このような入門書は必要とされた，ということの証左であると勝手に解釈して喜んでいる．

　但し，一方では「量子力学の中で重要な役割を担う調和振動子が扱われていなくて残念」というお声（お小言？）を何人かの方々から頂戴したという事実もある．その項目の意義については，もちろん十分に認識していたつもりであり 決して軽視した訳ではない．が，「これらの貴重なご意見を受け止めて本書の内容を見直すことは，それ以外の不十分な記述箇所を改善できる好機でもある」と捉え，このたび初版に少なからぬ加筆・修正を施すこととした．この改訂の主要部分である調和振動子については，その説明内容のレベルを考慮して，第3章で標準的な級数展開によるシュレディンガー方程式の解法を示すと共に，生成消滅演算子（昇降演算子）による取り扱いを付録において与えた．

　最終原稿は，初版にもまして慎重に推敲したつもりだが，それでもなお修正や補足説明すべきところが発見された場合には，従来の通りホームページ上での公開を予定しているので，読者の方々にも，これまでと同様お気付きの点のご指摘をお願い致したい．末筆ながら，改訂版作成に入るきっかけを与えて頂いた松江工業高専・助教の安達裕樹氏，初版に対して誤植の指摘や様々な質問を寄せてくれた徳島大学の学生諸君，ならびに実際の改訂作業において大変お世話になった吉岡書店の吉岡誠社長にお礼申し上げる．

2013年 9月　日置 善郎

記　法

- ベクトル

2次元または3次元のベクトルは $\boldsymbol{a}$, $\boldsymbol{b}$, $\boldsymbol{A}$, $\boldsymbol{B}$, $\cdots$ のようにボールド体で表す．特に，粒子の位置ベクトルは

$$\boldsymbol{r} = (x, y, z)$$

である．また，ベクトル $\boldsymbol{a}$, $\boldsymbol{b}$ の内積は，$\boldsymbol{a}\cdot\boldsymbol{b}$ 或いは $(\boldsymbol{a}, \boldsymbol{b})$ と表すのが標準で，実際，ほとんどのテキストはそれに従っているが，特に大きな誤解の恐れもないので，本書ではしばしば $\boldsymbol{ab}$ と略記する．

- 演算子

古典物理における物理量と量子化され演算子となった物理量は，同じ文字で表されることもあるが，本書では両者を明確に区別するため，演算子には

$$\hat{a}, \quad \hat{b}, \quad \hat{A}, \quad \hat{B}, \quad \cdots$$

のように "ハット" (^) を付けて表す．但し，単に定数や変数を掛けるだけの演算子にはハットは付けない．

- クロネッカーのデルタ

$$\delta_{mn} = 1\ (m = n\ \text{の場合}), \ = 0\ (m \neq n\ \text{の場合})$$

- ディラックのデルタ関数

$$\delta(p) = \delta(-p) = \frac{1}{2\pi}\int_{-\infty}^{+\infty} dx\, e^{+ipx} = \frac{1}{2\pi}\int_{-\infty}^{+\infty} dx\, e^{-ipx}$$
$$= +\infty\ (p = 0\ \text{の場合}), \ = 0\ (p \neq 0\ \text{の場合})$$

$$\delta^3(\boldsymbol{r}) = \delta(x)\delta(y)\delta(z), \quad \delta^3(\boldsymbol{p}) = \delta(p_x)\delta(p_y)\delta(p_z)$$

記法　　　　　　　　　　　　　　　　　　　　　　　　　　　　v

- 本文中に現れる物理定数[*]

　　真空中の光速： $c = 2.99792458 \times 10^8$ m·s^{-1}

　　素電荷： $e = 1.602176634 \times 10^{-19}$ C
　　（陽子の電荷 $= e$，電子の電荷 $= -e$ ）[*)]

　　プランク定数： $h = 6.62607015 \times 10^{-34}$ J·Hz^{-1} （Hz $=$ s^{-1}）

　　ボルツマン定数： $k_{\rm B} = 1.380649 \times 10^{-23}$ J·K^{-1}

　　電子の質量： $m_e = 9.1093837015(28) \times 10^{-31}$ kg

【 光速 から ボルツマン定数 までの四つに関しては，上に与えられている数値が新しい SI 単位系（2019 年 5 月 20 日 発効）での定義値．一方，電子質量における括弧内の数字は，最後の 2 桁に対する誤差を表す．】

- クーロンの法則

　　電荷 Q_1 を持つ物体 1 から電荷 Q_2 の物体 2 には

$$\boldsymbol{F} = k\frac{Q_1 Q_2}{r^2}\boldsymbol{e}_r$$

という電気力（クーロン力）が作用する．但し，$\boldsymbol{e}_r$ は物体 1 から物体 2 に向かう単位ベクトル，r は両物体間の距離を表す．電子と原子核の間にはクーロン力と重力の両方が働くが，後者は前者に比べ桁外れに弱いので無視できる．

　　このクーロン力により，物体 2 は 1 に対して

$$V(r) = k\frac{Q_1 Q_2}{r} + C$$

という位置（ポテンシャル）エネルギーを持つ．定数 C は，通常は $r \to +\infty$ で $V \to 0$ となるように決められる．従って，この場合は $C = 0$ である．

---

[*] CODATA (Committee on Data for Science and Technology) 2018 推奨値より．
[*)] 自然対数の底 e（ネイピア数）と混同しないように注意．

目　次

はじめに i

改訂に際して iii

記　法 iv

1. 古典力学から量子力学へ

1.1 自然法則とその適用限界 1

1.2 古典物理学が直面した困難 3

1.3 極微世界の新法則への手掛かり 10

2. シュレディンガー方程式

2.1 波動の数学的表現 22

2.2 時間に依存するシュレディンガー方程式 25

2.3 時間を含まないシュレディンガー方程式 31

2.4 量子力学という体系 33

3. 1次元での束縛状態

3.1 井戸型ポテンシャル 36

3.2 調和振動子ポテンシャル 44

3.3 固有関数の規格直交性：束縛状態の場合 51

4. 1次元での反射と透過

4.1 確率の保存と確率流密度 56

4.2 階段型ポテンシャル 60

4.3 箱型ポテンシャル障壁：トンネル効果 64

4.4 固有関数の規格直交性：自由状態の場合 70

5. 量子力学の基本構成

5.1 重ね合せの原理 77

5.2 古典力学と量子力学 85

6. 中心ポテンシャルと角運動量

6.1 中心ポテンシャル 88

6.2 角運動量 100

6.3 動径波動関数 104

6.4 角運動量の昇降演算子 107

6.5 角運動量の合成 110

7. 摂動論

7.1 逐次近似法 120

7.2 時間を含まない摂動論 123

7.3 時間を含む摂動論 138

8. スピン角運動量と多粒子系

  8.1 スピン角運動量 142

  8.2 粒子の同等性と多粒子系 146

付　　録

  付録1　量子力学のための数学 151

  付録2　演算子の固有値と固有関数 167

  付録3　古典力学における基本的な物理量 172

  付録4　1次元束縛状態の一般的性質 174

  付録5　調和振動子と生成消滅演算子 177

  付録6　ディラックのデルタ関数 183

あとがき・参考図書 186

改訂版あとがき 189

問題の解説 190

索　引 193

1. 古典力学から量子力学へ

　量子力学は，我々が直接見たり感じたりすることの出来ない微視的世界を記述する．従って，その基本法則や基本方程式をいきなり持ち出しても，初学者は理解するどころではなく面食らうばかりだろう．本章では，そのような戸惑いの軽減・解消を狙って，何故そのような新しい力学が必要となったのか についてまとめる．但し，扱う話題は多岐にわたり，詳しく書けばそれだけで分厚い1冊の本になってしまうような豊富な内容を含んでいる．このため，古典物理学を一通り勉強し終えた読者でなければ，すべてを完全に理解するのは楽ではないだろう．ここは，むしろ量子力学誕生までを描写した読み物として気楽に眺めてもらえばよい．また，一刻も早く本論に入りたい読者は，この章と並行して，或いは この章は飛ばして直接2章へ進んでもよいが，1.1節だけは必ず読んで欲しい．

1.1 自然法則とその適用限界

　自然科学の目的は，自然界の構造を探り我々の自然に対する認識を磨き深めていくことにある．より具体的に言えば，種々の自然現象の規則性を調べ，それらを統一的に記述するために最低限必要な項目を「基本法則」としてまとめ，更にそれに基づき未知の現象を解明していく というもので，その「究極の目標」は，この宇宙における森羅万象を理解するという壮大なものである．しかしながら，限られた人間の知識・能力の範囲内で我々が実際に出来るのは，実験・観測の可能な現象を試行錯誤も厭わず地道に調べていく，という作業のみである．従って，研究の進展により 皆が正しいと認めていた法則が 実は**適用限界**をもつ近似的なものと判明したとしても，それは決して驚くべきことではない．

少し抽象的な例え話をしてみよう．我々が調べている多くの現象が，はじめ

$$y = x \tag{1.1}$$

という式で極めてうまく記述できたとする．古典力学の場合なら「ニュートンの運動方程式」，古典電磁気学なら「マクスウェルの方程式」が正にこれに相当する式である．但し，我々の実験・観測技術の限界のため，調べられるのは $|x| \sim 0.5$ よりも小さな範囲だったとする．それが，技術の進歩で もっと大きな $|x|$ も扱えるようになった時，どんなことが起こり得るかを想像してみよう．もし，そこにおいてもやはり上式がうまく働くなら，この法則の適用できる範囲がそこまで広がったことになる．しかし，いつでもそうなるという保証など全くない．$|x|$ が増大するにつれ 実験値が上式の与える値からどんどん離れていく，という事態も有り得る．そして，その食い違いが確定的になったなら，我々は「上式は $|x| \lesssim 0.5$ においてのみ正しい」と結論せざるを得ない．

このような場合には，$|x| > 0.5$ の領域においても成立する<u>より適用範囲の広い新しい法則</u>を探るのが次の仕事となる．例えば，それが

$$y = \sin x \tag{1.2}$$

であるとしよう．これは一見 $y = x$ とは全く異なる関数なので，$|x| \lesssim 0.5$ における実験値とは合わないようにも思えるが，そうではない．実際，図 1.1 に示すように，$|x|$ が小さい時にはこの式はよい近似で $y = x$ に一致するので，$|x| \lesssim 0.5$ という領域で $y = x$ が実験データをよく再現するということは，$y = \sin x$ も同じくそこでうまくいくということである．$|x|$ が増加するに従い

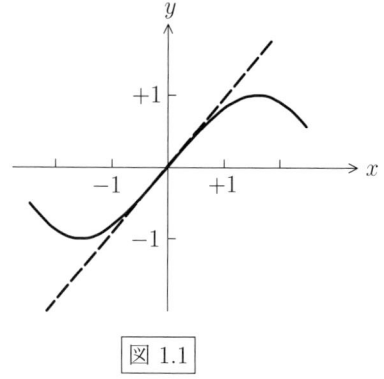

図 1.1

両者のずれは大きくなってくるが，実際の実験には必ず測定誤差があるから，$|x| \lesssim 0.5$ で $y = x$ が正しい法則と信じられていたとしても不思議ではない．

このような場合に注意すべきは「($y = \sin x$ という適用範囲のより広い法則が見つかったからと言って）$y = x$ という法則はもう不要と決めつけてはならない」ということである．なるほど論理的にはその通り $y = \sin x$ だけで十分かも知れないが，実際の計算を進める際には $y = x$ の方が $y = \sin x$ よりも遥かに簡単である．だから，適用限界さえ意識しておけば $y = x$ の重要性も損なわれることはない．

実は，古典力学と量子力学の関係が，正に $y = x$ と $y = \sin x$ の関係となっている（但し，前者が適用限界にぶつかるのは，上の例え話とは逆に現象のスケールが非常に小さくなる場合だが）．実際，古典力学で計算できることは，すべて量子力学でも計算できる．しかし，必要な計算は後者における方が桁外れに難しい．ゆえに，古典力学の適用範囲内の問題ならば，古典力学で調べる方が遥かに実用的であり間違いも少ない．だからこそ，古典力学は現在でもその意義を全く失っておらず，人工衛星の軌道計算のような精密科学も含む多くの分野で用いられているのである．

1.2 古典物理学が直面した困難

19世紀の終わり頃までは，自然現象の理解において，古典物理学は破竹の勢いで進んできた．当時の物理学者達は「物理学には基本的な問題はもうほとんど残されておらず，これからは応用が重要なテーマとなるだろう」と考えていたくらいである．しかし，正にその頃から技術の発展がミクロ世界の実験的研究も可能にし始め，それと共に理論的な予測と実験結果の不一致も現れ始めた．それらは，特に原子構造や原子スペクトル，光電効果，黒体（空洞）輻射といった研究領域において顕著であった．

原子構造の困難

真空放電における陰極線の研究から電子を発見した J. J. トムソンは，原子構造に対しても大変に興味深い模型を提案した（1904）．原子の大きさがだいたい 10^{-8} cm くらいであることは，その頃すでにわかっていたが，この模型は，このサイズの球状領域全体に正電気物質が一様に分布し，負電気を持つ電子がその中で電気的に釣り合う点に静止している，というものである（図 1.2）．電子は，外から力を受けるとその位置からずれるが，力の作用が止むと正電気物質からの復元力により再び安定点に戻り，その過程で外力から得たエネルギーも電磁波の形で放出する，という仕組になっている．この模型は，当時知られていた幾つかの原子の性質や現象をうまく記述した．

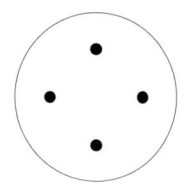

図 1.2

その弟子のラザフォードは，この模型を更に詳しく検討するために α 粒子（現在ではヘリウムの原子核であることがわかっている）を金原子に打ち込む実験を行った．10^{-8} cm というのは我々にとっては非常に小さい数値だが，原子世界の基準から見ればかなり大きなスケールである．従って，トムソンの模型が正しければ，原子内部はかなり低密度，言ってみればスカスカな状態ということになるため，遥かに小さい α 粒子が高速で進入したら，ほとんど進路は曲げられることなく通過してしまうと予想された．ところが，実際の実験では時たま大角度散乱が起こることが確認され，上の予想と大きく食い違う結果となった．しかも，大

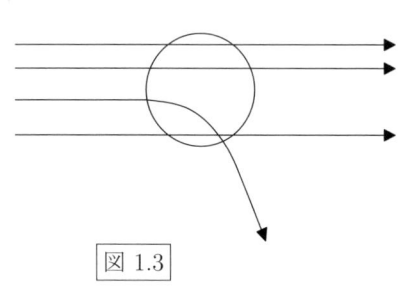

図 1.3

部分の α 粒子はそのまま曲げられず通過することもわかったので（図 1.3），ラザフォードは，原子内には，非常に小さくて固く，しかも重い芯が存在すると結論せざるを得ず，[#1.1]「中心に正電気を持った芯（原子核：大きさ $\lesssim 10^{-12}$ cm）があり，その周りを電子が回る（軌道の大きさ $\sim 10^{-8}$ cm）」という模型を提案した（1911）．

しかしながら，この新しい模型は，さらに深刻な別の問題を抱えることになる：古典電磁気学によれば，加速度運動する荷電粒子は必ず電磁波を放射するため，円運動する電子もこの機構でエネルギーを失い続け，やがて燃料切れになった人工衛星のように中心（原子核）に落ち込んでいく（図 1.4）．要するに，この模型には現実の原子の安定性が説明できないのである．もっとも，その"寿命"が 1000 億年とか 1 兆年とかになるのなら，宇宙の推定年齢 $\sim 130 - 140$ 億年だから問題は無いと言えるが，実際の計算によると，例えば水素原子なら，電子は僅か 4.8×10^{-11} 秒で中心に落ち込むと結論されてしまう！[#1.2]

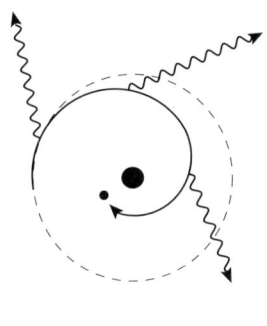

図 1.4

つまり，J. J. トムソンの原子模型は，安定だがラザフォードの散乱実験を全く説明できないし，ラザフォードの原子模型は，原子の安定性が全く保てないということになってしまった．これが原子構造の困難である．

原子スペクトルの困難

我々が目にする光の多くは，振動数（波長）の定まった光（単色光）ではなく，様々な異なる単色光から成る集合である．これを視覚的に示すため全成分

[#1.1] 小さくて固いだけなら電子もその候補になれるが，電子は軽すぎて α 粒子には何の障害にもならない（電子の質量は α 粒子の約 8000 分の 1）．

[#1.2]「理論電磁気学」（砂川重信著：紀伊國屋書店）参照．

の強度を振動数の関数として表した分布を，もとの光のスペクトルと呼び，プリズムのような分光器を用いて調べられる．例えば，太陽光は連続的に変化する無数の振動数成分を持ち，その強度は太陽の表面温度で決まる ある振動数において最大値をとる．このような場合のスペクトルは，1 本の連続曲線で表されることになるため**連続スペクトル**と呼ばれる（図 1.5）．一方，原子は光（より一般には電磁波）の吸収・放出を通じて外界とエネルギー交換を行うが，そこに関与する光のスペクトル－**原子スペクトル**－は太陽光とは異なり**線スペクトル**と呼ばれるものとなる．それは，その光が原子に固有の振動数に対応する単色光であり，この結果，強度分布が，その振動数でのみ $I \neq 0$ であることを表す縦線となるからである．但し，同じ原子であっても，交換するエネルギーの大きさが変われば，寄与する光の振動数も変化する．つまり，原子は反応ス

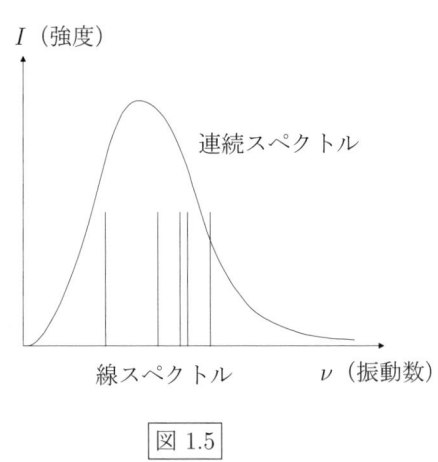

図 1.5

ケールに応じて何種類もの異なる単色光を吸収・放出するのである（図 1.5）．

はじめは，このような何種類もの振動数の間にはどのような関係があるのか全くわからなかったが，分析が進むうちに驚くべき規則的なパターンがあることが判明した．例えば，水素原子の場合には，可能な全ての振動数は

$$\nu = cR\Big(\frac{1}{n^2} - \frac{1}{m^2}\Big) \tag{1.3}$$

(c: 光速, R: 定数, n, m は自然数)

という一つの式で表されてしまう．どれか一つの光で定数 R を決めさえすれば，あとは同じ R を用いて，水素原子が出す光の振動数（図 1.6）はどれも適

1.2. 古典物理学が直面した困難

当な二つの自然数 n, m を選ぶことにより再現することができ，この式で表せない振動数の光は一切放出されないのである．こんな式が偶然に成立するなどということは有り得な

図 1.6

いが，原子の基本構造も記述できない古典物理学では全く理解不可能だった．

光電効果の困難

光電効果とは，光（或いは紫外線やX線）の照射を受けた金属の表面から電子が飛び出す現象で，この放出される電子とそれによる電流は，それぞれ**光電子**および**光電流**と呼ばれる．この現象の特徴は次のようにまとめられる：

1) 照射光の振動数：振動数 ν を高く（低く）すると光電子の最大エネルギーは大きく（小さく）なる．特に，ν がある値 ν_0 より小さい時にはどんなに強い光を当てても電子は出てこない．この閾値 ν_0 を**限界振動数**と言う（その値は金属の種類に依存する）．逆に $\nu > \nu_0$ の光なら，当たると同時に電子が飛び出してくる．

2) 照射光の強度：$\nu = $ 一定 ($> \nu_0$) の光の場合，強度 I を変えても光電子の最大エネルギーは不変で，その個数のみが I に応じて増減する．

これを古典物理学的に理解しようとするなら，金属内電子は侵入してきた光（＝波動）から力を受けて振動を始め，その振幅（運動エネルギー）が十分大きくなったところで外に飛び出すということになる（図 1.7）．しかし，この説明が正しいなら，光電子の最大エネルギーを決めるのは光の振幅（強度）であり，振動数は重要な役割は果たさないはずである．つまり，強い光を当てれば $\nu < \nu_0$ でも電子は出てくるはずだし，また光を当ててから電子が飛び出してくるまで

に少し時間を要するはずでもある．これらはいずれも上記の実験事実と合わない．これが光電効果の困難である．

実は，これは「夜空の星が見える」という極めて当り前のこととも大いに関係がある．もし何光年も離れている星から光が波動としてやって来るなら，我々の目を単位時間当りに通過するエネルギー量は少なすぎて，視神経に何の刺激も与えられないはずなのである．また，赤外線ストーブの前では何時間座っていても

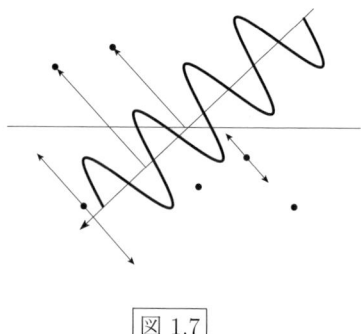

図 1.7

日焼けなどしないのに，真夏の直射日光を浴びるとあっと言う間に日焼けしてしまうことも同じ種類の現象である．

黒体（空洞）輻射の困難

金属は，熱していくと赤く光り始め，更に加熱を続けると より明るい白熱状態に変わっていく．このように，高温の物体は，その温度に応じて様々な色の光（輻射）を出す．逆に言えば，普通の温度計などではその温度が全く計れない物，例えばドロドロに溶けた金属など，の温度はその時の色から知ることが出来る．この場合，特に純粋に黒い物体が出す光（**黒体輻射**）のスペクトルと温度の関係を調べておくことが，基礎的なデータとして重要である．何故なら，黒い物体は周囲より低温の時にはどんな色の光も吸収するし，反対に高温になればあらゆる色の光を輻射するという理想的な性質を持つからである．

ところが，"純粋に黒い物体"と口で言うのは簡単だが，実際には容易には見つからない．そんな中，ウィーンは，「内壁が光をよく吸収する物質で作られた大きな空洞容器にあけた小さな孔」は，外から見ると「純粋な黒色」というアイデアを提出した（図1.8）．これは，出口の見えない長いトンネルの入り口

1.2. 古典物理学が直面した困難

は黒く見えるという現象の究極の形であって、このような容器を熱して小孔から出て来る光のスペクトルを調べれば、それが黒体輻射の研究になるという訳である。この結果、黒体輻射は**空洞輻射**とも呼ばれるようになり、実際にこれに基づき輻射の振動数・温度依存性が精密に測定され始めた。

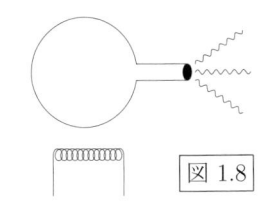

図 1.8

以下、より定量的な議論のために、スペクトルの縦軸 I（ここでは黒体輻射強度）として〈単位振動数・空洞内の単位体積当りの輻射エネルギー〉を用いることとする。そこに上記の測定結果をプロットしていくと、それらは、前述の太陽光スペクトルと同じように、空洞内温度で決まるある振動数にピークを持つ曲線を描いた（図1.9 点線）。そこで次の研究課題となったのが、この曲線を理論的に導出できるかどうかである。レーリーとジーンズは、古典電磁気学に基づいて光を波として扱い、それを古典統計力学と組み合わせるという（当時としては）極めて正統的な計算を行い

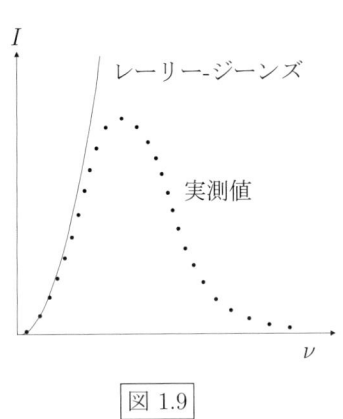

図 1.9

$$I = \left(\frac{8\pi k_{\mathrm{B}} T}{c^3}\right)\nu^2 \tag{1.4}$$

（c：光速、 T：空洞温度、 k_{B}：ボルツマン定数）

という式を得た。これは、図 1.9 に示すように ν の小さいところでは実験値を再現する。しかし、この I は ν の2次関数なので $\nu \to \infty$ の極限で発散する、つまり振動数が無限大の光が無限の強さで出るという完全に無意味な内容を含んでいる。これは明らかにおかしいが、古典物理学に従う限りはこのような結果が出てしまうのである。これが黒体輻射あるいは空洞輻射の困難である。

1.3 極微世界の新法則への手掛かり

量子の概念

空洞輻射の困難に対し，ウィーンは，波動のはずの光を"ある一定の，振動数 ν ごとに定まるエネルギーをもつ粒子の集まり"のように仮定して輻射強度を計算し，次式を導いた（1896）：

$$I = \Big(\frac{8\pi k_\mathrm{B}\beta}{c^3}\Big)\nu^3 e^{-\beta\nu/T} \tag{1.5}$$

但し，β は任意定数である．これは全く異端の考えだが，β を適当に決めれば ν の大きいところで実験結果と合うことがわかってきた（図 1.10）．しかし，残念ながらレーリー–ジーンズの式とは逆に，ν が小さいところではうまくいかない．このような状況の中，プランクは，$\nu \to$ 大 でウィーンの式に，$\nu \to$ 小 でレーリー–ジーンズの式に一致する式を見出した（1900）．これは

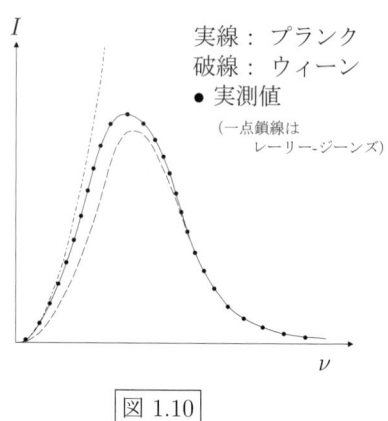

図 1.10

$$I = \Big(\frac{8\pi k_\mathrm{B}\beta}{c^3}\Big)\frac{\nu^3}{e^{\beta\nu/T}-1} \tag{1.6}$$

で与えられる．この式は全領域で実験曲線と見事に一致した（図 1.10）．

問題 1.1 実際に，プランクの式が ν の大きい領域でウィーンの式に，小さい領域でレーリー–ジーンズの式に近似的に等しくなることを確かめよ．

プランクは，次に"何故この公式が成立するのか？"を考え，光と物体（空洞の壁）がやりとりするエネルギーには

$$\varepsilon_\nu = h\nu \quad (h \equiv k_\mathrm{B}\beta) \tag{1.7}$$

1.3 極微世界の新法則への手掛かり

という それ以上の分割は不可能な最小単位がある，との結論に到達した．[注1.3] これは**エネルギー量子仮説**と呼ばれ，また，上式右辺に登場した h は，これ以後**プランク定数**の名で知られることとなる極めて重要な微小定数 -単位は $J \cdot Hz^{-1}$ $(= J \cdot s)$- である：

$$h = 6.63 \times 10^{-34} \text{ J} \cdot \text{Hz}^{-1} \tag{1.8}$$

更に，アインシュタインは，より大胆に「振動数 ν，波長 λ ($\lambda\nu = c$) の光は，波動であると同時にエネルギー $E = h\nu$，運動量（の大きさ）$p = h/\lambda$ の粒子（**光量子**，現在では**光子**と呼ばれている）の集団としての性質も持つ」と考えて，次のように光電効果を説明した（1905）：

- 金属内の電子は，侵入してきた光との相互作用で $h\nu$ というエネルギーを一度にもらうことが出来るので，$h\nu > W$ (W：電子を解放するのに必要なエネルギー) なら外へすぐに飛び出せる（図 1.11）．

- しかし，$h\nu$ が W の最小値 W_0 よりも小さければ，どの電子も飛び出せない．これは限界振動数 $\nu_0 = W_0/h$ の存在を意味する．

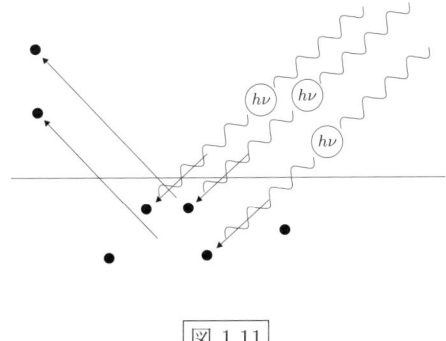

図 1.11

[注1.3] レーリー–ジーンズの式 (1.4)，ウィーンの式 (1.5)，そしてプランクの式 (1.6) を得るには統計力学の知識が必要なので，ここでは詳細には立ち入らない．ただ，いったん統計力学を理解したなら，これらの式を導出するのは難しくはないので，そこまで勉強している読者は，是非とも自ら手を動かして確認して欲しい．

- 光の強弱は光子の数に対応し，$h\nu$ の大きさには関係しない．従って，$\nu > \nu_0$ なら光が強いほど光電子の数も増えることになるが，$\nu < \nu_0$ なら いくら強い光を当てても電子は飛び出せない．

ボーアの原子模型

プランク及びアインシュタインの研究により，「光電効果」と「空洞輻射」は何とか記述可能となってきた．では，原子構造についてはどうだろう．N．ボーアは，どんな値でも許されると考えられてきた光（電磁波）エネルギーが実は離散的な値に限られていたというなら，ラザフォード模型における原子内電子のエネルギーについても同じことが言えるのではないか？と考え，次のような仮説を立てた（1913）：

ボーアの仮定

1) 電子は，原子内では特定の軌道上にしか存在できず，同じ軌道上にいる限り光（電磁波）を放出しない（出来ない）．この状態を**定常状態**と言う．

2) この軌道は，|電子の角運動量|$= h/(2\pi) \times$ 自然数という条件で決まる．

3) 電子がある軌道A（電子のエネルギー E_A）から別の軌道B（電子のエネルギー E_B）に移る際に，光の放出（$E_A > E_B$ の時）や吸収（$E_A < E_B$ の時）が起こる．その光の振動数 ν は $h\nu = |E_A - E_B|$ で決まる（図1.12）．

この仮定，特に 1), 2) は古典物理学では全く理解できないものだが，これを認めるとどのような計算が可能になるだろうか．これは力学の基本的知識（付録3参照）だけで実行できるので，水素原子を例として少し詳しく説明しよう．

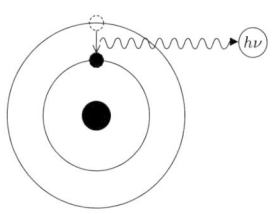

図 1.12

1.3 極微世界の新法則への手掛かり

電子軌道の半径を r とすると，等速円運動する電子の力学的エネルギーは

$$E = \frac{1}{2}m_e v^2 - k\frac{e^2}{r} \tag{1.9}$$

で与えられる．但し，右辺第2項は原子核（この場合は陽子1個）からのクーロン力 $-ke^2/r^2$ による位置エネルギーであり，$r \to \infty$ でゼロとなるようにその基準を選んである．円運動が持続するためには，電子と原子核の間に $m_e v^2/r$ という大きさの向心力が働いていなければならないが，それを担うのは，ここでは上記のクーロン力である．つまり，

$$\text{向心力}(= -m_e v^2/r) = \text{クーロン力}(= -ke^2/r^2) \tag{1.10}$$

これを (1.9) 式に代入することにより

$$E = -\frac{1}{2}m_e v^2 \tag{1.11}$$

が得られる．一方，この電子の角運動量の大きさ（l）は $l = |\boldsymbol{r} \times \boldsymbol{p}| = m_e r v$ であるから，仮定 2) の自然数を n とすれば 同仮定より

$$l = m_e r v = \frac{nh}{2\pi} \tag{1.12}$$

これを $m_e v^2/r = ke^2/r^2$ と組み合わせて

$$v = \frac{2\pi ke^2}{nh} \tag{1.13}$$

従って，電子エネルギーとして

$$E = -\frac{1}{2}m_e \left(\frac{2\pi ke^2}{nh}\right)^2 = -\frac{2\pi^2 k^2 m_e e^4}{n^2 h^2} \tag{1.14}$$

を得る．この（n に対応する）エネルギーを E_n と書けば，m 番目の軌道にいる電子が n 番目の軌道に移る時（$m > n$ とする）に出す光は，仮定 3) より

$$\nu = \frac{E_m - E_n}{h} = \frac{2\pi^2 k^2 m_e e^4}{h^3}\left(\frac{1}{n^2} - \frac{1}{m^2}\right) \tag{1.15}$$

という振動数を持つことになる．一方，実験で得られていたのは (1.3) 式

$$\nu = cR\Bigl(\frac{1}{n^2} - \frac{1}{m^2}\Bigr)$$

であったが，何と，<u>(1.15) 右辺の $2\pi^2 k^2 m_e e^4/h^3$ は，測定から決められていた cR と同じ値になった</u>．ボーアの仮定は非常に奇妙なものだが，このような見事な一致は偶然では有り得ない以上，何らかの真実を含むと考えざるを得ない．

しかも，この「離散的な定常状態」の存在を強く支持する実験が，フランクとヘルツによって行われた（1914）．詳細には立ち入らないが，これは，<u>気体中を通過する電子（エネルギー E）と気体原子との衝突実験</u>である．常温では，気体原子内の電子軌道は，エネルギーが最低となるように内側から埋まっていると考えられる．例えば水素原子なら，それは $n=1$ の軌道になる．この状態の気体原子エネルギーを E_1，最も外側の電子（最外殻電子）を 1 個だけ更に外側の軌道に移した場合の同エネルギーを E_2，両者の差を $\Delta E \equiv E_2 - E_1$ と表そう．すると $E < \Delta E$ の時には，気体原子内の電子は，侵入してきた電子からエネルギーを受け取ろうにも受け取れない．従って，入射電子は，エネルギーを失うことなくそのまま通過することになる．しかし，入射電子エネルギーを上げていくとどこかで $E \geq \Delta E$ となり，衝突の際に，最外殻電子がエネルギー ΔE を奪って外側の軌道に移ることも可能となる．そして，それが起これば，入射電子はフラフラになって出て来るだろう．彼らは，正にこの現象を実験的に確認したのである．

電子波（物質波）

このような展開の中で，ド・ブロイは，波と考えられてきた光が粒子的な性質を併せ持つのなら，粒子としか思えない電子その他の微粒子には逆に波動性があるのではないか，と考えた（1923）．そして，$E = h\nu$, $p = h/\lambda$ の関係を逆に読み，「エネルギー E，運動量 $\boldsymbol{p}$ の電子には

$$\text{振動数 } \nu = E/h, \qquad \text{波長 } \lambda = h/p \quad (p = |\boldsymbol{p}|) \qquad (1.16)$$

1.3 極微世界の新法則への手掛かり

の波が付随する」と仮定した．この二つの式は**ド・ブロイの関係**と呼ばれている．これも，我々の経験・常識からは全く認められない奇異な説である．「粒子」と言えば，定まった質量を持ち空間のある点に局在し，(原理的には) その存在場所をはっきりと知ることが出来るようなものである．一方，波動は，ある広がった領域内における現象であり，その質量は？なんて尋ねるのは無意味である．ゆえに，電子は粒子性と波動性を両方持っていると口で言うのは簡単でも，物理学としては真面目にとり上げる気も起らないような主張と言いたくなる．

ところが，これはボーアの仮定と深い関係にある：半径 r の軌道上を運動する電子に本当に波が付随するなら，その波長は $n\lambda = 2\pi r$（n は正の整数）という関係を満たさなければならない．でなければ，電子が高速で何回も回転するにつれ重なり合った波が互いに打ち消し合いを始める，と考えられるからである（図 1.13）．そこで

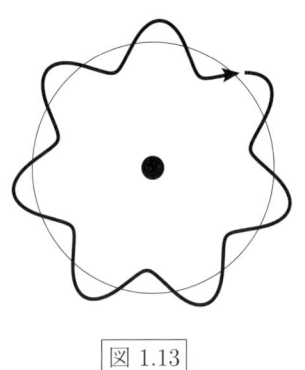

図 1.13

この条件を上述の仮定 $\lambda = h/p$ と組み合わせてみると，何と rp ($=$ 角運動量の大きさ) $= nh/(2\pi)$，つまり，ボーアの仮定の中心部分が現れるのである．[♯1.4]

この仮説を調べる実験は，1927 年にデヴィソンとガーマーにより行われた．とは言っても，彼らは，何か特別な装置による特別な実験を考案した訳ではない．通常，結晶の構造はX線などで調べられる．つまり，結晶を通過するX線が回折・干渉という波動特有の現象を起こすことを利用し，その結果 スクリーンや検出装置上に記録される規則的な像を詳しく分析するのだが，これを電子ビームに応用したのである．彼らは，このX線解析で予め構造を調べておいた

[♯1.4] この辺りの議論はあまり突き詰めて考えない方がよい．実際，電子の近傍だけに波が存在するなら，電子がどれだけ高速で回転運動しようと波の打ち消し合いなど起きないとも思えるからである．

ニッケルの結晶に,運動量が一定(= p)の電子ビームを当てた.すると,電子の検出装置には,あたかも波が入射したかのような干渉模様が出現した!これは,電子ビームが純粋な粒子の集まりなら絶対に理解できない.しかも,得られた観測結果と上述の結晶の構造から この「入射波」の波長を求めてみると,ちょうど $\lambda = h/p$ に一致した.このことは,この波の振る舞いがX線など既知の波動と同じであり,従って,数学的にもそれらの波と同様に sin や cos 関数で記述できることも示唆している.こうなれば,我々は,"それがどのように理解できるか"とか"信じられるかどうか"には関係なく,電子ビームには波動的な性質もあることを「実験的事実」として認めざるを得ない.そこで,この波は**電子波**,或いはもっと一般に**物質波**と呼ばれるようになった.

これを如何に解釈するかが次の問題だが,出来る限り我々の"常識"に抵触しないようにしようとするなら,例えば"個々の電子は古典力学に従う純粋な粒子だが,集団になると波の性質が現れる"というような説明が思い浮かぶ.しかし,残念ながら これは全く不可能なのである.

これは,次のような電子ビーム干渉実験で より明らかになる:近接した二つのスリット (a, b) を持つ衝立と電子の検出装置を図1.14の

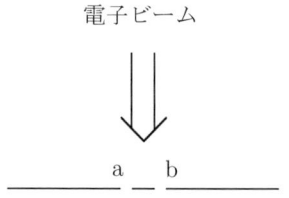

図 1.14

ように用意する.はじめにスリットaを開いて電子ビームを送ると,電子は検出装置上で図1.15(a) のように分布して観測される.同様にスリットb だけを開けば図1.15(b) のような結果が得られる.そこで両方のスリットを開いてビー

1.3 極微世界の新法則への手掛かり

ムを送れば，結果は図 1.15(c)，すなわち (a) + (b) のようになると "常識的には" つい考えたくなるが，実際には図 1.15(d) のような分布が出現してしまう．これはつまり電子ビームの波動性の再確認だが，ここで上記のように，個々の電子は純粋な粒子であり定まった軌道上を運動する，と仮定してみよう．その場合には古典力学の常識から，電子が発射された時点でその軌道は完全に決ってしまうので，スリット a を通る電子はスリット b の開閉に無関係にそのまま a を通過するはずである．これは b を通る電子についても同じで，その結果 a, b 共に開いている時には (c) のような分布が記録されるというのが当然の予想となる．ところが，実際には (d) のような分布が出現するということは，例えばスリット a を通る電子の進路にスリット b の開閉状態が何らかの，しかも非常に規則的な影響を与えるということを意味している．これは古典物理学の範囲内では（ということは，つまり我々の常識の範囲内では）全く理解できないという訳である．

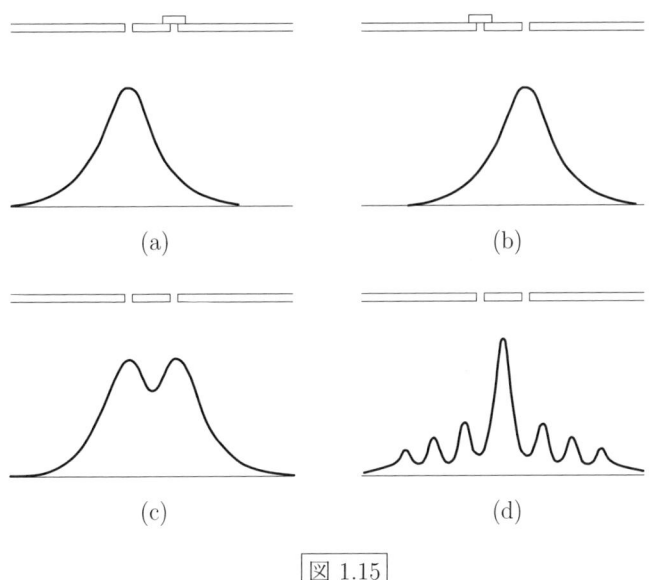

図 1.15

更に，最近では技術の進歩により，このビームの電子密度を非常に低くし，電子を1個ずつ数えられるような割合で入射させる実験も可能になってきた．では仮に電子が1個だけ入射した場合，どのような結果が得られるだろうか? 図1.15(d)のような分布が再び出現するのか? もしそうなら1個の電子が粉々になったことを意味するが，実際にはそうはならない．検出器上の1点で電子1個が記録されるのである．しかし，"それなら，やはり波動性は全体としての性質で，個々の電子は純粋な粒子なのだろう"と即断してはいけない．この弱いビームを連続的に入射させていくと，電子はあっちに1個こっちに1個と記録されていくが，それが溜ってくると全体として(d)のような分布が現れてくるのである（図1.16）．ということは，<u>1個1個の電子が既に図1.15(d)のような波動性を持って行動している</u>ことになる．

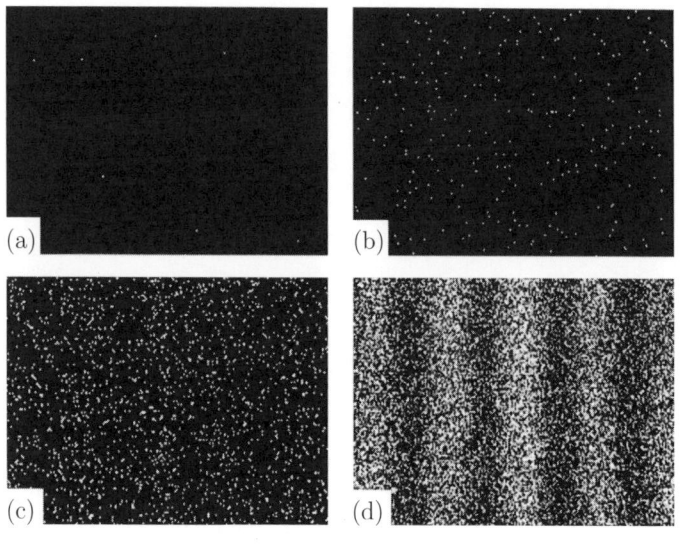

図 1.16

電子ビームの干渉実験（日立製作所・基礎研究所 外村彰博士 提供）

1.3 極微世界の新法則への手掛かり　　　　　　　　　　　　　　　　　　19

　では，この波は何を意味するのだろうか？ 波の強い所には多くの電子が記録されるということは，この波は個々の電子がどの場所で観測されやすいか・されにくいかという「確率」を表しているとの解釈が成り立つ．もう少し詳しく言うなら，電磁波などの干渉実験において，干渉模様を決めているのは各点各点における波動の強さではなく，それを2乗したものであるので，この事実からの類推として |電子波の強さ|^2 が確率を決めている という解釈である．電子波は，電子の運動を記述する「確率の波」という訳である．もしこの解釈が正しいなら（結果として正しいのだが），この波を記述する方程式が，古典物理学でのニュートンの運動方程式やマクスウェルの方程式に対応する，新しいミクロ世界の力学「**量子力学**」の基本方程式となる．そのような方程式は1926年にシュレディンガーにより発見され，現在，**シュレディンガー方程式**と呼ばれている．但し，その中身を説明するにはもう少し準備が必要である．

不確定性原理

　物を「見る」ということについて考えてみよう．例えば，暗い部屋で懐中電灯を照らして物を見る場合，その光が当たっても対象は別にそれで力を受けて動かされたりはしない．そんなことは巨視的な世界では当り前としか言いようがない．しかし，ミクロの世界ではそうはいかない．微粒子の位置やその運動量を測定しようとして光（光子の集団）を当てると，その微粒子が光子に跳ね飛ばされてしまう．その運動量についての情報がボケてしまうのである．そこで，運動状態を少しでも正確に知ろうとエネルギーの低い光子を使うと，今度は，波動としての光の分解能が長波長ということで低下してしまい，結果として微粒子についての位置の情報が不確かなものになってしまう．これより，ミクロの世界では，微粒子の位置と運動量は同時には正確に決定することが出来なくなると予想される．

　ハイゼンベルクは，この問題を位置と運動量のような幾つかの物理量のペア

$(a,\ b)$ について考察し，それぞれの測定値に関する誤差 Δa, Δb の積には，実験技術のレベルに無関係に

$$\Delta a \cdot \Delta b \gtrsim h \tag{1.17}$$

という「原理的な制限」が存在するであろうと指摘した（1927）．

プランク定数 h は非常に小さいが しかしゼロではない定数なので，上の不等式は，例えば 位置（座標）x を誤差 0（$\Delta x \to 0$）で決めようとすれば $\Delta p_x \to \infty$，つまり，運動量については何もわからない状態になることを意味する．これは古典物理学における"常識"とは大違いである．古典物理学では，我々は，どんな物体に対しても その位置と運動量の両方を同時に（測定の技術的限界は別にして原理的には）どこまでも正確に知り得る，と考えてきたのだから．このように，量子力学において<u>微小物体の位置と運動量（或いはその他の幾つかのペア）を同時に測定する場合，その精度には上記のような原理的に避けられない h 程度の不確定さが存在すること</u>を（ハイゼンベルクの）**不確定性原理**と言う．この原理を，ここまでに実験的に明らかになってきた事実と結び付けると，前述のシュレディンガー方程式を見出すことが可能になってくる．そして，その実際の導出と理解が次章の，そして本書自体の大きなテーマである．♯1.5

最後に，この原理に関してコメントを二つ述べておこう：

　まず，不確定性原理が正しいなら，古典物理学の立場はどうなるのだろう？これを認めることで古典物理的な見方は完全に排除されてしまうのか？ 否，そうではない．ポイントはプランク定数 h の大きさである．それは，あまりに微小であるため巨視的な現象の解析では何の問題もなく無視でき，結果として，座標と運動量の同時測定にも事実上どのような制限も課されないのである．

　もう一点は，「光を当てて物を見る」という行為を用いた例え話である．これ

♯1.5 ここで，不確定性原理の助けを借りてシュレディンガー方程式を導出するように書いているが，本文中に記した年からもわかるように，歴史的にはシュレディンガー方程式の方が先に発見されている．しかし，実際の発見の過程 – それは多くの場合 試行錯誤的になる– に従うよりも，現在の立場から一定程度までは論理的に再構成した説明の方が教育的にわかり易いと思われるので，このように話を進めていく．

1.3 極微世界の新法則への手掛かり

は，初学者に対するお話（定性的な解説）としてしばしば利用されるし，実際，筆者も上で導入として用いた．確かに，この話は「日常生活では考えもしないことがミクロの世界では重大な問題になり得る」ことを直感的に示すわかりやすい例ではある．ただ，このことを真剣に考えようとすると「微粒子は確定した座標も運動量も持っているが，我々にはそれを観測する手段がない」という結論に至ってしまう恐れもある．しかしながら，もしも微粒子が確定した座標と運動量を持ち，その結果として確定した軌道を描いて運動するなら，既に説明した通り電子ビームの干渉現象などは理解不可能になってしまう．事実，<u>完成された量子力学に従えば，どんな微粒子であっても，その座標と運動量が同時に確定値を持つことは原理的に許されないのである</u>．このあたりについては本書においても第5章で関連する解説を行うが，より詳細については是非とも中級・上級のテキストで学んで欲しい．

♠♠ ちょっと息抜き： 数学と自然科学 ♠♠

あるラジオ番組を聞いていた時のこと．有名な数学者が登場し，いろいろ楽しい話をしてくれていたが，話題が数学自体に及んだ時，彼は「数学の素晴らしさの一つは，その普遍性にある．言葉が違う国でも数学は共通というばかりでなく，全く異なった自然法則に従うような別の世界（別の宇宙）でも，数学だけは同じだろう」と胸を張った（ように響いた）．その瞬間，私は思わず「ちょっと待った〜！それは違うぞ〜」と叫びたくなった．数学の論理は人間の思考の中の論理だが，結局はそれは長い年月をかけて人間が自身を取り巻く自然から学び取った成果に違いないから，異なる自然法則の世界では，そこに生きる高等生物は，我々とは別の論理・数学を持つと考える方が遥かに自然ではないか．しかしながら，ラジオに向かって喚いても仕方なく，それから数年経った今，この短文を書いている．もっとも，私の方が正しいなどと証明する手段もないから，こういうことは，知的な会話として楽しむのが無難だろう．

♣♣♣♣

2. シュレディンガー方程式

ここまでに明らかになった電子波の実験事実および不確定性原理の要請に基づき，物質波の従う方程式 – 波動方程式（シュレディンガー方程式）– を求め，その基本的な性質を調べてみよう．但し，方程式発見までの話は，絶対的に正しいと保証された基本的な原理からの厳密な論理的展開，という訳ではない．そのような原理は知られてはいないし，近い将来に簡単に見つかるとも思われない．従って，話の展開は推論の積み重ねである．当然「何故このように考えなくてはならないのか」とか「このような考え方が唯一の可能性なのか」について頭を悩ます読者も出るだろうが，導かれた式が正しいかどうかは，その式を使うことで多くの現象がうまく説明できるかどうか，及びそれが論理的整合性を持っているかどうか，で決まるのである．この基準は，量子力学において初めて現れたものではなく，どんな教科書にも当り前のように載っている古典物理の多くの基本法則，ニュートンの運動方程式 $\boldsymbol{F} = m\boldsymbol{a}$ など，に対しても全く同様に適用される．

2.1 波動の数学的表現

はじめに，準備として，波動の数式による表現の基本事項をまとめておこう．$y = f(x)$ という曲線と $y = f(x - a)$ という曲線はどのような関係にあるだろうか．前者で $x = x_0$ での y の値を y_0 と書くことにすれば，後者では同じ y_0 は $x = x_0 + a$ という点で現れる．ということは，後者は前者を x 軸に沿って a だけ平行移動した曲線ということになる（図 2.1）．であれば，

$$y = f(x - vt) \tag{2.1}$$

(v: 定数, t: 時間変数)

2.1 波動の数学的表現

は，時刻 $t = 0$ において $y = f(x)$ という式で表されていた曲線が，形は崩さずに単位時間に $|v|$ ずつ，つまり速度 v で x 軸の向きに進むという現象を表すことになる．これが一般的な波動の表現と言える．

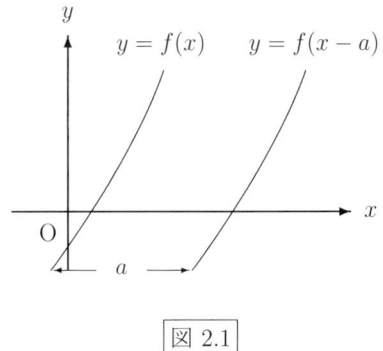

図 2.1

このような波動の取り扱いの数学的基礎を与えるのは sin, cos という三角関数である．実際，<u>任意の波動はこれらの組み合わせで表せる</u>ことが，**フーリエ解析**という手法を通じて知られており，電磁気学の基本方程式であるマクスウェル方程式の解も，しばしばこの sin, cos を用いて与えられる．以下では，波動の記述という観点から sin 関数の基本的な性質をまとめるが，同様のことは cos についても成立する．

- $y = A\sin x$ （A は正の定数）

これは，長さ 2π を単位として同じ形が繰り返される周期関数で，x の値が $0 \to 2\pi$ と変わる間に y は $+A$ を最大値，$-A$ を最小値として変化する．従って，この関数が記述する波動は**波長** $\lambda = 2\pi$，**振幅** A で特徴づけられる（図 2.2）．

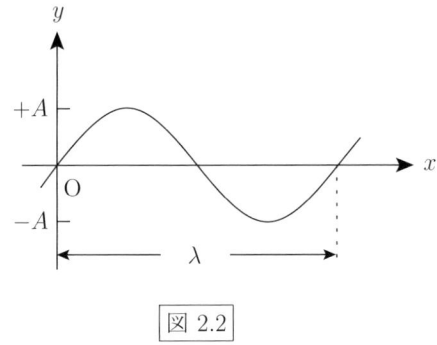

図 2.2

- $y = A\sin ax$ （a は正の定数）

これは，$y = A\sin x$ とほとんど同じ関数だが，x ではなく ax が 2π だけ変化

することで繰り返しの単位が決まるから，波長は $\lambda = 2\pi/a$ である．この曲線の1波長分を一つの波と呼ぶことにすれば，係数 a は，$a = 2\pi/\lambda$ からわかるように長さ 2π 当りの波の数（**波数**）を表す．波長 λ を用いれば，第1番目の式も含めて

$$y = A \sin \frac{2\pi}{\lambda} x \tag{2.2}$$

と表すことが出来る．

- $y = A \sin(ax - bt)$ （b は正の定数）

これは，$y = A \sin a(x - [b/a]t)$ と書き直して冒頭で述べた波動の一般形 (2.1) と比べればわかるように，$y = A \sin ax$ という形を保ちつつ速さ $v = b/a$ で進む波（**進行波**）を表す．この式で与えられる y が，同一点でどのような時間変化をするか見てみよう．[#2.1] 式が最も簡単になるよう原点 $x = 0$ をその点に選ぶ．但し，これで本質が損なわれることは勿論ない．$x = 0$ と置けば上式は $y = -A \sin bt$ となるから，単位時間当りの位相の増加（**角振動数**）は b で与えられる．この結果，$t = 2\pi/b$ という時間毎に同じ y が現れ，単位時間には $b/(2\pi)$ 回振動が起こることになる．つまり，この式は**周期** $T = 2\pi/b$, **振動数** $\nu = b/(2\pi)$ の振動を与える．従って，全体を波長 λ と振動数 ν によって表現すれば

$$y = A \sin\left(\frac{2\pi}{\lambda} x - 2\pi\nu t\right) \tag{2.3}$$

となる．

- $y = A \sin(ax - bt) + A \sin(ax + bt)$

右辺第1項・第2項は上での説明から理解できる通り，それぞれ速度 $\pm b/a$ の進行波であるが，両者が重なり合ったらどんな波動が生じるだろうか．この式は，三角関数の基本公式 $\sin(\theta_1 \pm \theta_2) = \sin\theta_1 \cos\theta_2 \pm \cos\theta_1 \sin\theta_2$ より

$$y = 2A \sin ax \cos bt$$

[#2.1] 例えば，水面波が広がる時に，水面上に浮かぶ木の葉が上下する様子を思い浮かべてみよう．

となるが，これは $y = A \sin ax$ の係数（振幅）A を $2A\cos bt$ で置き換えたものに等しい．従って，これは進行波ではなく，節も腹もその位置（x 座標）を変えない**定常波**を表す．波長 λ，振動数 ν を用い，$A(t) \equiv 2A\cos 2\pi\nu t$ と置いて

$$y = A(t) \sin \frac{2\pi}{\lambda} x \tag{2.4}$$

と表せば，(2.2) 式との対応がより明確になるだろう．

2.2 時間に依存するシュレディンガー方程式

まず，求める基礎方程式を見出すために利用できる事項を列挙する：

(1) 物質の波動性

ド・ブロイが予想し，デヴィソン–ガーマーが実験的に確認したように，電子などの極微粒子は波動的性格も備えている．定量的には，エネルギー E および 運動量 $\boldsymbol{p}$ を持つ粒子に付随する波動は，ド・ブロイの関係

$$\text{振動数 } \nu = E/h, \qquad \text{波長 } \lambda = h/p$$

で特徴づけられる（$p = |\boldsymbol{p}|$，h はプランク定数）．

(2) 電子波の干渉

電子ビームによる干渉実験の結果は，物質波が粒子の振る舞いを確率的に規定することを強く示唆している．具体的には，ある点で粒子が検出される確率は その点における物質波の絶対値の 2 乗で決まる，と解釈するのが合理的である．また，数学的には，物質波は古典物理に現れる波と同様に sin や cos などで記述できる．

(3) 不確定性原理

ハイゼンベルクは極微世界の物理量測定について考察し，それは，"古典

物理の常識"とは大きく異なり 次のような原理的制限を受ける，と提唱した：例えば，粒子の運動量と位置を同時にどこまでも正確に決めることは不可能で，それぞれの不定性 Δp, Δx の積はプランク定数サイズより必ず大きくなる．

次に，場所 $\boldsymbol{r} = (x, y, z)$，時刻 t での物質波の強さ（変位あるいは振幅とも言う）を $\psi(\boldsymbol{r}, t)$ 或いは $\psi(x, y, z, t)$ と表すことにしよう．この ψ は**波動関数**と呼ばれる．但し，話を簡単にするため，まず1次元（x軸）の世界での質量 m の自由粒子に付随する波 $\psi(x, t)$ に的を絞る．上でまとめたように，この粒子が確定した運動量 p ($p > 0$) を持っているとすると，その物質波は，ド・ブロイの関係から振動数 $\nu = E/h$，波長 $\lambda = h/p$ であり，また，電子波干渉実験より数学的には sin や cos 関数の組み合わせとして表されるのだから，$\psi(x, t)$ は

$$\sin\left(\frac{p}{\hbar}x - \frac{E}{\hbar}t\right), \quad \cos\left(\frac{p}{\hbar}x - \frac{E}{\hbar}t\right) \tag{2.5}$$

から成ると考えられる（ここで $\hbar$ は $\hbar \equiv h/(2\pi)$ と定義される定数[#2.2]）．

それでは，この $\psi(x, t)$ の具体形としては，どのようなものが許されるだろうか．不確定性原理によれば，運動量と座標の不定性 Δp と Δx の積は $\hbar$ の程度より小さくはなれない．ところが，今は運動量が p に確定した粒子を考えているから $\Delta p = 0$ である．すると，必然的に $\Delta x = \infty$ でなければならない．つまり，粒子がどの点で見出されるかについての情報は皆無，換言すれば 粒子が検出される確率はあらゆる点（x）で同じということになる．これは

$$|\psi(x, t)|^2 = \text{一定} \tag{2.6}$$

であることを意味する．ψ が上記のような sin, cos の組み合わせで表されるならこの条件を満たすことは一見不可能と思われる．しかしながら，波動関数が

[#2.2] $\hbar$ は**ディラック定数**と呼ばれる．これは，単に h を無次元の量 2π で割っただけのものではあるが，この組み合わせもよく現れることから今では不可欠な定数として定着している．

2.2 時間に依存するシュレディンガー方程式

複素数であることを認めれば，A を定数として

$$\psi(x,t) = A\left[\cos(kx-\omega t) + i\sin(kx-\omega t)\right] \tag{2.7}$$

がその条件を満たす．但し，ここで式を簡単にするため $k = p/\hbar (= 2\pi/\lambda)$，$\omega = E/\hbar (= 2\pi\nu)$ と置いた．前節で述べたように，この k，ω はそれぞれ波数，角振動数である．この ψ は，また，複素数についてのオイラーの公式により

$$\psi(x,t) = Ae^{i(kx-\omega t)} \tag{2.8}$$

とも表せる．複素数の波とはどのようなものかは想像も出来ないけれど，確率を求める際には絶対値の 2 乗をとるから実用上は問題ない，という訳である．

このように構成された上記の波動関数は

$$i\hbar\frac{\partial}{\partial t}\psi(x,t) = -\frac{\hbar^2}{2m}\frac{\partial^2}{\partial x^2}\psi(x,t) \tag{2.9}$$

という微分方程式を満たす．実際，この両辺に (2.8) を代入すれば

$$\text{左辺} = i\hbar\frac{\partial}{\partial t}\psi(x,t) = \hbar\omega\,\psi(x,t) = E\,\psi(x,t)$$
$$\text{右辺} = -\frac{\hbar^2}{2m}\frac{\partial^2}{\partial x^2}\psi(x,t) = \frac{\hbar^2 k^2}{2m}\psi(x,t) = \frac{p^2}{2m}\psi(x,t)$$

で，$E = p^2/(2m)$ だから確かに等式が成立する．この関係を逆にたどれば，「自由粒子の力学的エネルギーと運動量の関係

$$E = \frac{p^2}{2m}$$

から出発し，その中の E と p を

$$E \to i\hbar\frac{\partial}{\partial t}, \quad p \to -i\hbar\frac{\partial}{\partial x} \tag{2.10}$$

と置き換え，演算子となった両辺を $\psi(x,t)$ に作用させれば方程式 (2.9) に達する」という流れになる．これについて読者は "強引かつ奇妙なこじつけ" という

印象を持つかも知れないが，新しい理論の探索では，このような試行錯誤は不可避であると同時に，多様な可能性の追求という意味で非常に重要でもある．

そこで，次に粒子が外力を受けて運動している場合を考える．この力による粒子の位置（ポテンシャル）エネルギーを $V(x)$ とすれば，物質波 $\psi(x,t)$ はどんな方程式を満たすのだろうか．上の対応関係がここでも成立すると仮定すれば，今度は

$$E = \frac{p^2}{2m} + V(x)$$

において (2.10) の置き換えをすることになる：$V(x)$ については今のところ手掛かりはないが，p は含まれないので取り敢えずこのままにしておくと

$$i\hbar\frac{\partial}{\partial t}\psi(x,t) = \left[-\frac{\hbar^2}{2m}\frac{\partial^2}{\partial x^2} + V(x)\right]\psi(x,t) \tag{2.11}$$

を得る．実は，これが 1 次元の**時間に依存するシュレディンガー方程式**である．くどいようだが，この方程式が（1 次元の）粒子の運動を正しく記述するなどという保証は，この段階ではどこにもなく，あくまで仮定である．

この式を 3 次元の場合に拡張することは，上の置き換えを認めればすぐに出来る．

$$E = \frac{\boldsymbol{p}^2}{2m} + V(\boldsymbol{r})$$

で $E \to i\hbar\partial/\partial t$ に加えて，$\boldsymbol{p} = (p_x, p_y, p_z)$ において

$$p_x \to -i\hbar\frac{\partial}{\partial x}, \qquad p_y \to -i\hbar\frac{\partial}{\partial y}, \qquad p_z \to -i\hbar\frac{\partial}{\partial z} \tag{2.12}$$

或いは同じことだが，$\nabla \equiv (\partial/\partial x, \partial/\partial y, \partial/\partial z)$ というベクトル型の演算記号（**ナブラと呼ぶ**）を用いて $\boldsymbol{p} \to -i\hbar\nabla$ と置き換えれば

$$i\hbar\frac{\partial}{\partial t}\psi(\boldsymbol{r},t) = \left[-\frac{\hbar^2}{2m}\Delta + V(\boldsymbol{r})\right]\psi(\boldsymbol{r},t) \tag{2.13}$$

ここで $\Delta \equiv \partial^2/\partial x^2 + \partial^2/\partial y^2 + \partial^2/\partial z^2 (= \nabla^2)$ は**ラプラシアン**と呼ばれる演算記号である．これで 3 次元空間内を運動する 1 個の粒子のシュレディンガー方程式が得られた．

2.2 時間に依存するシュレディンガー方程式

以上の操作が正しいなら，古典力学から出発してシュレディンガー方程式を導き出す処方箋（規則）が得られたことになる．対象の系にこの規則を施すことを，**系を量子化する**と言う．

量子化の規則

1) 粒子の力学的エネルギーを運動量と座標で表す：

$$E = \frac{1}{2m}\boldsymbol{p}^2 + V(\boldsymbol{r})$$

この右辺は，解析力学において**ハミルトニアン**と呼ばれている量であり（付録3参照），H と表される．

2) この式においてエネルギーと運動量を

$$E \to i\hbar\frac{\partial}{\partial t}, \quad \boldsymbol{p} \to -i\hbar\nabla \tag{2.14}$$

と微分演算子で置き換える．この置き換えにより，ハミルトニアンも

$$\hat{H} = -\frac{\hbar^2}{2m}\Delta + V(\boldsymbol{r}) \tag{2.15}$$

という演算子になる．[♯2.3]

3) 最後に，これらの演算子で表された両辺を波動関数 ψ に作用させる：

$$i\hbar\frac{\partial}{\partial t}\psi(\boldsymbol{r},t) = \hat{H}\psi(\boldsymbol{r},t) \tag{2.16}$$

これは，現在では単に1粒子だけでなく<u>多粒子系や，更には電磁場などを量子力学的に扱う際にも正しい結果を与える規則</u>であることが知られている．

ここで，少々形式的な補足をしておこう．上記の量子化の結果，運動量と座標の間には

$$[\hat{p}_x, x] = [\hat{p}_y, y] = [\hat{p}_z, z] = -i\hbar \tag{2.17}$$

[♯2.3] 線型代数における基本概念の一つ「演算子」（及びその固有値・固有関数）は量子力学でも不可欠な要素なので，これに不慣れな読者は付録2を参照すること．

という**交換関係**が発生する．但し，[,] は任意の演算子 $\hat{A}$, $\hat{B}$ を用いて

$$[\hat{A}, \hat{B}] \equiv \hat{A}\hat{B} - \hat{B}\hat{A} \tag{2.18}$$

と定義される記号であり，$\hat{A}$, $\hat{B}$ の間の**交換子**と呼ばれている．事実，付録2で説明してあるように，演算子の等式はその両辺を任意関数 (f) に作用させて初めて具体的な意味が生じることに注意すれば，例えば x 成分は

$$[\hat{p}_x, x]f = \hat{p}_x(xf) - x\hat{p}_x f$$
$$= (\hat{p}_x x)f + x\hat{p}_x f - x\hat{p}_x f = (\hat{p}_x x)f = -i\hbar f$$

となる．実は，完成された量子力学では，上記の交換関係の方が本質的に重要と考えられている．我々が行ったように，運動量の方を微分演算子で置き換えれば確かにこの交換関係は満たされるが，運動量はそのままにして座標の方を運動量についての微分演算子

$$\hat{\boldsymbol{r}} = i\hbar\Big(\frac{\partial}{\partial p_x}, \frac{\partial}{\partial p_y}, \frac{\partial}{\partial p_z}\Big) \tag{2.19}$$

で置き換えても同じ関係が成立する．我々が行った立場は**座標表示**あるいは**位置表示**，運動量をそのままに扱う立場は**運動量表示**と呼ばれている．本書では，座標表示において以下話を進める．

最後に，1.3節（16頁）で述べた二つのスリットの電子波干渉実験を，波動関数の言葉でまとめておこう（次頁の図 2.3 も参照）．スリット a, b から出て来る波の波動関数を，それぞれ ψ_a, ψ_b と表す．すると，a のみを開いた時には波 ψ_a だけが検出装置にやって来る．同様に b だけ開けば ψ_b が来る．では a, b 同時に開けばどうなるかと言えば，当然のことながら $\psi = \psi_a + \psi_b$ という波が現れる．これは他の波，例えば水面上の波でも全く同じである．ゆえに，a のみ，b のみ，a 及び b 両方を開いた時の電子の分布はそれぞれ

$$|\psi_a|^2, \ |\psi_b|^2, \ |\psi_a + \psi_b|^2$$

2.3 時間を含まないシュレディンガー方程式

で決まるが,

$$|\psi_a + \psi_b|^2 = |\psi_a|^2 + |\psi_b|^2$$
$$+ (\psi_a^* \psi_b + \psi_a \psi_b^*)$$
$$\neq |\psi_a|^2 + |\psi_b|^2$$

だから $\psi_a^* \psi_b + \psi_a \psi_b^*$ が干渉部分を表すことになる.

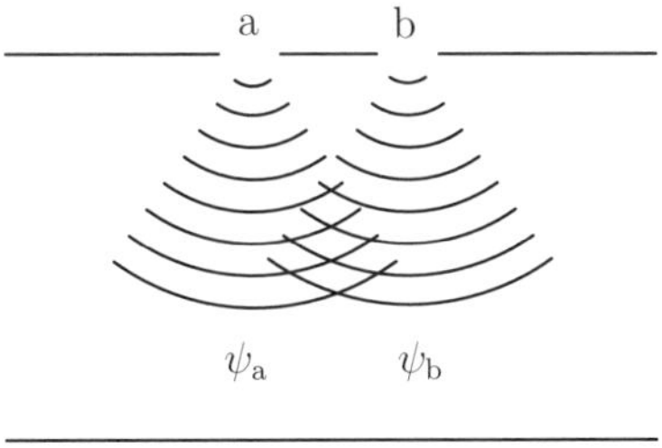

図 2.3

2.3 時間を含まないシュレディンガー方程式

前節で説明したように, 質量 m の粒子の運動状態を表す波動関数 $\psi(\boldsymbol{r},t)$ は

$$i\hbar \frac{\partial}{\partial t}\psi(\boldsymbol{r},t) = \hat{H}\psi(\boldsymbol{r},t) \tag{2.20}$$

に従う. すなわち, この (時間を含む) シュレディンガー方程式という名の 2 階の線形偏微分方程式を与えられた境界条件の下で解くことにより, 波動関数の振る舞いを調べることが出来る. この節では, 少々複雑な構造をしたこの式を より扱いやすいように変形することを考えてみよう.

シュレディンガー方程式に限らず, 一般の偏微分方程式の解法の一つに変数分離法がある. これは, この場合について言えば

$$\psi(\boldsymbol{r},t) = u(\boldsymbol{r})T(t) \tag{2.21}$$

のように, 解を二つ以上の異なる変数の部分の積に分解して求める方法である. 勿論 すべての解がこういう形をしているとは限らない. 従って, これで求まるのは一つの特解であるが, それでも, その解は一般解を求める上での重要な手掛かりになる.

そこで この手法に従い (2.21) 式を (2.20) 式に代入してみる:

$$\text{左辺} = i\hbar\frac{\partial}{\partial t}\Big[u(\boldsymbol{r})T(t)\Big] = i\hbar u(\boldsymbol{r})\frac{d}{dt}T(t), \quad \text{右辺} = \hat{H}\Big[u(\boldsymbol{r})T(t)\Big]$$

この右辺は，$\hat{H}$ が時間変数 t を全く含まず $T(t)$ には作用しないことを考慮すると $\Big[\hat{H}u(\boldsymbol{r})\Big]T(t)$ と書けるので，両辺を $u(\boldsymbol{r})T(t)$ で割り

$$\frac{i\hbar}{T(t)}\frac{d}{dt}T(t) = \frac{1}{u(\boldsymbol{r})}\hat{H}u(\boldsymbol{r}) \tag{2.22}$$

という関係を得る．ここで，我々は今 (2.20) 式という<u>微分方程式</u>の解を求めているということに注意しよう．つまり，付録 A1.3 でも強調しているように，(2.21) 式がその解であるためには，<u>この (2.22) 式は任意の $\boldsymbol{r}$ と t に対して成立しなければならない</u>．ところが (2.22) 式の左辺は t のみの関数，右辺は $\boldsymbol{r}$ のみの関数なので，それらが常に等しくなるのは，左辺の分子・分母の間で t 依存性が，また右辺の分子・分母の間では $\boldsymbol{r}$ 依存性が，それぞれ完全にキャンセル（約分）され両辺ともこの二つの変数には全く依存しない定数になる，という場合だけである．つまり，この定数（分離定数）を E と書くと

$$\frac{i\hbar}{T(t)}\frac{d}{dt}T(t) = \frac{1}{u(\boldsymbol{r})}\hat{H}u(\boldsymbol{r}) = E \tag{2.23}$$

が要求されることになる．これより

$$\hat{H}u(\boldsymbol{r}) = Eu(\boldsymbol{r}) \tag{2.24}$$

及び

$$\frac{d}{dt}T(t) = -i\frac{E}{\hbar}T(t) \tag{2.25}$$

という二つの方程式が得られる．

　上式のうち (2.24) 式が**時間を含まないシュレディンガー方程式**と呼ばれる方程式である．これも $i\hbar\partial\psi/\partial t = \hat{H}\psi$ と同じく偏微分方程式だが，線型代数学的に見ればハミルトニアン $\hat{H}$（という演算子）の固有値方程式でもあり，E と $u(\boldsymbol{r})$ はその固有値と固有関数に対応している．よって，<u>エネルギーの演算子 $\hat{H}$ の固有値 E は粒子のエネルギーを表す</u>と解釈できる．つまり，この方程式

2.4 量子力学という体系

を解くことで $u(\boldsymbol{r})$ だけでなく許されるエネルギー値も決まるのである（実際には $V(\boldsymbol{r})$ の具体的な形が与えられないと実行できないが）．但し，一般には $\hat{H}u = Eu$ は多くの独立な解を持つので，それらは通常 $E_n, u_n(\boldsymbol{r})$ $(n = 1, 2, \cdots)$ と添字を用いて表される．この「時間を含まないシュレディンガー方程式で記述される エネルギー値が確定した状態」は**定常状態**と呼ばれている．[♯2.4]

一方，(2.25) 式は $V(\boldsymbol{r})$ に無関係に簡単に解けて

$$T(t) = C\,e^{-iEt/\hbar} \tag{2.26}$$

（C は任意の定数）となり，これを上記 $\hat{H}u(\boldsymbol{r}) = Eu(\boldsymbol{r})$ の解 $E_n, u_n(\boldsymbol{r})$ と組み合わせれば，時間を含むシュレディンガー方程式 (2.20) の一般解が

$$\psi(\boldsymbol{r}, t) = \sum_n C_n u_n(\boldsymbol{r}) e^{-iE_n t/\hbar} \tag{2.27}$$

（C_n も任意定数）と得られる．もし，時刻 $t = 0$ における波動の形が $\psi_0(\boldsymbol{r})$ という関数で表されていたなら，この一般解に対する初期条件は

$$\psi(\boldsymbol{r}, 0) = \sum_n C_n u_n(\boldsymbol{r}) = \psi_0(\boldsymbol{r}) \tag{2.28}$$

となり，5.1 節で示すように，この関係から各係数 C_n を決めることが出来る．

問題 2.1　上の (2.27) 式が (2.20) 式の解になっていることを確かめよ．

2.4 量子力学という体系

1.1 節でも述べたことだが，自然科学の基本法則とは，我々が経験的に，或いは観察・観測や実験を通して知った多くの自然現象に共通する規則性を，コンパクトかつ論理矛盾を含まない形にまとめたものである．これは多くの場合，微分方程式のような数式で表されるが，中には熱力学第 2 法則のように言葉で表

[♯2.4] ボーアが用いた「定常状態」という概念もここに含まれる．

現されるものもある．ともかく，この基本法則を出発点として一つの世界（体系）が演繹的に構成される．ここでは量子力学とはどのような体系かをまとめるが，その前に比較のため，お馴染みの古典力学という体系も眺めてみよう．

古典力学は，運動の第1法則（慣性の法則），第2法則（ニュートンの運動方程式）および第3法則（作用・反作用の法則）を基本法則としており，特に，運動方程式

$$\boldsymbol{F} = m\boldsymbol{a}$$

が中心的役割を果たしている．この運動の3法則を正しい自然の規則と認めた（仮定した）場合に，それから導き出される体系が古典力学という訳である．この出発点である基本法則自体は，絶対的に正しいと証明が出来るようなものではなく，はっきり言えば「仮定」あるいは「前提」である．従って，それらは，数学の「公理」に対応している．とは言っても，はじめから実際の現象と矛盾するような仮定では話にならない．注意深い実験や観測，慎重なデータの解析および論理的な考察を通じて得られた，信頼できる仮定である．そして，我々が知る（古典力学の適用限界内の）現象に関する限りは，仮定ではなく真実である．ともかく，一旦このように基本法則が確立されたら，運動量保存則や力学的エネルギー保存則といった2次的な法則が，論理的な帰結として導かれる．これらは数学で言う「定理」に相当する．

では，量子力学とはどんな体系だろうか．一口で言えば，「シュレディンガー方程式

$$i\hbar \frac{\partial}{\partial t} \psi(\boldsymbol{r}, t) = \hat{H} \psi(\boldsymbol{r}, t)$$

を基本法則とする体系」である．しかし，これで全てがわかるなら苦労は要らない．その解き方はもちろんだが，波動関数そのものの意味も初めから明らかな訳ではない．古典力学の場合にも，初学者は「速度」，「加速度」，「力」やそれを表現する「ベクトル」をまず学ばなければならない．それでも，これらの量はある程度までは視覚的にも理解できる．ところが，波動関数となるとかな

2.4 量子力学という体系

り抽象的な量である．結果として，その波動関数が意味すること自体，それなりに時間をかけて理解していかなければならない．これが量子力学の「取っ付きにくい」理由の一つである．本書でも，その基本的な部分は第5章でまとめるが，結局は全体を通じて少しずつ慣れていくしか道はないように思う．

♠♠ ちょっと息抜き： 習うより慣れろ？ ♠♠

　「量子力学」という本の著者がこういうことを書くのは如何なものかとも思うけれど，学生時代の自分は，その量子力学への入門段階で何度もつまずき挫折を感じていた．何が原因だったのか今となっては明確にはわからないし，具体的にどこが壁だったのかも正確には思い出せないが，まず「何故，古典力学ではダメなのか」が理解できていなかったような気もする．その結果，例えば運動量を微分演算子で置き換えるという量子化の規則も「意味不明な儀式」になり拒絶反応が起こっていたのだろう．もっとも，そもそも筆者には大学入学時から勉強面では様々な困難にぶつかっていたという実績（？）もあるので，こんなことは何も量子力学に限った話ではないが … (^_^;)．
　そののち，友人らのゼミに参加していろいろと教えて貰うことで，そんな窮状（？）からは何とか救われた．こういう場合，量子化の規則にしろシュレディンガー方程式にしろ，納得のいく理解ができなくとも取り敢えず「丸暗記」して多くの問題を解いてみるのも一法なのかも知れないが，当時の筆者はそんな柔軟性は持ち合わせていなかった．しかし，こういう経験をもつ筆者だからこそ，苦労している学生諸君のためにテキストを書く意義もあるのかなと自分に言い聞かせている．講義においては「新しいことに出会い戸惑いを感じる場合には，ともかくそれを機械的にでも憶えて使ってみたら？」と学生諸君に時々アドバイスしているが，これも自分自身の反省から生まれている．一見難解な物事でも，慣れてきて心に余裕が生まれたらその中が透けて見えてくることもあるという訳である．

♣♣♣♣

3. 1次元での束縛状態

　原子内の電子は，そのままでは原子核からの引力を振り切って遠方に飛び去ることは出来ない．これは，量子力学の言葉で表現すれば，そのような粒子の波動関数は無限遠方では0になるということである．このような状態は束縛状態と呼ばれる．ここでは，シュレディンガー方程式の基本的な応用として，井戸型ポテンシャルおよび調和振動子ポテンシャルという位置エネルギーによる1次元の束縛状態を考えてみる．

3.1 井戸型ポテンシャル

　我々の住む世界は3次元空間であり，そこにおける多くの現実問題を調べるには3次元のシュレディンガー方程式が必要となる．しかしながら，量子力学特有の効果が如何にして生じるかは，より簡単な1次元のシュレディンガー方程式を解くことでも理解できる．それを，束縛状態の扱いを通じて体験するのが，本章の目的である．例えば「束縛状態では，粒子に許されるエネルギー値は離散的になる」と示すことは，「原子核からの電気力で束縛される電子，つまり原子内電子が，なぜ定まった軌道上にしか存在できないのか」という問への答と本質的に同じものなのである．

　まず本節では，図 3.1 に示すような位置エネルギー（井戸型

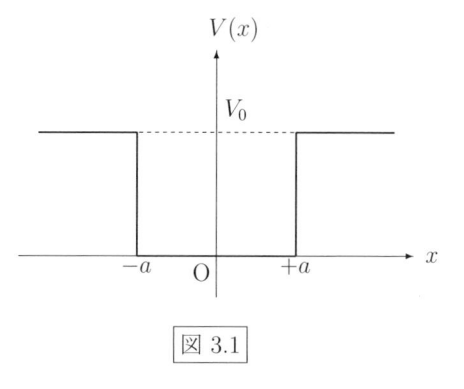

図 3.1

3.1 井戸型ポテンシャル

ポテンシャル）による力を受ける，質量 m の粒子の 1 次元運動を調べてみよう．但し，V_0 は定数であり，このポテンシャルを数式で表せば

$$V(x) = 0 \quad (-a \leq x \leq +a)$$
$$= V_0 \quad (x < -a \text{ または } x > +a) \tag{3.1}$$

である．このような場合の粒子運動は，エネルギーを用いて記述されることが多いので，以下ではエネルギーが確定した状態（定常状態）を想定する．従って，解くべき方程式は時間を含まないシュレディンガー方程式となり，それは

- $-a \leq x \leq +a$ においては

$$-\frac{\hbar^2}{2m}\frac{d^2}{dx^2}u(x) = Eu(x) \tag{3.2}$$

- $x < -a$ 及び $x > +a$ においては

$$-\frac{\hbar^2}{2m}\frac{d^2}{dx^2}u(x) + V_0 u(x) = Eu(x) \tag{3.3}$$

で与えられる．以下で示すように，粒子は $E < V_0$ の時に束縛状態となる．

この微分方程式の，$E < V_0$ の場合の一般解は

$$k \equiv p/\hbar = \sqrt{2mE}/\hbar, \quad \kappa \equiv \sqrt{2m(V_0 - E)}/\hbar \tag{3.4}$$

と置き，A, B, C, C', D, D' を任意定数として

$$u(x) = Ae^{ikx} + Be^{-ikx} \quad (-a \leq x \leq +a)$$
$$= Ce^{\kappa x} + C'e^{-\kappa x} \quad (x < -a)$$
$$= D'e^{\kappa x} + De^{-\kappa x} \quad (x > +a) \tag{3.5}$$

と求まる（付録 A1.3 を参照せよ）．但し，$x < -a$ 領域における $e^{-\kappa x}$ 項および $x > +a$ 領域における $e^{\kappa x}$ 項は，共に無限遠方（$|x| \to +\infty$）で発散してしまう物理的に意味のない項なので，それぞれの係数 C', D' は 0 でなければならない．すると，この結果 $|x| \to +\infty$ で 0 となる項のみが残るので，確かに粒子は束縛状態にあることがわかる．また，このような位置エネルギーの場合には，波動関数は上記のように領域毎に表されるが，実際には全体で一つの滑らかな連続関数

でなければならない．何故なら，もし $V(x)$ が有限なのに $u(x)$ や $du(x)/dx$ に不連続な点があればそこでは方程式自体が意味を失うが，それは，正に「シュレディンガー方程式が全ての出発点という量子力学の基本骨格」の崩壊に他ならないからである．ゆえに，残った定数 A, B, C, D も，互いに独立のまま留まることは許されず $x = \pm a$ での境界条件により関係づけられる．

無限に深い井戸の場合

最も簡単な例として $V_0 = +\infty$ というケースを考えてみる．この場合には (3.4) の κ も無限大になるため，(3.5) の中の $Ce^{\kappa x}$, $De^{-\kappa x}$ 項は両方とも消える．従って，波動関数は

$$\begin{aligned}u(x) &= Ae^{ikx} + Be^{-ikx} \quad (-a \leq x \leq +a) \\ &= 0 \quad\quad\quad\quad\quad\quad\quad (x < -a \text{ または } x > +a)\end{aligned} \quad (3.6)$$

となり，$x = \pm a$ において $u(x)$ が連続的につながる境界条件（連続条件）は

$$Ae^{ika} + Be^{-ika} = 0, \quad Ae^{-ika} + Be^{ika} = 0 \quad (3.7)$$

で与えられる（この場合は $V(x)$ に無限大が現れることを反映し，$du(x)/dx$ は $x = \pm a$ で不連続になる）．この境界条件は

$$(A+B)\cos ka = 0 \quad \text{及び} \quad (A-B)\sin ka = 0 \quad (3.8)$$

を意味するが，A, B は同時には 0 になれないことを使えば,[♯3.1] より具体的に

$$(1) \quad \cos ka = 0 \text{ なら } \sin ka \neq 0 \text{ だから } A - B = 0 \quad (3.9)$$

$$(2) \quad A + B = 0 \text{ なら } A - B \neq 0 \text{ だから } \sin ka = 0 \quad (3.10)$$

と書ける．従って，条件 (3.7) を満たす解は，$-a \leq x \leq +a$ では (1) $\cos ka = 0$ かつ $B = A$，または (2) $\sin ka = 0$ かつ $B = -A$，より $n = 1, 2, 3, \cdots$ として

$$(1) \quad u(x) = A_1 \cos kx \text{（偶関数）}, \quad k(= k_{2n-1}) = \frac{\pi}{2a} \times (2n-1) \quad (3.11)$$

$$(2) \quad u(x) = A_2 \sin kx \text{（奇関数）}, \quad k(= k_{2n}) = \frac{\pi}{2a} \times (2n) \quad (3.12)$$

[♯3.1] もし $A = B = 0$ なら全領域で波動関数＝0 となり，粒子は全く存在しないことになる．

3.1 井戸型ポテンシャル

$(A_1 \equiv 2A, A_2 \equiv 2iA)$ となり,一方 $|x| > a$ においては勿論 $u(x) = 0$ である.

上記の k は更にまとめて $k = k_n = n\pi/(2a)$ と表すことが出来るので,(3.4) の k と E の関係を思い出せば,粒子のエネルギーとしては次のような離散的な値(**離散固有値**)だけが許される,ということがわかる:

$$E(= E_n) = \frac{\hbar^2 k_n^2}{2m} = \frac{n^2 \pi^2 \hbar^2}{8ma^2} \tag{3.13}$$

$n = 1$ の状態は**基底状態**,それ以外の状態は**励起状態**,この n のように状態を指定する数は**量子数**と呼ばれる.また,エネルギー値の総体 $\{E_1, E_2, \cdots\}$ を**エネルギー準位**と言う.

基底状態はエネルギー最低の状態であるが,古典力学とは異なり $E_1 \neq 0$ である.これは**零点エネルギー**と呼ばれ,不確定性原理から生じる純粋に量子力学的な効果である.すなわち,今の場合は粒子の座標が $-a$ から $+a$ の間に限定されており,結果として座標についての誤差が $\Delta x \sim 2a$ 程度と有限であるため,もしエネルギーが厳密に 0 である,つまり運動量についての誤差が 0 となると,座標と運動量の間の不確定性関係に反してしまうという訳である.事実,不確定性原理によれば,最も精度よく運動量と座標を決めても,その誤差の積 $\Delta p \cdot \Delta x$ は h 程度までしか小さく出来ない.そこで $\Delta x = 2a$ としてみると運動量の誤差は $\Delta p \sim h/\Delta x = h/(2a)$ となり,エネルギーには最低でも

$$\Delta E \sim (\Delta p)^2/(2m) = \pi^2 \hbar^2/(2ma^2) \tag{3.14}$$

程度の誤差が不可避的に伴うことになるが,これは基底エネルギー E_1 にほぼ一致している.

一方,$u(x)$ の中の係数 $A_{1,2}$ は,**波動関数の規格化**という操作で決めることが出来る.これについては 3.3 節で再度説明するが,要するに,ここでは粒子は必ず $-a \leq x \leq +a$ のどこかに発見されるということを考え,「この区間内の全ての点での発見確率の総和は 1」という条件を課すのである.すると

$$\int_{-a}^{+a} dx \, |u(x)|^2$$

$$= |A_1|^2 \int_{-a}^{+a} dx \, \cos^2 kx \quad \text{または} \quad |A_2|^2 \int_{-a}^{+a} dx \, \sin^2 kx$$

$$= \frac{|A_{1,2}|^2}{2} \int_{-a}^{+a} dx \, (1 \pm \cos 2kx) = |A_{1,2}|^2 a = 1 \tag{3.15}$$

より $|A_{1,2}| = 1/\sqrt{a}$ となる．$A_{1,2}$ の偏角（位相）は未定のまま残るが，<u>波動関数はその絶対値を通じて物理的な観測結果と関係づけられるのだから，この位相を 0 と置いても構わない</u>．つまり，実質的には $A_{1,2} = 1/\sqrt{a}$ と考えてよい．

第 1 章で述べたように，量子力学完成の前，原子スペクトルの規則性を説明するために ボーアは幾つかの仮定を導入した．この仮定は古典物理学的には全く受け入れ難い内容だったが，のちにド・ブロイの物質波仮説を軌道上の電子に適用する際の波動の安定条件（境界条件）として理解された．この事情はシュレディンガー方程式による原子内電子エネルギーの計算においても全く同様であり，更にその本質はここでの簡単な例で見ることが出来る．<u>粒子の波動性およびそれに対する境界条件が重要な役割を果たすのである</u>．

最後に，得られた波動関数が偶関数または奇関数となったことについて補足しておこう．これは偶然ではなく，位置エネルギーが偶関数であることの結果である．事実，付録 4 で示すように，井戸型ポテンシャルに限らず，<u>偶関数で表される任意の位置エネルギーによる 1 次元束縛状態の波動関数は，必ず偶関数か奇関数のどちらかとなる</u>．これは V_0 が有限の場合の取り扱いにおいて有用な情報である．

問題 3.1 ポテンシャルが

$$V(x) = +\infty \ (x < 0, \ x > +a), \ = 0 \ (0 \leq x \leq +a)$$

である場合の定常状態について調べ，エネルギー固有値と固有関数が

$$E_n = \frac{n^2 \pi^2 \hbar^2}{2ma^2}, \quad u_n(x) = \sqrt{\frac{2}{a}} \sin \frac{n\pi}{a} x \quad (n = 1, 2, 3, \cdots)$$

であることを示せ．

3.1 井戸型ポテンシャル

有限の深さの井戸の場合

次に，$V_0 =$ 有限 の場合を調べてみる．ここでは波動関数の偶奇性についての前節末の情報をさっそく活用して，$u(x)$ が偶関数の場合と奇関数の場合を別々に扱おう．これにより計算がある程度まで簡単になる．

(1) 偶関数の場合

波動関数は，$|x| \to \infty$ で発散する項を除いた (3.5) の解に偶関数という条件 $A = B$ 及び $C = D$ を加え，改めて各係数を A, C と書いて

$$\begin{aligned}u(x) &= A\cos kx \quad (-a \leq x \leq +a) \\ &= Ce^{\kappa x} \quad (x < -a) \\ &= Ce^{-\kappa x} \quad (x > +a)\end{aligned} \tag{3.16}$$

となる．境界条件は $x = \pm a$ において課されるが，偶関数と限定されているので $x = +a$ での $u(x)$ と $du(x)/dx$ の連続条件

$$Ce^{-\kappa a} = A\cos ka, \quad C\kappa e^{-\kappa a} = Ak\sin ka \tag{3.17}$$

を考慮すれば $x = -a$ の条件は自動的に満たされる．この第2式の両辺を第1式の両辺で割れば

$$\kappa = k\tan ka \tag{3.18}$$

という方程式が得られるが，この中での未知数はエネルギー E のみなので，これにより許されるエネルギーの値が決まることになる．

これは解析的には解けないが，コンピュータにより数値的に解を得ることは難しくない．また，他のパラメータ（a と V_0）と存在する解の数の関係は，グラフにより視覚的に調べることも可能である：まず (3.18) 式は，その両辺に a を掛けて $x \equiv ka$, $y \equiv \kappa a$ と置くと $y = x\tan x$ となる．次に，k と κ の定義 (3.4) に注意すれば，この x と y は独立ではなく $x^2 + y^2 = 2mV_0a^2/\hbar^2$ という関係を満たすこともわかる．これら二つの方程式

$$y = x\tan x, \quad x^2 + y^2 = 2mV_0a^2/\hbar^2 \tag{3.19}$$

で与えられる曲線の交点のうち $x \geq 0$, $y \geq 0$ を満たす点が求める解を表すという訳である.

これは，例えば $x^3 = x^2 + 1$ という方程式を $y = x^3$ と $y = x^2 + 1$ に分け，二つの曲線の交点として解を求めるという幾何学的方法と全く同じである. $y = x\tan x$ はそれぞれが単調に増加する無数の曲線群から成るが，その1本は原点を通る．一方，第2の式は半径が $\sqrt{2mV_0}a/\hbar$ の円を表す．ゆえに，図 3.2 からもわかるように, V_0, a の値に関わらず解は必ず一つは存在する．更に，$x > 0$ の範囲で次に $y = x\tan x$ が $y = 0$ を与えるのは $x = \pi$ の時であるから，$\sqrt{2mV_0}a/\hbar$ が π 以上であれば解は最低2個存在する．全く同様に考えれば $x\tan x = 0$ の（$x \geq 0$ を満たす）一般解は $x = (n-1)\pi$ ($n = 1, 2, 3, \cdots$) と書けるので

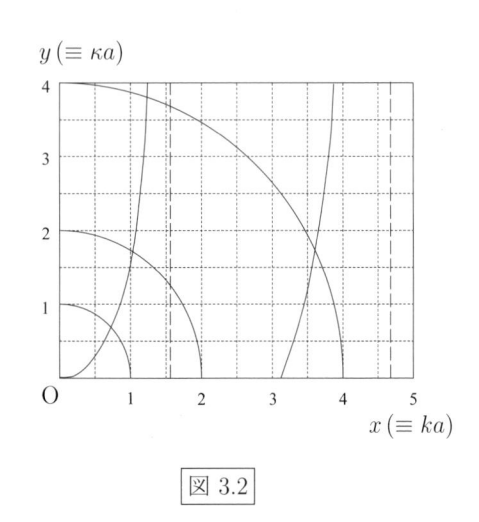

図 3.2

$$(n-1)\pi \leq \sqrt{2mV_0}a/\hbar < n\pi$$
$$\text{ならば偶関数解は } n \text{ 個存在} \tag{3.20}$$

と結論できる.

(2) 奇関数の場合

ここでも偶関数の時と同様に (3.5) を整理すれば，波動関数は

$$\begin{aligned} u(x) &= A\sin kx \quad (-a \leq x \leq +a) \\ &= -Ce^{\kappa x} \quad (x < -a) \\ &= Ce^{-\kappa x} \quad (x > +a) \end{aligned} \tag{3.21}$$

となる．この場合も，やはり $x = +a$ における境界条件

3.1 井戸型ポテンシャル

$$Ce^{-\kappa a} = A\sin ka, \qquad C\kappa e^{-\kappa a} = -Ak\cos ka \tag{3.22}$$

を考慮すれば十分である．第2式を第1式で割れば今度は

$$\kappa = -k\cot ka \tag{3.23}$$

という方程式となるので，幾何学的考察のための連立方程式は

$$y = -x\cot x, \qquad x^2 + y^2 = 2mV_0 a^2/\hbar^2 \tag{3.24}$$

である．$x\cot x = 0$ の一般解は $x = (2n-1)\pi/2$ $(n=1,2,3,\cdots)$ だから

$$(2n-1)\pi/2 \leq \sqrt{2mV_0}a/\hbar < (2n+1)\pi/2$$
$$\text{ならば奇関数解は } n \text{ 個存在} \tag{3.25}$$

と結論される．

特に，この場合は偶関数解とは異なり $x \geq 0$ の範囲で $x\cot x = 0$ を満たす最小の x は 0 ではなく $\pi/2$ なので，図 3.3 からもわかるように，$\sqrt{2mV_0}a/\hbar$ が $\pi/2$ よりも小さければ解は一つも存在しない．これは，偶関数解との比較において奇関数の解が示す大きな特徴である．

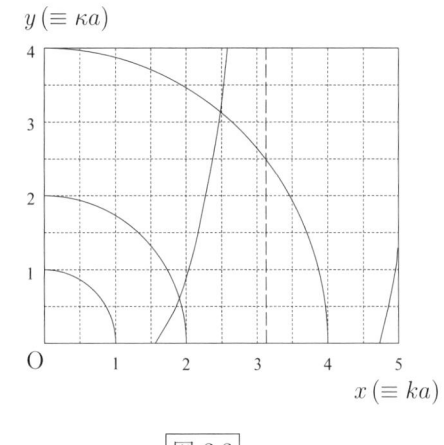

図 3.3

最後に偶関数・奇関数両方をまとめれば

$$(n-1)\pi/2 \leq \sqrt{2mV_0}a/\hbar < n\pi/2$$
$$\implies \text{解は } n \text{ 個 } (n=1,2,3,\cdots) \tag{3.26}$$

である．また，未定の係数 A（または C）は (3.15) と同様に決められる．

3.2 調和振動子ポテンシャル

前節で扱った井戸型ポテンシャルの束縛状態は，そのシュレディンガー方程式が近似なしで容易に解けるお蔭で，初学者も「離散的エネルギーという量子論特有の効果」を味わえる貴重な例になっているが，他の様々な束縛状態の扱いにそのまま応用できる訳ではない．そこで，もう少し一般的な立場で 1 次元束縛問題を考えてみよう．

もちろん，一般的とは言っても，シュレディンガー方程式

$$-\frac{\hbar^2}{2m}\frac{d^2}{dx^2}u(x) + V(x)u(x) = Eu(x)$$

を，具体形の与えられていない $V(x)$ の下で解くことは不可能である．しかしながら，粒子がポテンシャルの極小点の近傍に留まるという条件を課せば，それだけで状況は大きく変わる．

式を簡単にするために，極小点が $x = 0$ となるよう横軸（x 軸）原点を選び直そう．すると，その近傍では $V(x)$ は

$$V(x) \simeq V(0) + V'(0)x + \frac{1}{2}V''(0)x^2$$

と展開できるが，$x = 0$ が $V(x)$ の極小点という条件より，右辺においては $V'(0) = 0$ 及び $V''(0) > 0$ でなければならない．ここで，さらに縦軸についても $V(0) = 0$ となるように原点を調節し，同時に $V''(0) > 0$ が明白になるよう $V''(0) = m\omega^2$ と表そう：

$$V(x) = \frac{1}{2}m\omega^2 x^2 \tag{3.27}$$

この結果，上記のシュレディンガー方程式は

$$-\frac{\hbar^2}{2m}\frac{d^2}{dx^2}u(x) + \frac{1}{2}m\omega^2 x^2 u(x) = Eu(x) \tag{3.28}$$

となる．

3.2 調和振動子ポテンシャル

　式 (3.27) のようなポテンシャルが与える力 F は，どのようなものだろうか．力とポテンシャルの関係に従えば

$$F = -\frac{d}{dx}V(x) = -m\omega^2 x \tag{3.29}$$

となるが，これは「安定点からのずれ（x）に比例する復元力」を表し，古典力学でフックの法則として知られているバネやゴムによる力と同じ形である．そして，この結果生じる運動は**調和振動子**という名で知られている．従って，<u>どのような関数形のポテンシャルでも その極小点近傍では**調和振動子ポテンシャル**として記述でき，その中の粒子は調和振動子として振る舞う</u>ことになる．つまり，調和振動子という運動は，単にバネやゴムにつながれた粒子の運動のみならず，一般の束縛状態の記述にも適用できる極めて普遍的な運動形態なのである．

シュレディンガー方程式の解法

　古典力学においては，上記の調和振動子が従うのはニュートンの運動方程式

$$m\frac{d^2 x}{dt^2} = -m\omega^2 x$$

であり，これは直ちに

$$x = A\sin(\omega t + \theta_0)$$

（A, θ_0 は定数）と解けてしまう．[3.2] 更に，この x を時間微分することにより，速度 v も加速度 a も難なく求められる．

　これに対して，この運動を量子力学的に扱おうとすると途端に手強くなる．量子力学的調和振動子（の波動関数）が従うシュレディンガー方程式は (3.28) で与えた通りだが，これが，井戸型ポテンシャル問題のようには簡単に解けないのである．急がず焦らず一歩一歩理解を深めていこう．

[3.2] この式からわかるように，ω は 2 章で登場した角振動数に等しく，振動の周期 T ならびに振動数 ν とは $T = 2\pi/\omega$, $\nu = 1/T = \omega/(2\pi)$ の関係にある．実は，先に m を抜き出す形で $V''(0) = m\omega^2$ と置いたのは，解がこのような形になることを見越してのことだった．

まずは，方程式の見掛けをスッキリさせるため $\alpha \equiv \sqrt{m\omega/\hbar}$, $z \equiv \alpha x$, $\lambda \equiv 2E/(\hbar\omega)$ と置き換え，$u(x) = u(z/\alpha)$ を改めて $\chi(z)$ と表して

$$\left(\frac{d^2}{dz^2} + \lambda - z^2\right)\chi(z) = 0 \tag{3.30}$$

と書き直した上で，微分方程式解法の定石に従い $z \to \pm\infty$ における解の漸近的な振る舞いを調べてみる．すると，そのような領域では定数 λ は z^2 項に比べて無視できるので，この方程式は

$$\frac{d^2}{dz^2}\chi(z) = z^2 \chi(z)$$

となり，この結果，n を任意の自然数として

$$\chi(z) \simeq z^n e^{\pm z^2/2}$$

という漸近的な解を持つことがわかる．

問題 3.2 この式を 2 回微分し，最も z の次数の高い項（z^{n+2} 項）のみ残せば $z^2 \chi(z)$ となる，すなわち上記微分方程式の右辺に一致することを確認せよ．

この漸近解情報に基づき，(3.30) の正確な解は $[\,z\,$ の多項式$\,] \times e^{-z^2/2}$ という形になると仮定してみよう．[♯3.3] この多項式を $F(z)$ として

$$\chi(z) = F(z) e^{-z^2/2}$$

と置き，これを (3.30) 式に代入すると，$F(z)$ が満たすべき微分方程式として

$$\left(\frac{d^2}{dz^2} - 2z\frac{d}{dz} + \lambda - 1\right)F(z) = 0 \tag{3.31}$$

を得る．ここで，調和振動子ポテンシャル (3.27) は偶関数であることに注目しよう．これは，井戸型ポテンシャルの場合（前節 40 頁）と同じく，解の波動関数が偶

[♯3.3] これも微分方程式を解く上での一つの標準的な戦略である．なお，$e^{-z^2/2}$ の替りに $e^{+z^2/2}$ を用いた形でも解の候補にはなるが，それは $|z| \to \infty$ で発散するので物理的に意味のある解にはなり得ない．

3.2 調和振動子ポテンシャル

関数か奇関数のどちらかになることを意味する．従って，<u>$F(z)$ も z の偶関数もしくは奇関数</u>ということになり，その中の最低次の項を z^s とすれば

$$F(z) = a_0 z^s + a_1 z^{s+2} + a_2 z^{s+4} + \cdots = \sum_{k=0} a_k z^{s+2k} \tag{3.32}$$

と書ける．但し，最低次の項が z^s と約束したので $a_0 \neq 0$ であり，s が偶数か奇数かで $F(z)$ が偶関数か奇関数かが決まる．なお，現段階では k の上限は不明なので $\sum$ 記号には下限（$k=0$）のみを示した．

これを上記 $F(z)$ の微分方程式 (3.31) に代入しよう．まず，2 階微分項は

$$\frac{d^2}{dz^2} \sum_{k=0} a_k z^{s+2k} = \sum_{k=0} (s+2k)(s+2k-1) a_k z^{s+2k-2}$$

（$k = 0, 1$ の項を抜き出して）

$$= s(s-1) a_0 z^{s-2} + (s+2)(s+1) a_1 z^s$$

$$+ \sum_{k=2} (s+2k)(s+2k-1) a_k z^{s+2k-2}$$

となるが，右辺第 3 項（$\sum_{k=2}$ の項）で $k-1$ を改めて k と置けば，この新しい k は $1, 2, 3, \cdots$ という値をとるので

$$\text{第 3 項} = \sum_{k=1} (s+2k+2)(s+2k+1) a_{k+1} z^{s+2k}$$

と書き直される．次に，1 階微分の項は

$$-2z \frac{d}{dz} \sum_{k=0} a_k z^{s+2k} = -2 \sum_{k=0} (s+2k) a_k z^{s+2k}$$

（同じく $k=0$ の項を抜き出して）

$$= -2s \, a_0 z^s - 2 \sum_{k=1} (s+2k) a_k z^{s+2k}$$

となるので，(3.31) 式は

$$s(s-1) a_0 z^{s-2} + [(s+2)(s+1) a_1 - (2s - \lambda + 1) a_0] z^s$$

$$+ \sum_{k=1} [(s+2k+2)(s+2k+1) a_{k+1} - (2s + 4k - \lambda + 1) a_k] z^{s+2k} = 0$$

となる．今ここで我々が求めているのは「微分方程式の解」だから，この等式は任意の z に対して成立する必要がある．このためには z^{s-2}, z^s, z^{s+2}, $\cdots$ の係数が全て 0 にならなければならない：

$$s(s-1)a_0 = 0$$
$$(s+2)(s+1)a_1 - (2s - \lambda + 1)a_0 = 0$$
$$\cdots\cdots\cdots\cdots$$
$$(s+2k+2)(s+2k+1)a_{k+1} - (2s+4k-\lambda+1)a_k = 0$$
$$\cdots\cdots\cdots\cdots$$

まず，$a_0 \neq 0$ だったから第 1 の等式より

$$s = 0 \quad \text{または} \quad s = 1 \tag{3.33}$$

である．この結果，前述のように $F(z)$ は $s=0$ なら偶関数，$s=1$ なら奇関数となる．次に，第 2 式以降は

$$a_1 = (2s - \lambda + 1)a_0/[(s+2)(s+1)]$$
$$\cdots\cdots\cdots\cdots$$
$$a_{k+1} = (2s+4k-\lambda+1)a_k/[(s+2k+2)(s+2k+1)]$$
$$\cdots\cdots\cdots\cdots \tag{3.34}$$

と書き直せるので，結局 a_0 を用いて a_1 が決まり，その a_1 を用いて a_2 が決まり，$\cdots$ というように，$a_{1,2,3,\cdots}$ は，すべて [計算可能な係数] $\times a_0$ という形で表される．従って，これにより $F(z)$ も（全体に掛かる a_0 を除いて）確定されることになる．

ここで，もし k の値が何であろうと上式右辺の a_k の前（左側）の因子（$= 2s+4k-\lambda+1$）が 0 にならないのであれば，それから決まる左辺の a_{k+1} も $a_k = 0$ でない限り 0 以外の値を持つことになり (3.32) は無限級数となる．そこで，その場合の無限級数の性質を調べてみよう．この級数において隣接する 2 項 $a_{k+1}z^{s+2k+2}$ と $a_k z^{s+2k}$ の係数の比は (3.34) 式第 3 行目の関係より

$$a_{k+1}/a_k = (2s+4k-\lambda+1)/[(s+2k+2)(s+2k+1)]$$

3.2 調和振動子ポテンシャル

であるから $k \to +\infty$ で

$$a_{k+1}/a_k \to 1/k$$

となるが，これは

$$e^{z^2} = 1 + z^2 + z^4/2! + \cdots + z^{2k}/k! + \cdots$$

における z^{2k+2} 項と z^{2k} 項の係数比 $1/(k+1)$ と（k が十分大きくなれば）同じである．従って，$|z|$ が大きい領域ほど高いベキの項の寄与が大きくなることを考えれば，(3.32) 式が無限級数になった場合には，$F(z)$ は $|z|$ の大きい領域で $a_0 z^s \times e^{z^2}$ のように振る舞い，その結果，$|z| \to \infty$ において χ は

$$\chi(z) = F(z)e^{-z^2/2} \to a_0 z^s e^{z^2} e^{-z^2/2} = a_0 z^s e^{z^2/2} \to +\infty$$

と発散することになる．つまり，これは物理的には意味のない解である．

ゆえに，我々が求めたい解においては，<u>この級数の 0 でない係数 a_k はある整数 $k = \ell \, (\geq 0)$ で終わり，それから先の係数 $a_{\ell+1}$, $a_{\ell+2}$, $\cdots$ は全て 0 にならなければならない</u>．このためには各係数を決める (3.34) 式の中で，a_ℓ に掛かる因子 $2s + 4\ell - \lambda + 1$ が 0 になることが必要である：

$$2s + 4\ell - \lambda + 1 = 0 \implies \lambda = 2s + 4\ell + 1$$

λ はエネルギーを決める定数（$\lambda \equiv 2E/(\hbar\omega)$）であったから，このことは「エネルギー E の値が特別なものに限られてしまう」ことを意味する．すなわち，$n \equiv s + 2\ell$ と置き，対応するエネルギーを E_n と書けば

$$E_n = \left(n + \frac{1}{2}\right)\hbar\omega \tag{3.35}$$

である．n は，その定義から明らかなように 0 または正の整数であり，偶数が $s = 0$，奇数が $s = 1$ にそれぞれ対応する．$n = 0$ は基底状態であり，その時のエネルギー

$$E_0 = \frac{1}{2}\hbar\omega$$

は不確定性原理によって理解される零点エネルギーである.

このように, n を与えれば全ての 0 でない係数 a_k が a_0 を用いて表され,また,その時の F（これを F_n と記す）が従う方程式は

$$\left(\frac{d^2}{dz^2} - 2z\frac{d}{dz} + 2n\right)F_n(z) = 0 \tag{3.36}$$

となる.ここで, F_n の中の最高次の項（つまり, z^n）の係数が 2^n になるよう a_0 を調整したものを H_n と表すことにして,この H_n の具体形を幾つか求めてみる.まず, $n=0$ と $n=1$ の場合は,それぞれ $s=0$ ($\ell=0, \lambda=1$) 及び $s=1$ ($\ell=0, \lambda=3$) であって,このとき F_n が

$$F_0(z) = a_0, \qquad F_1(z) = a_0 z \tag{3.37}$$

となることはほぼ明らかだろう.次に, $n=2$ と $n=3$ は $s=0$ ($\ell=1, \lambda=5$) 及び $s=1$ ($\ell=1, \lambda=7$) に対応し,

$$F_2(z) = a_0(1 - 2z^2), \qquad F_3(z) = a_0 z(1 - 2z^2/3) \tag{3.38}$$

を得る.従って,上の約束に基づいて a_0 を決めれば $H_{0,1,2,3}$ は

$$H_0(z) = 1, \ H_1(z) = 2z, \ H_2(z) = 4z^2 - 2, \ H_3(z) = 8z^3 - 12z \tag{3.39}$$

となる.

実は,このように求めた $H_{0,1,2,\cdots}$ は,

$$H_n(z) = (-1)^n e^{z^2} \frac{d^n}{dz^n} e^{-z^2} \tag{3.40}$$

($n=0,1,2,\cdots$) という式で定義される多項式（**エルミートの多項式**と呼ばれる）に一致する.[3.4] 実際,右辺の微分を実行していけば,上で求めた形 (3.39) が現れることは容易に確かめられる.また,指数関数部も含めた全体の波動関数

$$u_n(x)\,(=\chi_n(\alpha x)) = C_n\, e^{-\alpha^2 x^2/2} H_n(\alpha x) \tag{3.41}$$

[3.4] これは,一見したところ指数関数のようでもあるが,すべての微分が完了したあと二つの指数関数は掛け合わされて 1 になるので,確かに多項式である.

3.3 固有関数の規格直交性：束縛状態の場合

の規格化（係数 C_n の決定）に際しては

$$\int_{-\infty}^{+\infty} dx\, e^{-a^2 x^2} = \sqrt{\pi}/a$$
$$\int_{-\infty}^{+\infty} dx\, x^{2n} e^{-a^2 x^2} = (2n-1)!!\,\sqrt{\pi}/(2^n a^{2n+1}) \qquad (3.42)$$

（$a > 0$）という積分公式が役立つ（実際の計算に関しては付録5を参照）．

3.3 固有関数の規格直交性：束縛状態の場合

3.1 節で扱った無限に深い井戸型ポテンシャルの場合も参考にしながら，束縛状態にある粒子の波動関数の性質を，シュレディンガー方程式の解法とは少し別の視点で調べてみよう．

この章の冒頭でも述べたように，そのような状態の波動関数は無限遠方では0となる．ゆえに，粒子の全発見確率を決める，定義域全体に亙る積分

$$\int_{-\infty}^{+\infty} dx\, |\psi(x,t)|^2$$

は，一般には収束し ある有限な正値をとる．しかも，積分範囲が全領域をカバーするということは，より外側からの粒子の流入も外への流出もないということで，次章で議論する確率保存則の観点からも，この積分値は時間 t にも依存しない定数のはずである．事実，これは上の積分を時間微分することで確認できる： d/dt は積分の中に入ると偏微分 $\partial/\partial t$ になることに注意すれば [♯3.5]

$$\frac{d}{dt}\int_{-\infty}^{+\infty} dx\, |\psi|^2 = \frac{d}{dt}\int_{-\infty}^{+\infty} dx\, \psi^*\psi = \int_{-\infty}^{+\infty} dx \left(\frac{\partial \psi^*}{\partial t}\psi + \psi^*\frac{\partial \psi}{\partial t}\right)$$

となるので，[♯3.6] これに，時間に依存するシュレディンガー方程式とその複素共役

$$i\hbar\frac{\partial \psi}{\partial t} = -\frac{\hbar^2}{2m}\frac{\partial^2 \psi}{\partial x^2} + V\psi, \qquad -i\hbar\frac{\partial \psi^*}{\partial t} = -\frac{\hbar^2}{2m}\frac{\partial^2 \psi^*}{\partial x^2} + V\psi^*$$

[♯3.5] $|\psi(x,t)|^2$ の x による定積分の結果は t のみの関数だが，積分の中の $\psi(x,t)$ 自体は x, t 両方の関数なので偏微分を用いなければならない．

[♯3.6] これ以降，短い式以外では，$\psi(x,t)$ などの関数は，しばしば変数部分を省いて ψ のように略記する．

から得られる $\partial\psi/\partial t$, $\partial\psi^*/\partial t$ を代入すれば二つの V 項は互いに打ち消し合い

$$\frac{d}{dt}\int_{-\infty}^{+\infty}dx\,|\psi|^2 = -\frac{i\hbar}{2m}\int_{-\infty}^{+\infty}dx\left(\frac{\partial^2\psi^*}{\partial x^2}\psi - \psi^*\frac{\partial^2\psi}{\partial x^2}\right)$$

(両方の項に対して部分積分を行い)

$$= -\frac{i\hbar}{2m}\Big[\Big[\frac{\partial\psi^*}{\partial x}\psi\Big]_{-\infty}^{+\infty} - \int_{-\infty}^{+\infty}dx\,\frac{\partial\psi^*}{\partial x}\frac{\partial\psi}{\partial x}$$
$$-\Big[\psi^*\frac{\partial\psi}{\partial x}\Big]_{-\infty}^{+\infty} + \int_{-\infty}^{+\infty}dx\,\frac{\partial\psi^*}{\partial x}\frac{\partial\psi}{\partial x}\Big]$$

($\psi(\pm\infty,t)=0$ より)

$$= 0 \qquad (3.43)$$

となって，確かに時間依存性もないとわかる．そこで，この積分値を C とし，$\psi(x,t)$ を $\sqrt{C}$ で割ったものを改めて $\psi(x,t)$ と定義すれば，この $\psi(x,t)$ は

$$\int_{-\infty}^{+\infty}dx\,|\psi(x,t)|^2 = 1 \qquad (3.44)$$

を満たし，かつシュレディンガー方程式が $\psi(x,t)$ について線形であるため，元々の $\psi(x,t)$ と全く同じシュレディンガー方程式の解である．これにより，単に点 x において粒子を見出す確率が $|\psi(x,t)|^2$ に比例するというだけでなく，$|\psi(x,t)|^2$ が絶対的な確率の意味を持つようになる．より正確には，時刻 t において x と $x+dx$ に挟まれる微小区間で粒子を検出する確率は $|\psi(x,t)|^2 dx$ と言える訳である．[#3.7] この操作が波動関数の規格化である．3.1 節で「境界条件だけでは未定だった波動関数の係数を，この規格化により決定した」ことを思い出そう．

次に，異なるエネルギー固有値に属する関数 $u_k(x)$ と $u_{k'}(x)$ の積の積分

$$\int_{-\infty}^{+\infty}dx\,u_{k'}^*(x)u_k(x) \qquad (3.45)$$

について考えてみよう．但し，ここでは時間依存性は重要ではないので含めない．この積分は，関数 u_k と $u_{k'}$ の内積と呼ばれる．読者は「内積」と言えば

[#3.7] $|\psi(x,t)|^2 dx$ は $\int_{-\infty}^{+\infty}dx\,|\psi(x,t)|^2 (=1)$ という積分への「微小区間 dx (x から $x+dx$ まで) の寄与」であることを考えよう．

3.3 固有関数の規格直交性: 束縛状態の場合

二つのベクトルの掛け算のことだと思うだろう．確かに，その意味の方がよく知られてはいるだろうが，実は上の積分も二つの「ベクトルの内積」と見なせる．二つのベクトル $\boldsymbol{a} = (a_x, a_y, a_z)$, $\boldsymbol{b} = (b_x, b_y, b_z)$ の内積は成分で表すと

$$\boldsymbol{a}\cdot\boldsymbol{b} = \sum_i a_i b_i \quad (i = x, y, z)$$

となることを考えれば，積分 (3.45) は，i ではなく x で区別される連続無限個の成分 $u_k(x)$ と $u_{k'}(x)$ を持つベクトル u_k と $u_{k'}$ の内積と見なせるという訳である．但し，x は，離散的な i とは異なり連続的に変化するので，この場合の「和」は積分である．また，u_k と $u_{k'}$ が一般には複素数であることに対応して，左から掛かる $u_{k'}$ はその複素共役がとられている．自分自身との内積がそのベクトルの大きさの 2 乗となることを考えると この方が尤もな定義であるし，実際，$\boldsymbol{a}$, $\boldsymbol{b}$ の内積も，その成分が複素数である場合には

$$\sum_i a_i^* b_i$$

で定義されるのである．

それでは，無限に深い井戸型ポテンシャルの場合について この内積 (3.45) を計算してみよう．$|x| > a$ では $u_{k',k}(x) = 0$ より 実質的な積分区間は正負対称な $-a \leq x \leq a$ となる．このため，例えば $u_k(x) = A\cos kx$ の場合には $u_{k'}(x) = A\sin k'x$ なら被積分関数＝奇関数より積分値は明らかに 0 を与える．そこで，$u_{k'}(x) = A\cos k'x$ の場合を計算してみる：

$$\begin{aligned}\int_{-a}^{+a} dx\, u_{k'}^*(x)u_k(x) &= A^2 \int_{-a}^{+a} dx\, \cos k'x \cos kx \\ &= \frac{1}{2}A^2 \int_{-a}^{+a} dx\, \left[\cos(k'+k)x + \cos(k'-k)x\right] \\ &= \frac{1}{2}A^2 \left[\frac{\sin(k'+k)x}{k'+k} + \frac{\sin(k'-k)x}{k'-k}\right]_{-a}^{+a}\end{aligned}$$

これは，偶関数解 $u \sim \cos kx$ の境界条件 (3.9) より $\cos ka = \cos k'a = 0$ であることに気付けば 0 であることは直ちにわかる．同様に，両方が sin 関数であっ

てもこの内積は0となる．通常のベクトル同士の関係と同様に，このような場合，**二つの関数は直交する**と言う．

従って，上述のエネルギー固有関数を，k ではなく対応する量子数 n により $u_n(x)$ と表すことにすれば，任意の m, n に対して，規格化された $u_{m,n}(x)$ は

$$\int_{-\infty}^{+\infty} dx\, u_m^*(x) u_n(x) = \delta_{mn} \tag{3.46}$$

という関係を満たすことになる．但し，ここで δ_{mn} は $m = n$ の場合には 1，そうでない場合には 0 となる記号で，**クロネッカーのデルタ**という名を持っている．このように，互いに直交する関数群全体は**直交系**，特に，それが $\{u_n(x)\}$ のように規格化された関数の集合である場合は**規格直交系**と呼ばれる．

なお，ここまでは簡単のため1次元系で話を進めてきたが，以上のことは3次元系にも同様に適用できる．すなわち，時刻 t において x と $x + dx$，y と $y + dy$，z と $z + dz$ に挟まれる微小領域 $dV\,(= dxdydz)$ で $\psi(\boldsymbol{r}, t)$ に従う粒子を検出する確率は $|\psi(\boldsymbol{r}, t)|^2 dV$ であり，また，上記 (3.46) 式の3次元版は

$$\int dV\, u_m^*(\boldsymbol{r}) u_n(\boldsymbol{r}) \left(= \int_{-\infty}^{+\infty} dx \int_{-\infty}^{+\infty} dy \int_{-\infty}^{+\infty} dz\, u_m^*(\boldsymbol{r}) u_n(\boldsymbol{r}) \right) = \delta_{mn} \tag{3.47}$$

である．

ブラ・ケット記法

この章を終える前に，波動関数の内積や規格化を表す上で大変に便利な記法を紹介しておこう．上述のように，固有関数同士の積の積分は，ベクトルの内積と同種の演算と捉えられたが，これは，その積分がベクトルの内積を成分で与える式 $\sum_i a_i b_i$ に対応すると見なせたからであった．一方，ベクトルには，成分を用いない $\boldsymbol{a} \cdot \boldsymbol{b}$ という直接的な記法があるが，実は，関数同士の内積にもこれと同様の記法が存在するのである．まず，第 i 番目の成分が a_i であるベクトルを $\boldsymbol{a}$ と書くように「第 x 番目の成分が $\psi(x)$」であるような"連続無限個の成分を持つベクトル"を $|\psi\rangle$ と書き，ψ が表す状態の**ケットベクトル**と呼ぶ．次

3.3 固有関数の規格直交性: 束縛状態の場合

に、左から複素共役をとって掛けられる $\phi(x)$ は $\langle\phi|$ と表し、状態 ϕ の**ブラベクトル**と呼ぶ。[3.8] 最後に、この両者を合わせて内積を $\langle\phi|\psi\rangle$ と記す訳である：

$$\langle\phi|\psi\rangle = \int_{-\infty}^{+\infty} dx\, \phi^*(x)\psi(x) \tag{3.48}$$

（或いは3次元空間の場合には）

$$= \int dV\, \phi^*(\boldsymbol{r})\psi(\boldsymbol{r}) \tag{3.49}$$

この定義より、次の関係が成り立つことも容易に確認できるだろう：

$$\langle\phi|\psi\rangle = \langle\psi|\phi\rangle^* \tag{3.50}$$

また、これらのベクトルは、内積に限らず、単独で波動関数やそれに対応する状態を表すために用いてもよい。

どんな場合でも、新しい概念・記法に慣れるのは時間を要するものだが、このブラ・ケット記法は、一旦慣れてしまえばやめられないくらい便利な記法である。本書でも、これ以降、少しずつ取り入れていく。これを用いれば、上記のエネルギー固有関数の規格直交性 (3.46) も

$$\langle u_m|u_n\rangle = \delta_{mn} \tag{3.51}$$

と、実に簡潔に表現される。この記法は、その奇妙な名称と共にディラックによって考案された。英語で「bracket（ブラケット）」は「括弧」を意味するので、一組の括弧 $\langle\ \ \rangle$ の左側半分 $\langle\ |$ が「bra（ブラ）」、右側半分 $|\ \rangle$ が「ket（ケット）」という訳である。

なお、6章末でも触れるが、複数の波動関数 $\psi_1(\boldsymbol{r}_1)$, $\psi_2(\boldsymbol{r}_2)$, ⋯ の積に対応するブラ及びケットベクトルは、それぞれ

$$\langle\psi_1|\langle\psi_2|\cdots, \qquad |\psi_1\rangle|\psi_2\rangle\cdots$$

である。このような積は、数学的には**直積**と呼ばれる。

[3.8]ベクトルの成分は座標軸を設定して初めて決まるものだが、ベクトルそれ自体の存在は座標軸とは無関係である。更に、言うまでもないことだが、各成分はそのベクトルの一部ではあってもベクトルそのものではない。だから、ここで例えば $|\psi(x)\rangle$ などと書いてはならない。但し、時間に依存する ψ を $|\psi(t)\rangle$ と表すのは構わない。

4. 1次元での反射と透過

原子核や素粒子の重要な研究手段の一つに，散乱実験もしくは衝突実験と呼ばれるものがある．これは，定まった運動量・エネルギーを持つ粒子群（粒子ビーム）を標的物体にぶつけて反応の様子を調べ，そこで作用する力の性質や標的の内部構造を明らかにしようという実験手法である．ここでは，このような実際の散乱の本格記述へ向かう第一歩として，無限遠方から一定のエネルギーで進んできた粒子がポテンシャルの壁で反射される，或いはそこを透過する，といった1次元過程の記述方法を学ぶ．

4.1 確率の保存と確率流密度

電磁気学には電荷保存則という法則がある．これは，「電荷は無から生じることもなければ消滅して無となることもない」というものである．この法則は，「ある点における電荷密度の増加は，電流を通じてその点へ流入する総電気量に等しい」という形の方程式で表される．量子力学においては，これに類似の法則として**確率保存則**がある．確率という量は電荷に比べると抽象的なので，この法則は電荷保存則より理解しにくいかも知れない．しかしそれでも，例えば ある箱の中に電子が1個存在し，その電子は絶対にその箱から外に出られないとわかっている場合，電子が箱の中のどこかで見出される確率の総和は常に1のはずだから，やはり確率も電荷と同じように保存されるのである．そこで，この確率保存則を表す方程式を求めてみよう．それが冒頭で述べた粒子の反射・透過現象を記述するための基礎となることは 4.2 及び 4.3 節でわかる．

まず「電荷密度」に対応する「**確率密度**」という量が必要だが，これは実はここまで単に確率と呼んできた $|\psi(\boldsymbol{r},t)|^2$ である．実際，「電荷密度が ρ なら微

4.1 確率の保存と確率流密度

小体積 dV 内の全電気量は ρdV で与えられる」こと，及び 3.3 節で述べたように「（1 次元の場合）微小区間 dx で粒子を見出す確率は $|\psi(x,t)|^2 dx$ で決まる」ことを考え合わせれば，$|\psi(\boldsymbol{r},t)|^2$ は確率密度と呼ぶべき量であることがわかる．より正確に言えば，$|\psi(\boldsymbol{r},t)|^2$ は点 $\boldsymbol{r}$ での時刻 t における確率密度であり，「$\boldsymbol{r}$ を含む微小体積 dV 内で粒子を見出す確率は，時刻 t においては $|\psi(\boldsymbol{r},t)|^2 dV$ で与えられる」ということである．

それでは，3.3 節の計算を拡張し，3 次元のシュレディンガー方程式

$$i\hbar\frac{\partial}{\partial t}\psi(\boldsymbol{r},t) = \hat{H}\psi(\boldsymbol{r},t), \qquad \hat{H} = -\frac{\hbar^2}{2m}\Delta + V(\boldsymbol{r}) \tag{4.1}$$

から出発しよう．これから ψ の時間微分およびその複素共役が

$$\frac{\partial}{\partial t}\psi(\boldsymbol{r},t) = -\frac{i}{\hbar}\hat{H}\psi(\boldsymbol{r},t), \qquad \frac{\partial}{\partial t}\psi^*(\boldsymbol{r},t) = \frac{i}{\hbar}\hat{H}\psi^*(\boldsymbol{r},t) \tag{4.2}$$

と表されるので，これを確率密度 $P = |\psi(\boldsymbol{r},t)|^2$ の時間変化

$$\frac{\partial P}{\partial t} = \frac{\partial}{\partial t}(\psi^*\psi) = \psi^*\frac{\partial \psi}{\partial t} + \frac{\partial \psi^*}{\partial t}\psi$$

に代入すれば (3.43) 式と同様に V 項は相殺され

$$\frac{\partial P}{\partial t} = -\frac{i}{\hbar}\left[\psi^*(\hat{H}\psi) - (\hat{H}\psi^*)\psi\right] = \frac{i\hbar}{2m}\left[\psi^*(\Delta\psi) - (\Delta\psi^*)\psi\right]$$

となる．これは，任意の微分可能な関数 $f(x,y,z), g(x,y,z)$ に対して成立する

$$\mathrm{div}\left[f(\mathrm{grad}\,g) - (\mathrm{grad}\,f)g\right] = f(\Delta g) - (\Delta f)g$$

という関係（付録 A1.4 の問題 A.4 参照）を用いて

$$\frac{\partial P}{\partial t} = \frac{i\hbar}{2m}\mathrm{div}\left[\psi^*(\mathrm{grad}\,\psi) - (\mathrm{grad}\,\psi^*)\psi\right] \tag{4.3}$$

と変形できる．これを電荷保存則

$$\frac{\partial \rho}{\partial t} + \mathrm{div}\,\boldsymbol{i} = 0$$

(ρ は電荷密度, i は電流密度) と比較してみると, 電流密度つまり電荷の流れの密度に対応する「確率の流れの密度」(**確率流密度**) は

$$S = -\frac{i\hbar}{2m}\Big[\psi^*(\text{grad}\,\psi) - (\text{grad}\,\psi^*)\psi\Big] \tag{4.4}$$

或いは $\text{grad}\,\psi = \nabla\psi$, $\hat{\boldsymbol{p}} = -i\hbar\nabla$ であることを用いて

$$S = \frac{1}{m}\,\text{Re}\,[\,\psi^*\hat{\boldsymbol{p}}\,\psi\,] \tag{4.5}$$

で与えられることがわかる. 従って

$$\frac{\partial P}{\partial t} + \text{div}\,\boldsymbol{S} = 0 \tag{4.6}$$

が「量子力学における**確率保存則**を表す方程式」である. エネルギー一定の状態 (定常状態) では波動関数の時間依存部分は

$$\psi(\boldsymbol{r},t) = u(\boldsymbol{r})e^{-iEt/\hbar}$$

と分離でき, その時間部分は $\boldsymbol{S}$ の中で完全にキャンセルするので, 確率流密度は

$$\boldsymbol{S} = -\frac{i\hbar}{2m}\Big[u^*(\text{grad}\,u) - (\text{grad}\,u^*)u\Big] = \frac{1}{m}\,\text{Re}\,[\,u^*\hat{\boldsymbol{p}}\,u\,] \tag{4.7}$$

と少し簡単になる.

$\boldsymbol{S}$ の意味をもう少し具体的に知るために, 電流密度 $\boldsymbol{i}$ は何を意味していたか思い出してみよう. ベクトル $\boldsymbol{i}$ の向きは「電流の進む向き」を, その大きさは「その向きに垂直な単位面積を, 単位時間に通過する電気量」をそれぞれ表していた. ゆえに, 確率流密度 $\boldsymbol{S}$ は「$\boldsymbol{S}$ の向きに垂直な単位面積当り, そして単位時間当り $|\boldsymbol{S}|$ という大きさの確率の流れを表すベクトル」とまとめられる.

1次元での確率流密度

1次元問題に顔を出す典型的な定常状態の波動関数 $u(x)$ に対する確率流密度を求めてみよう.

4.1 確率の保存と確率流密度

- 確定した運動量を持つ自由粒子

この場合の波動関数 $u(x)$ は，第 2 章の (2.8) 式から時間部分を除いた

$$u(x) = A\,e^{ikx} \tag{4.8}$$

である．これより

$$S = -\frac{i\hbar}{2m}\Big[u^*\frac{du}{dx} - \frac{du^*}{dx}u\Big] = \frac{\hbar k}{m}|A|^2 = \frac{p}{m}|A|^2 = v|A|^2 \tag{4.9}$$

従って，k の符号を変えた $u(x) = A\,e^{-ikx}$ という関数ならば

$$S = -\frac{\hbar k}{m}|A|^2 = -\frac{p}{m}|A|^2 = -v|A|^2 \tag{4.10}$$

つまり，前者は x 軸正の向きに，また後者は x 軸負の向きにそれぞれ進む波を表すことになる．そして両者ともに確率流密度は座標に依存しない一定値となる．

- 無限に深い井戸型ポテンシャルの中の粒子

3.1 節で調べたように，波動関数は

$$u(x) = A\sin kx \quad \text{または} \quad u(x) = A\cos kx \tag{4.11}$$

という形だが，この場合には明らかに

$$S = 0 \tag{4.12}$$

つまり，確率の流れはないということになる．これは，無限に高いポテンシャルの壁に阻まれて粒子は完全に閉じ込められていることを考えれば理解できるだろう．

ここで，定常状態での確率保存則につき注意しておこう．エネルギー部分（時間依存部分）が $e^{-iEt/\hbar}$ と分離できれば，確率密度は

$$P = |Au(\boldsymbol{r})|^2$$

となり,
$$\frac{\partial P}{\partial t} = 0$$
つまり,全く時間に依存しなくなる.ところが上の一つ目の例で見た通り,確率流密度は0とは限らない.となると,ある点から確率は流れて行くのにその点での確率密度は不変,という矛盾が生ずるように見える.しかし,この議論は,そこに流れ込んでくる確率を忘れている.つまり,上の例の場合,確率は常に正あるいは負の向きに一定の大きさで流れているのだから,どの点においても流れ出す確率と流れ込む確率は等しい.結果として確率密度は一定に保たれるのである.実際,(4.7) は,それ自体は0ではなくてもその発散(div)をとれば0になる.これは電磁気学では定常電流の場合に相当する.

4.2 階段型ポテンシャル

位置エネルギー V の下で,一定のエネルギー E を持って運動する粒子を考えた場合,古典力学の"常識"では,そのような粒子は $E < V$ の領域には侵入できないし,逆に $E > V$ であれば,どこにでも自由に進んで行ける.ところが,量子力学では必ずしもそうではない.第3章と同じく,1次元運動においてこの問題を調べてみよう.

図4.1のような位置エネルギー(**階段型ポテンシャル**)

$$\begin{aligned} V(x) &= 0 \quad (x < 0) \\ &= V_0 \quad (x \geq 0) \end{aligned} \quad (4.13)$$

に対して,質量 m,エネルギー E の粒子が左側から右向きに進んでいるとする.$E < V_0$ の場合と $E \geq V_0$ の場合について,それぞれどのような現象

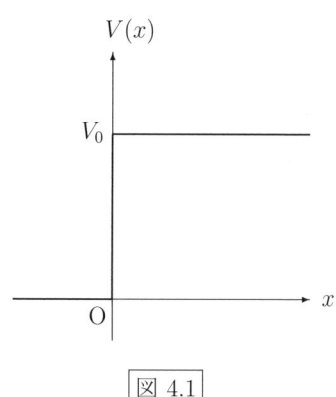

図 4.1

4.2 階段型ポテンシャル

が起こるのか見てみよう．解くべきシュレディンガー方程式は

- $x < 0$ においては

$$-\frac{\hbar^2}{2m}\frac{d^2}{dx^2}u(x) = Eu(x) \tag{4.14}$$

- $x \geq 0$ においては

$$-\frac{\hbar^2}{2m}\frac{d^2}{dx^2}u(x) + V_0 u(x) = Eu(x) \tag{4.15}$$

である．また，我々にとって重要な情報は，入射した粒子のうち何パーセントが反射され何パーセントが透過するかという割合である．これら二つの比はそれぞれ**反射率**，**透過率**と呼ばれ，入射波，反射波および透過波の確率流密度を用いて次のように定義される：

$$\text{反射率 } R = |S_{\text{反射波}}/S_{\text{入射波}}|, \quad \text{透過率 } T = |S_{\text{透過波}}/S_{\text{入射波}}| \tag{4.16}$$

(1) $E < V_0$ の場合

上記のシュレディンガー方程式の解法については，これまでと全く同じであり，一般解は

- $x < 0$ においては

$$u(x) = Ae^{ikx} + Be^{-ikx} \tag{4.17}$$

- $x \geq 0$ においては

$$u(x) = Ce^{\kappa x} + De^{-\kappa x} \tag{4.18}$$

$$(k \equiv p/\hbar = \sqrt{2mE}/\hbar, \quad \kappa \equiv \sqrt{2m(V_0 - E)}/\hbar\ )$$

となる．ここで，(4.17) 式の右辺第 1 項が入射粒子（波）を，第 2 項が反射粒子（波）を表している．

この場合は束縛状態とは異なり，$|x| \to +\infty$ でも $u(x) = 0$ となる必要はないが，この極限において (4.18) 式の右辺第 1 項は無限大になる．すなわち，物

理的に意味のない状況が生み出されるので $C=0$ でなければならない．一方，残る係数 A, B 及び D は，$x=0$ における $u(x)$ 及び $du(x)/dx$ の連続条件

$$A+B=D, \quad ik(A-B)=-\kappa D \tag{4.19}$$

により，次のように関係づけられる：

$$B/A=(k-i\kappa)/(k+i\kappa), \quad D/A=2k/(k+i\kappa) \tag{4.20}$$

この結果のうち，前者を，(4.9) と (4.10) から得られる

$$S_{入射波}=\hbar k|A|^2/m, \quad S_{反射波}=-\hbar k|B|^2/m \tag{4.21}$$

と組み合わせれば，反射率が

$$\begin{aligned}R&=|S_{反射波}/S_{入射波}|=|B|^2/|A|^2\\&=|k-i\kappa|^2/|k+i\kappa|^2=(k^2+\kappa^2)/(k^2+\kappa^2)=1\end{aligned} \tag{4.22}$$

と決定される．これは「入射する粒子は全て反射される」ことを意味し，我々の予想通りである．しかし古典力学ではどんな粒子も例外なく $x=0$ で反射されるのに対し，この量子力学の場合は $D\neq 0$ だから，$x\geq 0$ の領域でも x が有限である限りは波動関数は 0 にはならない．つまり，<u>入射粒子はある程度までは $E<V$ の領域にも侵入する</u>のである．但し，$V_0\to\infty$ の極限では κ も無限大になるので，$x\geq 0$ の領域の波動関数 $De^{-\kappa x}$ は完全に 0 となり，すべての粒子が原点で反射されることになる．

一方，入射粒子が例外なく反射されるなら，透過率は 0 でなければならないが，実際 $u(x)=De^{-\kappa x}$ を (4.7) に代入すると

$$S_{透過波}=0 \tag{4.23}$$

となることがわかるので，$D\neq 0$ ではあっても確かに透過率は

$$T=0 \tag{4.24}$$

4.2 階段型ポテンシャル

である.

(2) $E \geq V_0$ の場合

当然のことながら $x < 0$ における解は (1) と同じである. 一方, $x \geq 0$ での解は

$$u(x) = Ce^{ik'x} + De^{-ik'x} \tag{4.25}$$

$$(k' \equiv p'/\hbar = \sqrt{2m(E - V_0)}/\hbar)$$

となる. この場合もまた連続条件を課す前に言えることがある. 今は入射粒子は左から進んで来るのだから, 一旦 $x \geq 0$ の領域に入った粒子はそのまま $x = +\infty$ の彼方へ飛び去ってしまうはずで, そこには右から左に進む波は存在しないということである. よって, $D = 0$ でなければならない.

これを考慮すると, 原点における連続条件は次のようになる：

$$A + B = C, \quad k(A - B) = k'C \tag{4.26}$$

これから

$$B/A = (k - k')/(k + k'), \quad C/A = 2k/(k + k') \tag{4.27}$$

が得られ, この場合には $E < V_0$ の場合と異なり

$$S_{透過波} = \hbar k'|C|^2/m \tag{4.28}$$

となることより反射率, 透過率が

$$R = \left(\frac{k - k'}{k + k'}\right)^2, \quad T = \frac{4kk'}{(k + k')^2} \tag{4.29}$$

と求まる. ここでも量子力学の特徴が見られることに注意しよう. すなわち, $E \geq V_0$ だから古典力学なら原点における反射など起こるはずはないのに, 反射率は0にはなっていない (但し, $E \to +\infty$ の極限では $k' \to k$ だから $R \to 0$ となる). また, 簡単に確かめられるように

$$R + T = 1 \tag{4.30}$$

が成り立つ．これも確率の保存を表す関係である．

問題 4.1　(4.29) 式に対して，実際に $R+T=1$ が成立することを確かめよ．

なお，ここまでの説明でわかるように，本節で扱った波動関数は，係数 $A \sim D$ を (4.20) 或いは (4.27) のように決めさえすれば $x=0$ での連続条件を満足する．従って，前章で見た束縛状態とは異なり，粒子の波数 (k, k') 及び κ は（個々の問題毎に定まる上下限以外には）何の制限も受けず，連続的変化が許される．この結果，エネルギー E もまた連続的な値（**連続固有値**）をとる．

4.3　箱型ポテンシャル障壁：トンネル効果

今度は図 4.2 のような位置エネルギー（**箱型ポテンシャル障壁**）

$$\begin{aligned} V(x) &= 0 & (x<0) \\ &= V_0 & (0 \leq x \leq +a) \\ &= 0 & (x>+a) \end{aligned} \tag{4.31}$$

の下の粒子運動を扱ってみよう．ここでも 4.2 節と同じく，入射粒子は左から右に進むものとし，$E<V_0$ の場合と $E \geq V_0$ の場合に分けて考える．階段型ポテンシャルでは，$E<V_0$ の粒子はある程度までは V_0 の中に侵入できるものの結局は全て反射されたのに対し，ここではポテンシャルの壁の幅が有限であるため，侵入した粒子がその壁を抜けそののち自由になり無限遠方に飛び去る，といった現象も予想され極めて興味深い．シュレディンガー方程式は

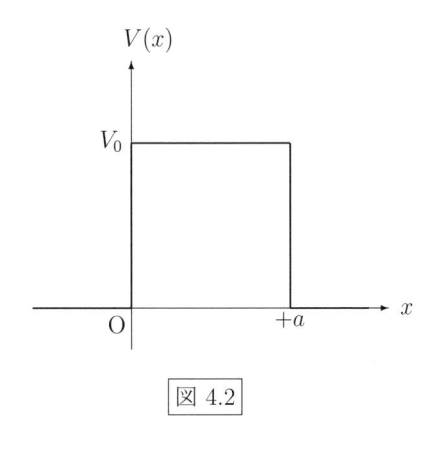

図 4.2

4.3 箱型ポテンシャル障壁: トンネル効果

- $x < 0$ 及び $x > a$ において

$$-\frac{\hbar^2}{2m}\frac{d^2}{dx^2}u(x) = Eu(x) \tag{4.32}$$

- $0 \leq x \leq a$ において

$$-\frac{\hbar^2}{2m}\frac{d^2}{dx^2}u(x) + V_0 u(x) = Eu(x) \tag{4.33}$$

である．

(1) $E < V_0$ の場合

一般解は

$$\begin{aligned} u(x) &= Ae^{ikx} + Be^{-ikx} \quad (x < 0) \\ &= Ce^{\kappa x} + De^{-\kappa x} \quad (0 \leq x \leq a) \\ &= Fe^{ikx} + Ge^{-ikx} \quad (x > a) \end{aligned} \tag{4.34}$$

であるが，ここでも $x > a$ の領域においては，問題設定により左向きに進む波はないことから $G = 0$ である．しかし，$0 \leq x \leq a$ においては，二つの項はどちらも $a = \infty$ でない限り発散することなく存在できる．

これらに対して $x = 0, a$ での連続条件を課せば

- $x = 0$

$$A + B = C + D, \quad ik(A - B) = \kappa(C - D) \tag{4.35}$$

- $x = a$

$$Ce^{\kappa a} + De^{-\kappa a} = Fe^{ika}, \quad \kappa(Ce^{\kappa a} - De^{-\kappa a}) = ikFe^{ika} \tag{4.36}$$

であるが，我々に興味があるのは反射率および透過率なので，C, D を消去し，$B/A, F/A$ を求めよう．計算は少し面倒になるが，機械的に行うことが出来る．

はじめに，少しでも式を簡潔にするため，上の四つの境界条件の各辺を A で割り，$B/A, C/A, D/A, F/A$ をそれぞれ B', C', D', F' と書けば

$$1 + B' = C' + D', \quad ik(1 - B') = \kappa(C' - D') \tag{4.37}$$

$$C'e^{\kappa a} + D'e^{-\kappa a} = F'e^{ika}, \quad \kappa(C'e^{\kappa a} - D'e^{-\kappa a}) = ikF'e^{ika} \tag{4.38}$$

となる．ここで，(4.37) 式から C', D' を B' で表す：

$$C' = \frac{1}{2\kappa}[\,\kappa + ik + (\kappa - ik)B'\,], \qquad D' = \frac{1}{2\kappa}[\,\kappa - ik + (\kappa + ik)B'\,] \qquad (4.39)$$

次に，(4.38) 式から F' を消去する：

$$\kappa(C'e^{\kappa a} - D'e^{-\kappa a}) = ik(C'e^{\kappa a} + D'e^{-\kappa a})$$

$$\implies (\kappa - ik)C'e^{\kappa a} - (\kappa + ik)D'e^{-\kappa a} = 0 \qquad (4.40)$$

これに，上で導いた C', D' を代入すると

$$(\kappa - ik)[\,\kappa + ik + (\kappa - ik)B'\,]e^{\kappa a} - (\kappa + ik)[\,\kappa - ik + (\kappa + ik)B'\,]e^{-\kappa a} = 0$$

これを $B'(\equiv B/A)$ について解いて

$$\frac{B}{A} = \frac{(k^2 + \kappa^2)(e^{\kappa a} - e^{-\kappa a})}{(k + i\kappa)^2 e^{\kappa a} - (k - i\kappa)^2 e^{-\kappa a}} \qquad (4.41)$$

を得る．一方 $F'(\equiv F/A)$ を求めるには，まず，(4.38) 式から C', D' を F' で表す：

$$C' = \frac{1}{2\kappa}(\kappa + ik)e^{-(\kappa - ik)a}F', \qquad D' = \frac{1}{2\kappa}(\kappa - ik)e^{(\kappa + ik)a}F' \qquad (4.42)$$

これを，(4.37) 式から B' を消去した式

$$2ik = (\kappa + ik)C' - (\kappa - ik)D' \qquad (4.43)$$

に代入し，$F'(= F/A)$ について解く．結果は

$$\frac{F}{A} = \frac{4ik\kappa e^{-ika}}{(k + i\kappa)^2 e^{\kappa a} - (k - i\kappa)^2 e^{-\kappa a}} \qquad (4.44)$$

となる．

　以上で準備は完了．この場合の入射・反射・透過波は皆同じ大きさの波数をもつので，反射率，透過率は

$$R = |B|^2/|A|^2, \qquad T = |F|^2/|A|^2$$

4.3 箱型ポテンシャル障壁: トンネル効果

で与えられる．従って，それぞれの右辺に上記の B/A, F/A を代入し

$$R = (k^2 + \kappa^2)^2 (e^{\kappa a} - e^{-\kappa a})^2 / |(k + i\kappa)^2 e^{\kappa a} - (k - i\kappa)^2 e^{-\kappa a}|^2$$

$$T = 16 k^2 \kappa^2 / |(k + i\kappa)^2 e^{\kappa a} - (k - i\kappa)^2 e^{-\kappa a}|^2$$

両者の分母を整理すると

$$\begin{aligned}
\text{分母} &= |(k + i\kappa)^2 e^{\kappa a} - (k - i\kappa)^2 e^{-\kappa a}|^2 \\
&= |(k^2 - \kappa^2)(e^{\kappa a} - e^{-\kappa a}) + 2ik\kappa(e^{\kappa a} + e^{-\kappa a})|^2 \\
&= (k^2 - \kappa^2)^2 (e^{\kappa a} - e^{-\kappa a})^2 + 4k^2 \kappa^2 \underbrace{(e^{\kappa a} + e^{-\kappa a})^2}_{(e^{\kappa a} - e^{-\kappa a})^2 + 4} \\
&= [(k^2 - \kappa^2)^2 + 4k^2 \kappa^2](e^{\kappa a} - e^{-\kappa a})^2 + 16 k^2 \kappa^2 \\
&= (k^2 + \kappa^2)^2 (e^{\kappa a} - e^{-\kappa a})^2 + 16 k^2 \kappa^2
\end{aligned} \tag{4.45}$$

これより反射率は

$$R = \frac{(k^2 + \kappa^2)^2 (e^{\kappa a} - e^{-\kappa a})^2}{(k^2 + \kappa^2)^2 (e^{\kappa a} - e^{-\kappa a})^2 + 16 k^2 \kappa^2}$$

(分母分子を $(k^2 + \kappa^2)^2 (e^{\kappa a} - e^{-\kappa a})^2$ で割り，全体を逆数の形に書いて)

$$= \Big[1 + \frac{16 k^2 \kappa^2}{(k^2 + \kappa^2)^2 (e^{\kappa a} - e^{-\kappa a})^2} \Big]^{-1}$$

さらに，k と κ の定義 $k \equiv \sqrt{2mE}/\hbar$, $\kappa \equiv \sqrt{2m(V_0 - E)}/\hbar$ を思い出し，指数関数部分については双曲線関数（下記の数学的補足を参照）を用いて

$$e^{\kappa a} - e^{-\kappa a} = 2 \sinh \kappa a$$

と書き直せることに注意すれば

$$R = \Big[1 + \frac{4 k^2 \kappa^2}{(k^2 + \kappa^2)^2 \sinh^2 \kappa a} \Big]^{-1} = \Big[1 + \frac{4E(V_0 - E)}{V_0^2 \sinh^2 \kappa a} \Big]^{-1} \tag{4.46}$$

とまとめられる．また，透過率についても R と同様に右辺を整理して

$$T = \Big[1 + \frac{(k^2 + \kappa^2)^2 \sinh^2 \kappa a}{4 k^2 \kappa^2} \Big]^{-1} = \Big[1 + \frac{V_0^2 \sinh^2 \kappa a}{4E(V_0 - E)} \Big]^{-1} \tag{4.47}$$

となる.

予想されたように透過率も0ではなく，古典力学的にはエネルギー不足のために越えられないポテンシャルの壁も，量子力学的な粒子は一定の確率で突き抜けてしまうことがわかる．この現象は**トンネル効果**という名で知られている．また，ここでも確率の保存

$$R + T = 1 \tag{4.48}$$

が成立する.

問題 4.2　ここでも，実際に $R + T = 1$ が成立することを確かめよ．

● ● ● ● ● ● ● ● ●
数学的補足： 双曲線関数
　指数関数を組み合わせて，次のような関数を定義する：

$$\sinh x = (e^x - e^{-x})/2, \qquad \cosh x = (e^x + e^{-x})/2$$
$$\tanh x = \sinh x / \cosh x \tag{4.49}$$

また，三角関数同様，これらの分母・分子を交換した関数として $\operatorname{cosech} x$, $\operatorname{sech} x$, $\coth x$ も導入する：

$$\operatorname{cosech} x = 1/\sinh x, \quad \operatorname{sech} x = 1/\cosh x, \quad \coth x = 1/\tanh x \tag{4.50}$$

これらは**双曲線関数**と名付けられているが，単に表記において三角関数に似ているというだけでなく，次に示すように，両者は実際に密接な関係にある：

$$\sinh(ix) = (e^{ix} - e^{-ix})/2 = i\sin x$$
$$\cosh(ix) = (e^{ix} + e^{-ix})/2 = \cos x \tag{4.51}$$

なお，「h」は「ハイパボリック」と読む．例えば，sinh は「サイン・ハイパボリック」である．

● ● ● ● ● ● ● ● ●

4.3 箱型ポテンシャル障壁: トンネル効果

(2) $E \geq V_0$ の場合

この時は (1) $E < V_0$ の計算における $0 \leq x \leq a$ の解だけを

$$u(x) = Ce^{ik'x} + De^{-ik'x} \qquad (4.52)$$

($k' \equiv \sqrt{2m(E-V_0)}/\hbar$) に替えればよい. その結果, 連続条件は

- $x = 0$

$$A + B = C + D, \quad k(A - B) = k'(C - D) \qquad (4.53)$$

- $x = a$

$$Ce^{ik'a} + De^{-ik'a} = Fe^{ika}, \quad k'(Ce^{ik'a} - De^{-ik'a}) = kFe^{ika} \qquad (4.54)$$

となるが, これは $E < V_0$ の場合の条件 (4.35), (4.36) における κ を ik' で置き換えただけの式である. 従って, 直ちに

$$\frac{B}{A} = \frac{(k^2 - k'^2)(e^{ik'a} - e^{-ik'a})}{(k - k')^2 e^{ik'a} - (k + k')^2 e^{-ik'a}} \qquad (4.55)$$

$$\frac{F}{A} = \frac{-4kk'e^{-ika}}{(k - k')^2 e^{ik'a} - (k + k')^2 e^{-ik'a}} \qquad (4.56)$$

を得る. 同様に, 反射率, 透過率についても (4.51) の関係を用い

$$\sinh \kappa a \implies \sinh ik'a = i \sin k'a \qquad (4.57)$$

と置き換えて

$$R = \Big[1 + \frac{4E(E-V_0)}{V_0^2 \sin^2 k'a}\Big]^{-1}, \quad T = \Big[1 + \frac{V_0^2 \sin^2 k'a}{4E(E-V_0)}\Big]^{-1} \qquad (4.58)$$

に到達する. 今度は $E \geq V_0$ だから古典的には反射は起こるはずがないのに, 階段型ポテンシャルの場合と同じく 0 でない反射率が導かれた. もちろん確率保存 $R + T = 1$ は成立している.

問題 4.3 E と V_0 の大小関係に関わらず, 4.2 節の場合と同じようにエネルギー E は連続固有値となることを確認せよ.

4.4 固有関数の規格直交性：自由状態の場合

この章では，無限遠方から一定のエネルギーを持って進んでくる粒子を扱った．このような状態を，3章に現れた束縛状態に対して自由状態と呼んでおこう．このような自由状態の粒子の波動関数は，一般に

$$u_k(x) = Ae^{\pm ikx} \tag{4.59}$$

という形をとる．これは，無限遠方でも0とはならず，$|u_k(x)|^2$ の積分も

$$\int_{-\infty}^{+\infty} dx\, |u_k(x)|^2 = |A|^2 \int_{-\infty}^{+\infty} dx = +\infty \tag{4.60}$$

と発散するため，3章で行ったような波動関数の規格化は出来ない．このタイプの関数はエネルギーと共に運動量演算子の固有関数でもある．この節では，このような波動関数の規格化を考えてみよう．

有限区間内での規格化

金属内では規則正しく並んだ格子の間を，電子がほぼ自由に運動している．このような状態で，平均して長さ L という区間当り1個の電子が存在するとしよう．すると，a を任意の点（座標）として

$$\int_a^{a+L} dx\, |u_k(x)|^2 = 1$$

という規格化が一つの可能性となる．つまり，この場合には

$$\int_a^{a+L} dx\, |u_k(x)|^2 = |A|^2 \int_a^{a+L} dx = |A|^2 L$$

より，束縛状態の時と同様に A を実数として $A = 1/\sqrt{L}$ と係数が決まる：

$$u_k(x) = \frac{1}{\sqrt{L}} e^{\pm ikx} \tag{4.61}$$

このような規格化がなされた場合，$|u_k(x)|^2$ は，区間 L の中では1個の粒子の確率密度と解釈できるが，同時に全体から見ると，むしろ個数密度という意味を持つ．

4.4 固有関数の規格直交性: 自由状態の場合

この状態では，多くの場合，波動関数の値自体も長さ L を単位として周期的になると考えられるので，

$$u_k(a+L) = u_k(a) \tag{4.62}$$

という条件が伴う．これは，**周期的境界条件**と呼ばれる．この場合には，$e^{ikL}=1$ が要求されるので $kL=2\pi \times n$（整数），つまり，波数 k は

$$k = 2\pi n/L \tag{4.63}$$

でなければならない．これにより $\{u_k(x)\}$ は直交系となる．

以上は3次元の波動関数にも直ちに拡張できる．一辺が L の立方体の中で規格化するなら，波動関数は，$V=L^3$ と置いて

$$u_{\boldsymbol{k}}(\boldsymbol{r}) = \frac{1}{\sqrt{V}} e^{i\boldsymbol{k}\boldsymbol{r}} \tag{4.64}$$

また，周期的境界条件は，n_x, n_y, n_z という三つの独立な整数を用いて

$$k_{x,y,z} = 2\pi n_{x,y,z}/L \tag{4.65}$$

と表される．1次元の場合と同様に，この時 $\{u_{\boldsymbol{k}}(\boldsymbol{r})\}$ は直交系となる．

デルタ関数による規格化

上のような状況にはない自由状態の波動関数は，どのように規格化すればいいだろうか．$u_k(x) = Ae^{ikx}$ として，異なる波数 k, k' に属する固有関数の内積を計算してみよう：

$$\begin{aligned}
\int_{-\infty}^{+\infty} dx\, u_{k'}^*(x) u_k(x) &= A^2 \int_{-\infty}^{+\infty} dx\, e^{i(k-k')x} \\
&= A^2 \lim_{L\to+\infty} \int_{-L}^{+L} dx\, e^{i(k-k')x} = A^2 \lim_{L\to+\infty} \left[\frac{e^{i(k-k')x}}{i(k-k')} \right]_{-L}^{+L} \\
&= A^2 \lim_{L\to+\infty} \frac{e^{i(k-k')L} - e^{-i(k-k')L}}{i(k-k')} = 2A^2 \lim_{L\to+\infty} \frac{\sin(k-k')L}{k-k'}
\end{aligned} \tag{4.66}$$

実は，この結果は，数因子を除いてディラックの導入した**デルタ関数** $\delta(x)$ に一致する．実際，付録6の (A.99) 式に従えば

$$\lim_{L\to+\infty} \frac{\sin(k-k')L}{k-k'} = \pi \delta(k-k')$$

となる．そして，$u_k(x) = Ae^{ikx}$ のような波動関数は，通常この関数を用いて，

$$\langle u_{k'}|u_k\rangle \left(= \int_{-\infty}^{+\infty} dx\, u_{k'}^*(x)u_k(x)\right) = \delta(k-k') \tag{4.67}$$

と規格化される．つまり，$A = 1/\sqrt{2\pi}$ と選ぶのである：

$$u_k(x) = \frac{1}{\sqrt{2\pi}}e^{ikx} \tag{4.68}$$

この $\delta(x)$ は

$$\delta(x) = +\infty\ (x=0),\ =0\ (x\neq 0),\ \int_{-\infty}^{+\infty} dx\, \delta(x) = 1 \tag{4.69}$$

という奇妙な性質を持つ関数である．これは初学者にはまともな関数には見えないかも知れないが，量子力学や場の量子論ではお馴染みの関数である．但し，普通でないことは確かで，数学的には「超関数」というクラスに属している．この関数のもう少し詳しい記述は付録6に与えるが，一つだけ非常に重要な公式として

$$\delta(p) = \frac{1}{2\pi}\int_{-\infty}^{+\infty} dx\, e^{+ipx} = \frac{1}{2\pi}\int_{-\infty}^{+\infty} dx\, e^{-ipx} \tag{4.70}$$

を挙げておこう．これを知っていれば，(4.66) のような計算をすることなく，$u_k(x) = Ae^{ikx}$ から直ちに $A = 1/\sqrt{2\pi}$ と決めることが出来る．このように規格化された $\{u_k(x)\}$ は，$\delta(x)$ の性質 (4.69) の第2式により やはり直交系になる．

同様に，3次元の場合は

$$\langle u_{\boldsymbol{k'}}|u_{\boldsymbol{k}}\rangle \left(= \int dV\, u_{\boldsymbol{k'}}^*(\boldsymbol{r})u_{\boldsymbol{k}}(\boldsymbol{r})\right) = \delta^3(\boldsymbol{k}-\boldsymbol{k'}) \tag{4.71}$$

が規格化条件であり，[4.1] 規格化された波動関数は

$$u_{\boldsymbol{k}}(\boldsymbol{r}) = \frac{1}{\sqrt{(2\pi)^3}}e^{i\boldsymbol{k}\boldsymbol{r}} \tag{4.72}$$

[4.1] 高エネルギー素粒子反応の記述に不可欠な相対論的場の量子論では，粒子のエネルギー E も用いた $\langle u_{\boldsymbol{k'}}|u_{\boldsymbol{k}}\rangle = (2\pi)^3 2E\delta^3(\boldsymbol{k}-\boldsymbol{k'})$ という規格化が標準的だが，ここでは多くの量子力学のテキストで採用されている規格化を用いる．もちろん，両者の差は本質的なものではない．

4.4 固有関数の規格直交性: 自由状態の場合

で与えられる．何故，このデルタ関数による規格化が用いられるのか，この規格化はどのような意味を持つのか，については次章で説明する．

●●●●●●●●●
少しレベルの高い話： 3次元での散乱問題

より現実的な問題として，3次元における粒子散乱の記述方法をスケッチしてみよう．但し，話を簡単にするため，始めと終りで運動量の大きさは変化しない弾性散乱に限定する．初学者は，ここはスキップして5章へ進んでもよい．

原点に置かれた標的粒子に向かって，運動量 p で入射してくる粒子群（入射ビーム）を考えよう．このビーム内では，個々の粒子は互いに十分離れており，影響し合うことはないものとする（この条件は，通常の実験では常に満たされている）．習慣に従い p の向きに z 軸を選ぶと，この入射粒子の波動関数は

$$u_{入射}(\boldsymbol{r}) = Ae^{ikz}$$

$(k=|\boldsymbol{p}|/\hbar)$ で与えられる．このタイプの波動は**平面波**と呼ばれている．その理由は，この指数関数の位相 (kz) が同じ値をとる点の全体が $z = z_0$（定数）という形の方程式で決まる面，すなわち z 軸に垂直な平面を構成するからである（図 4.3）．

図 4.3

この入射粒子は，標的との相互作用で，その点（原点）を中心として四方八方に散乱されるだろう．そのような状態の粒子は，

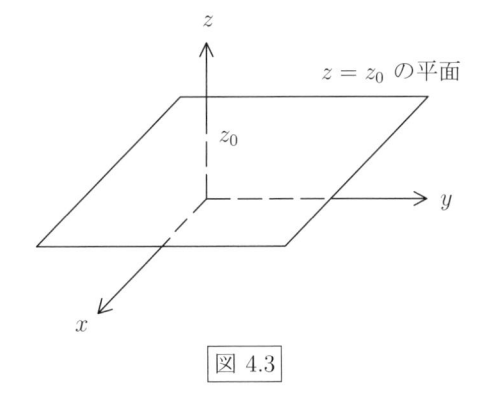

$$u_{散乱}(\boldsymbol{r}) = Be^{ikr}$$

という，いわゆる**球面波**で記述される．この関数の場合には，位相 $(kr) = $ 一定という点全体は原点を中心とする球面 $r = r_0$（定数）となるのでこの名前が

ある（図 4.4）．但し，一般には散乱は等方的に起こる訳ではないので，係数 B は散乱粒子の向き（角度）に依存する．

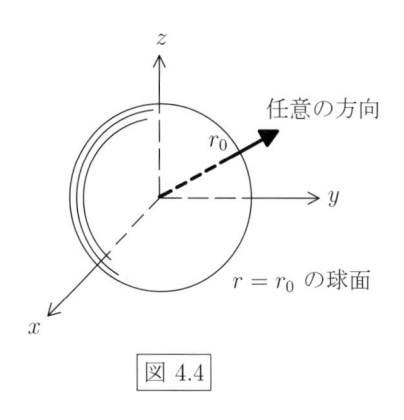

以上のことより，この散乱過程全体を記述する波動関数は

$$u(\bm{r}) = u_{入射}(\bm{r}) + u_{散乱}(\bm{r})$$
$$= Ae^{ikz} + Be^{ikr}$$

となるが，通常は $B = Af(\theta,\phi)/r$ と書き直して

$$u(\bm{r}) = A\left[e^{ikz} + \frac{f(\theta,\phi)}{r}e^{ikr}\right] \quad (4.73)$$

と表される（図 4.5）．ここで，θ は $\bm{r}$ と z 軸のなす角，ϕ は $\bm{r}$ の xy 平面への射影が x 軸となす角，つまり，6.1 節で導入する 3 次元の極座標の極角と方位角である．この $f(\theta,\phi)$ は**散乱振幅**と呼ばれる．その具体的な関数形は，実際にこの系のシュレディンガー方程式を解かないと決まらないが，以下ではそれがわかったとして話を進める．

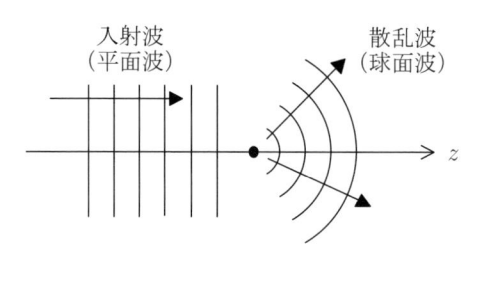

図 4.4

図 4.5

この散乱波の確率流密度はどのような形になるだろうか．(4.73) の右辺第 2 項を (4.7) 式に代入しよう．6.1 節で具体的に示すように，r のみに依存する任

4.4 固有関数の規格直交性: 自由状態の場合

意の関数 $h(r)$ の勾配は

$$\operatorname{grad} h(r) = h'(r) \boldsymbol{e}_r$$

$$(h'(r) = dh(r)/dr, \ \boldsymbol{e}_r = \boldsymbol{r}/r \ )$$

となることを利用すると

$$\boldsymbol{S}_{散乱} = \frac{k\hbar}{mr^2}|A\,f(\theta,\phi)|^2 \boldsymbol{e}_r \tag{4.74}$$

となる.[♯4.2] $\boldsymbol{r}$ に垂直で $\boldsymbol{r}$ の先端を中心とする微小領域の面積 dS は,微小立体角要素 $d\Omega$ により

$$dS = r^2 d\Omega$$

と与えられるから,この微小面積を単位時間に通過する確率は

$$|\boldsymbol{S}_{散乱}| \times dS = \frac{k\hbar}{m}|A\,f(\theta,\phi)|^2 d\Omega$$

となる.これを入射粒子の確率流密度 $k\hbar|A|^2/m$ で割った量は $d\sigma$ と表される:

$$d\sigma = |f(\theta,\phi)|^2 d\Omega \tag{4.75}$$

これは,大きさ 1 の確率流密度を持つ入射粒子ビームに対して,微小立体角 $d\Omega$ の中に粒子が散乱される確率を表し,(この方向への散乱の) **微分断面積** と呼ばれる.これはまた

$$\frac{d\sigma}{d\Omega} = |f(\theta,\phi)|^2 \tag{4.76}$$

とも表現される.一方,この微分断面積を全角度に亘って積分して得られる量

$$\sigma = \int d\sigma = \int d\Omega\,|f(\theta,\phi)|^2 \tag{4.77}$$

は **全断面積** と呼ばれ,入射粒子がどこかへ散乱される確率全体を表す(但し,実際の実験においては,検出器がカバーし切れない領域があることも珍しくない.そのような場合には積分領域にも制限が付くことになる).これらは,理論的

[♯4.2] 実際に $u_{散乱}(\boldsymbol{r})$ を $\boldsymbol{S}$ の定義 (4.7) に代入すれば,$f(\theta,\phi)$ についての θ,ϕ 微分も現れるので,厳密にはこの $\boldsymbol{S}_{散乱}$ は確率流密度の $\boldsymbol{e}_r$ 向き成分と言うべきである.しかしながら,角度微分の寄与は,6.1 節で示すように全て $\boldsymbol{e}_r$ に直交する成分となるので,以下の断面積の定義には何の影響も与えない.

にも実際の実験の解析においても極めて重要な役割を果たす量である．「**散乱断面積**」や「**衝突断面積**」という名称も，微分断面積や全断面積などの総称としてしばしば使われる．

なお，「断面積」という名称だが，これは σ が面積の次元を持つことに由来する．実際，(4.73) からわかるように，散乱振幅 f は長さの次元を持っている．更に，大きさが 1 の断面積（太さ）を持つビームが入射する時，標的と点状の入射粒子の力のやりとりが接触によってのみ起こる場合には，「散乱が起こる確率は，標的の（ビーム軸に垂直な）幾何学的断面積に等しい」ということに気付けば，この命名に納得がいくだろう．

● ● ● ● ● ● ● ● ●

♠♠ ちょっと息抜き： 潜在的学習 ♠♠

物理を志して大学に入ったものの，1 年生（関西圏では「1 回生」と言うことが多い）の頃の私は，早くも力学の段階で，高校のレベルと数学を多用する大学のそれとのギャップを埋められず，音をあげかけていた．それなら必死に勉強したかと言うと，その逆で，所属していた運動部（ボート部）の方にのめり込んでいったのだから始末が悪い．深い理解など程遠い状態だった．その後，何とか大学院を修了してから某私大で非常勤講師としてその力学を担当することになった時には，そういう過去があるだけに正直言って不安だった．しかし誤魔化す訳にもいかないので，指定されていた教科書を読み，講義ノートらしきものを作り始めた．すると，驚いたことによくわかる．子供じみた話だが，思わず嬉しくなった．「物理の大学院を修了したんやから当り前やろ！」と言われそうだが，初等的な力学に関しては事実上 1 回生以来なのだ．考えられる理由は，潜在的な学習くらいだろうか．つまり，力学は直接やらなくても，ともかく物理を続けている間に，「物理的な見方・考え方」が少しは身についてきたということ．今，いろいろな科目で大学のレベルに苦しんでいる学生諸君も，「そのうちわかるようになるさ」と少し気楽に構えてみたらどうだろうか．もっとも，あっさりと「や〜めた」というのは（自分が）困るが．

♣♣♣♣

5. 量子力学の基本構成

　古典物理学においては，そこで扱われる物理量 — 物体の運動量・位置ベクトルや電場・磁場など — の意味は明らかであって，それについての説明は簡単に済まされることも稀ではない．これに対して，量子力学の場合は対象があまりに小さいため，視覚的・直観的な理解は期待できない．初学者が感じる難しさも正にここから生まれている．この章では，ひとまず具体的な計算問題から離れ，量子力学の基本構成を眺めてみよう．ここでまとめるのは，すべて「数多くの実験とそれに対する理論計算の比較を通じて確立され，現在では量子力学の不可欠な構成要素となっている基本的事項」である．

5.1 重ね合せの原理

　我々が，前章までに微粒子の運動の量子力学的記述について知ったことは，

(1) 波動関数 $\psi(\boldsymbol{r},t)$ の絶対値の 2 乗は粒子発見の確率密度であり，$\boldsymbol{r}$ を含む微小体積 dV 内で時刻 t に粒子を見出す確率は $|\psi(\boldsymbol{r},t)|^2 dV$ で与えられる

(2) 運動量やエネルギーなど物理量は演算子で表され，定常状態では粒子エネルギーと波動関数はハミルトニアンの固有値・固有関数として決まる

ということなどである．但し，(1) で「確率」は，波動関数が $\langle\psi|\psi\rangle = 1$ と規格化されているなら絶対的な確率そのものを，$\langle\psi|\psi\rangle \neq 1$ であれば他の点に対する相対的な確率を意味する．

　では，波動関数が持っている情報はこれが全てなのだろうか．もしそうであるなら，量子力学は豊富な内容を含むとは言い難いし，粒子の運動状態につい

て何か精密な予測をすることなど到底不可能のようにも思われる．が，実際には，そして幸いなことには，波動関数はもっと多くの情報を担っていることがわかっている．これは，特に波動関数が物理量（演算子）の固有関数になっている場合に明確な形で現れてくる．これを説明するため，同一の波動関数 ψ で記述される系，例えば電子が1個入っている箱，をサンプルとして多数用意し（図 5.1），その一つ一つにおいて，エネルギーや運動量といった物理量を測定したらどのような結果が得られるか，またその測定値と ψ はどのように関係づけられるか，を以下で考えてみる．話を少しでも具体的にするため，測定する量はエネルギーとする．この時，この物理量を表す演算子はハミルトニアン $\hat{H}$ である．但し，ψ 自体は必ずしも $\hat{H}$ の固有関数ということではない．また，以下の話は他の任意の物理量についても同様に成立する．

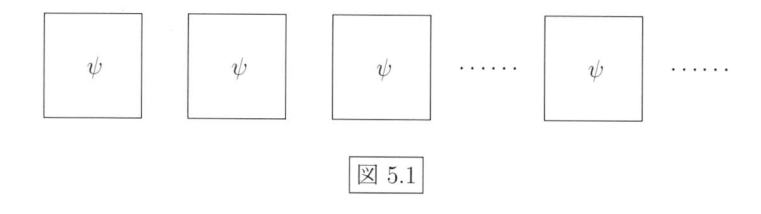

図 5.1

さて，実際に電子のエネルギーを測定していくと，それぞれの箱で得られる値は，すべて同一の波動関数で記述される系であるにも拘わらず，一般には同じにならない．これは，古典力学などでの常識から大きくかけ離れた結果と言わざるを得ない．古典力学では，同じ初期条件で動き始めた物体は，すべて同じ点に到達することになるからである．では，量子力学の場合，このような測定に対する予言に関しては全く無力なのか？と言えばそうではない．まずは

- 各箱において得られる測定値は，必ずハミルトニアン $\hat{H}$ の固有値のどれかになり，$\hat{H}$ の固有値以外の値が現れることはない

ことが知られている．これは，例えば，普通のサイコロ1個を何回も振る時，出

5.1 重ね合せの原理

る目はバラバラでも必ず 1 ~ 6 に限られており，7 や 9 は絶対に出ないのと似ている．この事実と「測定値は実数」という当然の条件から，**物理量を表す演算子はエルミート演算子**（付録 2）ということが要請され，そのエルミート演算子の性質から，3.3 及び 4.4 節で述べた<u>エネルギー固有関数の直交性は，それ以外の物理量の固有関数にも共通する性質</u>である，と結論される．更に，

- もし，波動関数 ψ が $\hat{H}$ の固有関数 ψ_i $(i = 1, 2, \cdots)$ の組み合わせとして

$$\psi = \sum_i c_i \psi_i = c_1 \psi_1 + c_2 \psi_2 + \cdots \tag{5.1}$$

と与えられるなら，各箱の測定において i 番目の固有値 E_i が得られる確率は $|c_i|^2$ に比例する

こともわかっている．特に，もし係数全体が

$$\sum_i |c_i|^2 = 1$$

と規格化されているならば，<u>i 番目の固有値 E_i が得られる確率は $|c_i|^2$ で与えられる</u>．言い換えれば，サンプルの箱が全部で N 個あるなら，全測定結果の中で E_i という測定値は $|c_i|^2 N$ 個あるということである．すると，系が特別な波動関数，例えば n 番目の固有関数で記述される場合には，上記の式において $c_n = 1, c_i = 0\,(i \neq n)$ ということだから，測定で E_n が得られる確率が 1，つまり確定的な予言が可能となる：

- ψ が $\hat{H}$ の固有関数 ψ_n なら，どの測定でも常に E_n が得られる

より一般的に言うなら，<u>A という物理量の測定で常に同じ値 A_0 が得られるような状態は，その波動関数が演算子 $\hat{A}$ の固有関数（固有値 A_0）になっている状態</u>（A の**固有状態**），という表現になる．すると，第 2 章で運動量が p に確定している粒子を考えたが，これはその粒子の運動量測定で常に p が得られる

ということだから，その波動関数 (2.8) は p を固有値とする $\hat{p}_x$ の固有関数になっているはずである．そこで，実際に運動量演算子を作用させてみると

$$\hat{p}_x\psi(x,t) = -i\hbar\frac{\partial}{\partial x}Ae^{i(kx-\omega t)} = \hbar k Ae^{i(kx-\omega t)} = p\psi(x,t)$$

だから，確かに $\psi = Ae^{i(kx-\omega t)}$ は固有値 p の運動量固有関数になっている．

以上述べたことに反する実験事実は現在に至るまで全く存在しないので，量子力学ではこれを正しい規則であると認め，**重ね合せの原理**と呼んでいる．

この原理に基づけば，

- 任意の波動関数 ψ は必ず ψ_i の組み合わせとして

$$\psi = \sum_i c_i \psi_i \tag{5.2}$$

と表す（展開する）ことが可能

である．実際，この ψ により記述されるサンプルを多数（N 個）用意し，そこにおいてエネルギーの測定を行って E_1 が n_1 回，E_2 が n_2 回，$\cdots$，E_m が n_m 回，$\cdots$ 現れたとすれば，E_i という測定値が得られる確率が n_i/N と決まり，これから $c_i = \sqrt{n_i/N}$ と置いて上記の展開式を組み立てれば，それは ψ と全く同じ情報を含む関数となる．また，ψ, ψ_i の関数形が具体的にわかっているなら，展開 $\psi = \sum_i c_i \psi_i$ の各係数 c_i は $\{\psi_i\}$ の規格直交性

$$\langle\psi_i|\psi_j\rangle = \delta_{ij}$$

より決めることも出来る：展開式 (5.2) の両辺に ψ_n^* を掛けて積分する，或いはブラ・ケット記法を意識した言い方をして，両辺と ψ_n との内積をとれば

$$\langle\psi_n|\psi\rangle = \sum_i c_i \langle\psi_n|\psi_i\rangle = \sum_i c_i \delta_{ni} = c_n$$

つまり

$$c_n = \langle\psi_n|\psi\rangle \tag{5.3}$$

5.1 重ね合せの原理

である．数学では，任意の関数を展開することが出来る関数のセット（関数系）は**完全系**または**完備系**と呼ばれる．従って，ここで述べたことは

- 物理量を表す演算子の固有関数系は一つの完全系を構成する

とまとめることが出来る．

波動関数が $\psi = \sum_i c_i \psi_i$ と表されることがわかっているなら，多くの箱で測定されたエネルギーの平均値，或いは期待値，$\langle E \rangle$ は重ね合せの原理に従い

$$\langle E \rangle = \sum_i |c_i|^2 E_i \tag{5.4}$$

と計算できる．しかし，この平均値だけなら展開係数 c_i が求まっていなくとも

$$\langle E \rangle = \langle \psi | \hat{H} | \psi \rangle \left(= \int dV\, \psi^* \hat{H} \psi \right) \tag{5.5}$$

と計算することも可能である．[#5.1] 実際，この式の右辺に展開式 (5.2) を代入してみると

$$\langle E \rangle = \langle \psi | \hat{H} | \psi \rangle = \sum_i \sum_j c_i^* c_j \langle \psi_i | \hat{H} | \psi_j \rangle$$
$$= \sum_i \sum_j c_i^* c_j E_j \langle \psi_i | \psi_j \rangle = \sum_i \sum_j c_i^* c_j E_j \delta_{ij} = \sum_i |c_i|^2 E_i$$

となるからである．

ここまでは，特に断わることなくエネルギー固有値は離散的であると仮定してきたが，以上の話は連続的な固有値，f，の場合にも当てはまる．但し，その場合には，波動関数の展開は級数の替りに積分

$$\psi = \int_{f_{min}}^{f_{max}} df\, a(f)\, \psi_f \tag{5.6}$$

（f_{max} 及び f_{min} は，それぞれ f の最大値と最小値）となる．特に，エネルギー・運動量の固有関数 $u_k(x) = A e^{ikx}$ （$k \equiv p/\hbar$）による展開

$$\psi(x) = \int_{-\infty}^{+\infty} dk\, a(k)\, e^{ikx} \tag{5.7}$$

[#5.1] 一般性を考え3次元表現とした．また，$\int dV$ は不定積分ではなく ψ の定義域全体に亘る定積分を表す．例えば，その定義域が全空間なら $\int dV = \int_{-\infty}^{+\infty} \int_{-\infty}^{+\infty} \int_{-\infty}^{+\infty} dx dy dz$ である．

はフーリエ展開，或いはフーリエ積分という名でよく知られている．

それでは，ここで $u_k(x) = Ae^{ikx}$ が現れたので，何故 4.4 節においてこの $u_k(x)$ は

$$\langle u_{k'}|u_k\rangle = \delta(k-k')$$

と規格化されたのかを説明しよう．まず，(5.7) 式を

$$\psi(x) = \int_{-\infty}^{+\infty} dk\, c(k)\, u_k(x)$$

と書き直しておく．ここで，$\psi(x)$ は $\langle\psi|\psi\rangle = 1$ と規格化されているとしよう．この左辺に上の展開式を代入すると

$$\begin{aligned}\langle\psi|\psi\rangle &= \int_{-\infty}^{+\infty} dx\, \psi^*(x)\psi(x) \\ &= \int_{-\infty}^{+\infty}\int_{-\infty}^{+\infty} dk'dk\, c^*(k')c(k)\int_{-\infty}^{+\infty} dx\, u_{k'}^*(x)u_k(x) \\ &= \int_{-\infty}^{+\infty}\int_{-\infty}^{+\infty} dk'dk\, c^*(k')c(k)\langle u_{k'}|u_k\rangle\end{aligned}$$

となるので，もし $\langle u_{k'}|u_k\rangle = \delta(k-k')$ と規格化されていれば

$$\langle\psi|\psi\rangle = \int_{-\infty}^{+\infty}\int_{-\infty}^{+\infty} dk'dk\, c^*(k')c(k)\delta(k-k') = \int_{-\infty}^{+\infty} dk\, |c(k)|^2 \tag{5.8}$$

となる．これを $\langle\psi|\psi\rangle = 1$ と合わせて

$$\int_{-\infty}^{+\infty} dk\, |c(k)|^2 = 1 \tag{5.9}$$

つまり，$\psi(x) = \int_{-\infty}^{+\infty} dk\, c(k)\, u_k(x)$ と展開される状態 $\psi(x)$ においては，粒子が波数 k と $k+dk$ の間の状態に見出される（絶対）確率が $|c(k)|^2 dk$ であると結論できるという訳である．

問題 5.1　連続固有値の場合の展開式

$$\psi(x) = \int_{-\infty}^{+\infty} dk\, c(k)\, u_k(x)$$

の展開係数 $c(k)$ も

$$c(k) = \langle u_k|\psi\rangle$$

で与えられることを確かめよ．

5.1 重ね合せの原理

最後に，やはり現在の量子力学では欠かすことが出来ない少々不思議な内容の仮定に触れておこう．E_n という結果が得られたサンプルで続けてエネルギーの測定を行うと，その後は常に同じ値 E_n が得られる．これは<u>第1回目の測定で E_n という結果が出た瞬間に，波動関数が ψ から ψ_n に変化する</u>ことを意味する．それは，時間を含むシュレディンガー方程式では記述できない変化であり，**波動関数の収縮**（もしくは**波束の収縮**）と呼ばれている．これは，「対象とするミクロの系」と「一般に複雑な内部構造を持つマクロの観測装置」との相互作用により起こるとも考えられるので，ミクロの系の状態だけを記述するシュレディンガー方程式だけでは何も言えないのも当然かも知れない．ともかく，この変化の機構は未解明であり，現段階では<u>必要不可欠な仮定</u>とされている．[♯5.2]

この波動関数の収縮は観測の度に起こるので，その後で別の物理量 A を測定して a_m（固有関数 ϕ_m）という結果が出たら，今度はその瞬間に系の波動関数は $\psi_n \to \phi_m$ となり，一般には この系は $\hat{H}$ の固有状態ではなくなってしまう．この結果，そこでエネルギー測定をしても もはや確定値は得られず，どの固有値が得られるかは再び確率的にしか予測できなくなる．但し，これには例外がある．それは<u>ψ_n が $\hat{H}$ と同時に $\hat{A}$ の固有関数でもある場合</u>である．<u>そのような波動関数が記述する系では $\hat{H}$, $\hat{A}$ どちらを測定しても確定値が得られる</u>．同様のことは3個以上の物理量に対しても成立する．

この「例外」状態が存在できるかどうかは，二つの演算子の交換可能性で決まる．すなわち，$\hat{H}$ と $\hat{A}$ が共通の固有関数を持てるためには

$$[\hat{H}, \hat{A}] \equiv \hat{H}\hat{A} - \hat{A}\hat{H} = 0 \tag{5.10}$$

でなければならない．実際，これが成り立てば $\hat{H}u = Eu$, $\hat{A}u = au$ に対して

$$(\hat{H}\hat{A} - \hat{A}\hat{H})u = (Ea - aE)u = 0$$

となり矛盾は生じない．運動量と座標の測定に際して，不確定性関係が不可避

[♯5.2] この問題の解明を目指す試みについては，例えば「量子力学入門」（並木美喜雄著：岩波新書）に興味深い解説がある．

なのも正にこの点から生じている．両者の間には

$$[\hat{p}_x, x] = [\hat{p}_y, y] = [\hat{p}_z, z] = -i\hbar$$

という0でない交換関係があるため，両者が同時に確定した測定値を与えるような状態は原理的に存在しないのである．従って，不確定性原理は，運動量と座標の間だけで成り立つのではなく，交換不可能な任意の二つの物理量 $\hat{A}$, $\hat{B}$ の測定結果に適用される．第3章で扱った波動関数がなぜ運動量固有関数になっていないのかも以上の議論に深く関わっている：束縛状態では粒子は無限遠方には行けない．その結果，位置に関する不定性は有限となるため，運動量の不定性が0の状態すなわち運動量の固有状態は実現不可能なのである．

●●●●●●●●●
物理学的補足： 物理量を表す演算子のエルミート性

この節では，量子力学における一般的な要請として「物理量はエルミート演算子で表される」と述べた．入門コースのレベルで実際に現れる演算子は，位置（座標）演算子，運動量演算子，ハミルトニアン，角運動量演算子などだが，ハミルトニアンと次章で定義する角運動量は共に位置演算子と運動量演算子の組み合わせなので，ここでは位置および運動量演算子について考えてみよう．

付録2で説明してあるように，ある演算子 $\hat{Q}$ がエルミートである条件は，任意の関数 ψ, ϕ に対して

$$\int dV \, \psi^* \hat{Q} \phi = \left(\int dV \, \phi^* \hat{Q} \psi \right)^*$$

が成立することである（定義域は全空間としておく）．従って，$\boldsymbol{r} = (x, y, z)$ は，本書で採用している座標表示では単なる実数の変数（を掛けるという演算子）だから明らかにエルミートである．では，運動量 $\hat{\boldsymbol{p}}$ はどうだろうか．その x 成分を例として1次元で考えると

$$\begin{aligned}
\int_{-\infty}^{+\infty} dx \, \psi^*(x) \hat{p}_x \phi(x) &= -i\hbar \int_{-\infty}^{+\infty} dx \, \psi^*(x) \frac{\partial}{\partial x} \phi(x) \\
&= -i\hbar \big[\psi^*(x) \phi(x) \big]_{-\infty}^{+\infty} + i\hbar \int_{-\infty}^{+\infty} dx \, \Big[\frac{\partial}{\partial x} \psi^*(x) \Big] \phi(x) \\
&= -i\hbar \big[\psi^*(x) \phi(x) \big]_{-\infty}^{+\infty} + \Big[\int_{-\infty}^{+\infty} dx \, \phi^*(x) \hat{p}_x \psi(x) \Big]^*
\end{aligned}$$

5.2 古典力学と量子力学

となるので，
$$\left[\psi^*(x)\phi(x)\right]_{-\infty}^{+\infty} = \psi^*(+\infty)\phi(+\infty) - \psi^*(-\infty)\phi(-\infty) = 0$$
でない限り $\hat{p}_x$ はエルミート演算子とは言えないことになる．そして，$\psi(x)$, $\phi(x)$ が任意ならむしろその方が一般的のように思えるが，物理的な境界条件を考慮すると事情は変わる．まず，第3章で調べた束縛状態なら無限遠方で波動関数は0となるから上式は満たされる．また，第4章で扱ったような自由状態の場合にも物理的な考察から $\psi(+\infty) = \psi(-\infty)$, $\phi(+\infty) = \phi(-\infty)$ という境界条件が伴うことが多く，結果としてやはり $\hat{p}_x$ はエルミート演算子の条件を満たす．$\hat{p}_{y,z}$ についても同様である．これが満たされない場合が皆無という訳ではないが，本書では以下 $\hat{p}$ は常にエルミートであると仮定する．ゆえに，ハミルトニアン

$$\hat{H} = \frac{1}{2m}\hat{\boldsymbol{p}}^2 + V(\boldsymbol{r})$$

もエルミート，また次章で扱う角運動量もエルミートとなる．

・・・・・・・・・

5.2 古典力学と量子力学

次に，古典力学と量子力学の関係を考えてみよう．簡単のため，再び1次元で話を進める．例えば，粒子の座標 x と運動量 p の関係は

$$\text{古典力学：} p = m\frac{d}{dt}x, \quad \text{量子力学：} \hat{p} = -i\hbar\frac{\partial}{\partial x} \tag{5.11}$$

であるので，両者にどのような関係があるのかは一見しただけでは見当もつかない．しかし，古典力学と量子力学は互いに全く異なる現象を記述する体系などではなく，量子力学の方がより適用範囲の広い体系として古典力学を含む形になっているので，何らかの関係があるはずである．以下ではそれを調べる．

量子力学における粒子座標の期待値 $\langle x \rangle$ を時間で微分してみよう．すると，

$$\frac{d}{dt}\langle x \rangle = \int_{-\infty}^{+\infty} dx \left[\left(\frac{\partial \psi^*}{\partial t}\right)x\psi + \psi^* x\left(\frac{\partial \psi}{\partial t}\right)\right]$$

この右辺でシュレディンガー方程式から得られる (4.2) の関係

$$\frac{\partial \psi}{\partial t} = \frac{i\hbar}{2m}\frac{\partial^2 \psi}{\partial x^2} - \frac{iV}{\hbar}\psi, \qquad \frac{\partial \psi^*}{\partial t} = -\frac{i\hbar}{2m}\frac{\partial^2 \psi^*}{\partial x^2} + \frac{iV}{\hbar}\psi^*$$

を用い，ψ は無限遠方で0になることを仮定して部分積分を2回行うと，[5.3]

$$\begin{aligned}\frac{d}{dt}\langle x\rangle &= \int_{-\infty}^{+\infty} dx \left[\left(-\frac{i\hbar}{2m}\frac{\partial^2 \psi^*}{\partial x^2} + \frac{iV}{\hbar}\psi^*\right)x\psi + \psi^* x\left(\frac{i\hbar}{2m}\frac{\partial^2 \psi}{\partial x^2} - \frac{iV}{\hbar}\psi\right) \right] \\ &= -\frac{i\hbar}{2m}\int_{-\infty}^{+\infty} dx \left[\left(\frac{\partial^2 \psi^*}{\partial x^2}\right)x\psi - \psi^* x\left(\frac{\partial^2 \psi}{\partial x^2}\right) \right] \\ &= \frac{i\hbar}{2m}\int_{-\infty}^{+\infty} dx \left[\left(\frac{\partial \psi^*}{\partial x}\right)\frac{\partial}{\partial x}(x\psi) - \left(\frac{\partial}{\partial x}(\psi^* x)\right)\left(\frac{\partial \psi}{\partial x}\right) \right] \\ &= \frac{i\hbar}{2m}\int_{-\infty}^{+\infty} dx \left[\left(\frac{\partial \psi^*}{\partial x}\right)\psi - \psi^*\left(\frac{\partial \psi}{\partial x}\right) \right] \\ &= \frac{i\hbar}{2m}\int_{-\infty}^{+\infty} dx \left[-\psi^*\left(\frac{\partial \psi}{\partial x}\right) - \psi^*\left(\frac{\partial \psi}{\partial x}\right) \right] \\ &= -\frac{i\hbar}{m}\int_{-\infty}^{+\infty} dx\, \psi^*\frac{\partial \psi}{\partial x} = \frac{1}{m}\int_{-\infty}^{+\infty} dx\, \psi^*\,\hat{p}\,\psi = \frac{\langle p\rangle}{m} \end{aligned} \qquad (5.12)$$

が得られる．つまり，粒子の座標と運動量の期待値 $\langle x\rangle$, $\langle p\rangle$ の間には，古典力学と全く同じ関係が成立することがわかる．

更に同様の計算を進めると

$$\frac{d}{dt}\langle p\rangle = -\int_{-\infty}^{+\infty} dx\,\psi^*\frac{\partial V}{\partial x}\psi \qquad (5.13)$$

という関係を導くことが出来る．ここで右辺の $-\partial V/\partial x$ は粒子に作用する力 $F(x)$ である．一般には力にもいろいろな種類があるが，多くの場合は波動関数の広がりの範囲程度ではほとんど変化しない．そして，その場合には積分の中の $F(x)$ を $F(\langle x\rangle)$ で置き換えて，積分の外に出すことが出来る．すると上式は

$$\frac{d}{dt}\langle p\rangle = F(\langle x\rangle) \quad \text{或いは} \quad m\frac{d^2}{dt^2}\langle x\rangle = F(\langle x\rangle) \qquad (5.14)$$

となり，ニュートンの運動方程式と同じ形になる．このような関係を通じて量子力学と古典力学はつながっていた訳であり，これは**エーレンフェストの定理**という名で知られている．

[5.3] 波動関数が無限遠方でも0にならないような場合は，古典力学にはない量子力学独特の状態と言えるので，ここでは考えないことにする．

5.2 古典力学と量子力学

　この定理は，正に物体の巨視的な運動の記述においては古典力学が使えることを保証している：対象粒子が波動関数の広がりの中のどの点で検出されるかについては，これまで述べてきたように量子力学は確率的な予測しか出来ない．しかし，当然のことながら $\langle x \rangle$ の値はその波動関数の広がりの範囲内にある．従って，例えばその広がりが原子や分子のサイズ程度であるなら，それは我々の日常生活スケールにとっては 1 点に過ぎないので，「（我々の目から見た）粒子の位置の時間変化はニュートンの運動方程式に従う」と言っても何の問題もないという訳である．

問題 5.2 　(5.12) の計算を参考にして (5.13) 式を導け．

♠♠ ちょっと息抜き： 恩師の失言？ ♠♠

　担当の先生が嫌いだから その科目が嫌いになった，という話は時々聞くが，高校時代の私は，大変にいい先生の下で物理を勉強することが出来て幸運だった．その先生から学んだことはいろいろあって，簡単には書き切れないが，一つだけ，今から思えば「これは先生の失言と違うかな〜」ということがある．ド・ブロイの物質波仮説を説明して頂いた時，"波動として扱われてきた光が，実は粒子性も持っているというなら，逆に，電子も波動性を併せ持っているだろう" なんてことは自分でも言える」と仰ったことだ．その場では生徒も皆納得して笑ったのだが，物理屋になって，学会や研究会で自分の研究を発表するようになって，奇抜なアイデアを話すのは，ものすごく勇気がいると感じるようになった．アホなことを言って白い目で見られてしまったら，なかなか信頼は回復しない．もちろん，真に革命的なアイデアは簡単には受け入れられないことは歴史が示している通りで，確信があれば他人の目など気にせず，堂々と自説を主張すればいいのだが，う〜ん，凡人にはなかなかそうはいかない．あっ，I 先生，勝手に登場させてしまって申し訳ありません！

♣♣♣♣

6. 中心ポテンシャルと角運動量

古典力学では，粒子の角運動量 $l = r \times p$ は特に回転運動などにおいて重要な役割を果たす．簡単な計算でわかるように，$dl/dt = r \times F$ という関係があるので，粒子に働く力が中心力 $F = kr$ である場合には $dl/dt = 0$，つまり $l = $ 一定 となり角運動量保存則が成立する．これにより，例えば太陽系惑星が何故常に同じ平面上を動き続けるのかも容易に理解できることになる．原子内の電子に働く力も，他の電子からの影響を無視すれば原子核からの中心力（クーロン力）なので，やはり角運動量は重要な役割を担うと予想される．但し，これを定量的に理解するためには，まず角運動量の量子力学的な取り扱いを学ばねばならない．

6.1 中心ポテンシャル

3次元空間での粒子運動を扱う時，ポテンシャル V は，一般には粒子座標 x, y, z の3変数関数，$V = V(r)$，である．しかしながら，それが原点から粒子までの距離 $r\,(= |r| = \sqrt{x^2 + y^2 + z^2})$ だけに依存することも珍しくない．このような場合，そのポテンシャルは実質的には1変数関数 $V = V(r)$ であり，**中心ポテンシャル**と呼ばれる．これに対応する力 F はどんな性質だろうか．$V = V(r)$ を，力とポテンシャルの関係 $F = -\mathrm{grad}\,V$（付録3参照）に代入してみよう．すると，$\mathrm{grad}\,V$ の x 成分は

$$\frac{\partial V}{\partial x} = \frac{dV}{dr}\frac{\partial r}{\partial x} = \frac{dV}{dr}\frac{x}{r}$$

y, z 成分も同様に

$$\frac{\partial V}{\partial y} = \frac{dV}{dr}\frac{y}{r}, \quad \frac{\partial V}{\partial z} = \frac{dV}{dr}\frac{z}{r}$$

6.1 中心ポテンシャル

となるから，これらをまとめれば

$$\boldsymbol{F} = -\frac{1}{r}\frac{d}{dr}V(r)(x,y,z) = -\frac{1}{r}\frac{d}{dr}V(r)\boldsymbol{r} = F(r)\boldsymbol{e}_r \tag{6.1}$$

となる．但し，ここで

$$F(r) = -\frac{d}{dr}V(r), \qquad \boldsymbol{r} = r\boldsymbol{e}_r$$

と置いた．第2式からわかるように，$\boldsymbol{e}_r$ は原点から粒子へ向かう単位ベクトルを表している．よって，中心ポテンシャルの下では，粒子がどこにいようと，常に原点の向きに引力（$F(r) < 0$ の場合）または原点とは逆向きに斥力（$F(r) > 0$ の場合）が作用することになる．このような力は中心力と呼ばれている．

中心力を受けて運動する粒子を扱う場合には，図 6.1 に示す極座標 (r, θ, ϕ) を用いるのが便利である．この座標と直交座標の関係は

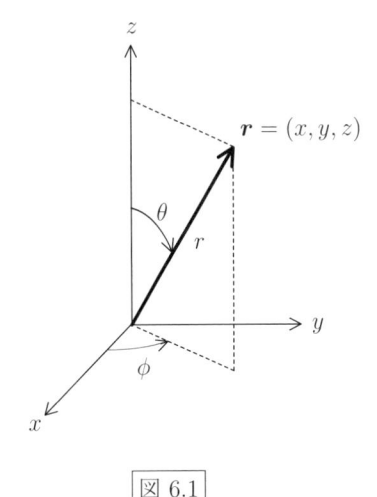

$$x = r\sin\theta\cos\phi,\ y = r\sin\theta\sin\phi,$$
$$z = r\cos\theta \tag{6.2}$$

で与えられ，それぞれの定義域は，図からもわかるように

$$0 \leq r \leq +\infty,\ 0 \leq \theta \leq +\pi,$$
$$0 \leq \phi < +2\pi \tag{6.3}$$

図 6.1

である．事実，r, θ, ϕ をこの範囲で動かせば，x, y, z は全て $-\infty$ から $+\infty$ まで動く．

シュレディンガー方程式を極座標で調べるためには，x, y, z の微分で表されている演算子ナブラ ∇ やラプラシアン Δ を r, θ, ϕ で書き直さなければなら

ない．では，(6.2) を逆に解いた関係

$$r = \sqrt{x^2 + y^2 + z^2}, \quad \cos\theta = z/\sqrt{x^2 + y^2 + z^2}, \quad \tan\phi = y/x \quad (6.4)$$

を用いて $\partial/\partial x,\ \partial/\partial y,\ \partial/\partial z$ を $\partial/\partial r,\ \partial/\partial \theta,\ \partial/\partial \phi$ で表すことから始めよう．任意の x, y, z の関数（従って r, θ, ϕ の関数でもある）f についての全微分の式

$$df = \frac{\partial f}{\partial r}dr + \frac{\partial f}{\partial \theta}d\theta + \frac{\partial f}{\partial \phi}d\phi$$

（付録 A1.4 参照）から，まず x 微分については

$$\frac{\partial f}{\partial x} = \frac{\partial f}{\partial r}\frac{\partial r}{\partial x} + \frac{\partial f}{\partial \theta}\frac{\partial \theta}{\partial x} + \frac{\partial f}{\partial \phi}\frac{\partial \phi}{\partial x} \quad (6.5)$$

が成り立つ．ここで，はじめに (6.4) の第 1 式を使って

$$\frac{\partial r}{\partial x} = \frac{x}{r} = \sin\theta \cos\phi \quad (6.6)$$

次に，(6.4) 第 2 式の両辺を x で偏微分すると

$$\text{左辺} = \frac{\partial}{\partial x}\cos\theta = \Big(\frac{\partial}{\partial \theta}\cos\theta\Big)\frac{\partial \theta}{\partial x} = -\sin\theta \frac{\partial \theta}{\partial x}$$

$$\text{右辺} = \frac{\partial}{\partial x}\Big(\frac{z}{\sqrt{x^2+y^2+z^2}}\Big) = -\frac{xz}{\sqrt{(x^2+y^2+z^2)^3}} = -\frac{1}{r}\sin\theta \cos\theta \cos\phi$$

だから

$$\frac{\partial \theta}{\partial x} = \frac{1}{r}\cos\theta \cos\phi \quad (6.7)$$

同じく (6.4) 第 3 式より

$$\frac{\partial}{\partial x}\tan\phi = \frac{1}{\cos^2\phi}\frac{\partial \phi}{\partial x}, \quad \frac{\partial}{\partial x}\Big(\frac{y}{x}\Big) = -\frac{y}{x^2} = -\frac{\sin\phi}{r\sin\theta \cos^2\phi}$$

$$\implies \frac{\partial \phi}{\partial x} = -\frac{\sin\phi}{r\sin\theta} \quad (6.8)$$

が得られるから，これら (6.6), (6.7), (6.8) をそれぞれ (6.5) 式の右辺第 1，第 2，第 3 項に代入して

$$\frac{\partial f}{\partial x} = \sin\theta \cos\phi \frac{\partial f}{\partial r} + \frac{1}{r}\cos\theta \cos\phi \frac{\partial f}{\partial \theta} - \frac{\sin\phi}{r\sin\theta}\frac{\partial f}{\partial \phi}$$

6.1 中心ポテンシャル

を得る．ここで f は任意関数であることを考えれば，この結果は演算子の関係

$$\frac{\partial}{\partial x} = \sin\theta\cos\phi\frac{\partial}{\partial r} + \frac{1}{r}\cos\theta\cos\phi\frac{\partial}{\partial \theta} - \frac{\sin\phi}{r\sin\theta}\frac{\partial}{\partial \phi} \tag{6.9}$$

が成立することを意味する．$\partial/\partial y$, $\partial/\partial z$ についても同様に

$$\frac{\partial r}{\partial y} = \sin\theta\sin\phi, \qquad \frac{\partial \theta}{\partial y} = \frac{1}{r}\cos\theta\sin\phi, \qquad \frac{\partial \phi}{\partial y} = \frac{\cos\phi}{r\sin\theta}$$

$$\frac{\partial r}{\partial z} = \cos\theta, \qquad \frac{\partial \theta}{\partial z} = -\frac{1}{r}\sin\theta, \qquad \frac{\partial \phi}{\partial z} = 0$$

より

$$\frac{\partial}{\partial y} = \sin\theta\sin\phi\frac{\partial}{\partial r} + \frac{1}{r}\cos\theta\sin\phi\frac{\partial}{\partial \theta} + \frac{\cos\phi}{r\sin\theta}\frac{\partial}{\partial \phi} \tag{6.10}$$

$$\frac{\partial}{\partial z} = \cos\theta\frac{\partial}{\partial r} - \frac{1}{r}\sin\theta\frac{\partial}{\partial \theta} \tag{6.11}$$

が導かれる．従って，r, θ, ϕ 微分で表した ∇ は

$$\begin{aligned}\nabla &= \Big(\frac{\partial}{\partial x}, \frac{\partial}{\partial y}, \frac{\partial}{\partial z}\Big) \\ &= \Big(\sin\theta\cos\phi\frac{\partial}{\partial r} + \frac{1}{r}\cos\theta\cos\phi\frac{\partial}{\partial \theta} - \frac{\sin\phi}{r\sin\theta}\frac{\partial}{\partial \phi}, \\ &\qquad \sin\theta\sin\phi\frac{\partial}{\partial r} + \frac{1}{r}\cos\theta\sin\phi\frac{\partial}{\partial \theta} + \frac{\cos\phi}{r\sin\theta}\frac{\partial}{\partial \phi}, \\ &\qquad \cos\theta\frac{\partial}{\partial r} - \frac{1}{r}\sin\theta\frac{\partial}{\partial \theta}\Big)\end{aligned} \tag{6.12}$$

である．

● ● ● ● ● ● ● ● ●

数学的補足：極座標表示の ∇ 演算子

通常の直交座標 x, y, z の各軸方向の基本単位ベクトルを，それぞれ $\boldsymbol{e}_x$, $\boldsymbol{e}_y$, $\boldsymbol{e}_z$ とすると，ナブラ ∇ は

$$\nabla = \Big(\frac{\partial}{\partial x}, \frac{\partial}{\partial y}, \frac{\partial}{\partial z}\Big) = \boldsymbol{e}_x\frac{\partial}{\partial x} + \boldsymbol{e}_y\frac{\partial}{\partial y} + \boldsymbol{e}_z\frac{\partial}{\partial z}$$

と表される．これを極座標で表すと，式 (6.12) のようになる訳だが，それは更に r, θ, ϕ 微分毎にまとめて

$$\nabla = \boldsymbol{e}_r\frac{\partial}{\partial r} + \boldsymbol{e}_\theta\frac{1}{r}\frac{\partial}{\partial \theta} + \boldsymbol{e}_\phi\frac{1}{r\sin\theta}\frac{\partial}{\partial \phi} \tag{6.13}$$

と書き直すことが出来る．但し，ここで

$$e_r = (\sin\theta\cos\phi,\ \sin\theta\sin\phi,\ \cos\theta) \tag{6.14}$$

$$e_\theta = (\cos\theta\cos\phi,\ \cos\theta\sin\phi,\ -\sin\theta) \tag{6.15}$$

$$e_\phi = (-\sin\phi,\ \cos\phi,\ 0) \tag{6.16}$$

である．容易に確かめられるように，この三つのベクトルの大きさは全て1であり，また，ベクトル積の公式に代入してみればわかる通り，

$$e_r \times e_\theta = e_\phi, \qquad e_\theta \times e_\phi = e_r, \qquad e_\phi \times e_r = e_\theta$$

という関係を満たす．つまり，(e_r, e_θ, e_ϕ) は (e_x, e_y, e_z) と同じく右手系を構成する単位ベクトルの組である．点 r における r, θ, ϕ 方向とは，それぞれの変数だけを僅かに増加させた時にベクトル r の先端が動く向きを意味するが，(e_r, e_θ, e_ϕ) は，この r, θ, ϕ 方向の基本単位ベクトルである（図6.2）．

4.3節で，補足的に3次元の散乱問題を扱った際に，球面波の r 方向の確率流密度が現れたが，これは (4.7) で定義された確率流密度 S の e_r 成分である．S の残りの成分は e_θ 及び e_ϕ の向きなので，断面積の定義に必要な外向きの確率流には何の寄与も生み出さない．

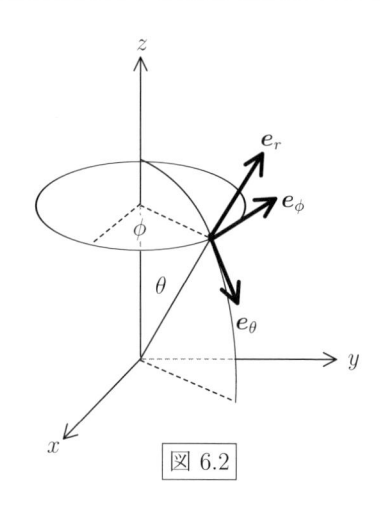

図 6.2

・・・・・・・・・

Δ を r, θ, ϕ で表すには，更に $\partial^2/\partial x^2$, $\partial^2/\partial y^2$, $\partial^2/\partial z^2$ が必要となる．$\partial^2/\partial x^2$ については（間違えないように再び任意関数 f を用いて）

$$\frac{\partial}{\partial r}\Big(\sin\theta\cos\phi\frac{\partial f}{\partial r} + \frac{1}{r}\cos\theta\cos\phi\frac{\partial f}{\partial \theta} - \frac{\sin\phi}{r\sin\theta}\frac{\partial f}{\partial \phi}\Big)$$

6.1 中心ポテンシャル

$$\begin{aligned}
&= \sin\theta\cos\phi\frac{\partial^2 f}{\partial r^2} - \frac{1}{r^2}\cos\theta\cos\phi\frac{\partial f}{\partial \theta} \\
&\quad + \frac{1}{r}\cos\theta\cos\phi\frac{\partial^2 f}{\partial r\partial\theta} + \frac{\sin\phi}{r^2\sin\theta}\frac{\partial f}{\partial\phi} - \frac{\sin\phi}{r\sin\theta}\frac{\partial^2 f}{\partial r\partial\phi}
\end{aligned}$$

$$\frac{\partial}{\partial\theta}\Big(\sin\theta\cos\phi\frac{\partial f}{\partial r} + \frac{1}{r}\cos\theta\cos\phi\frac{\partial f}{\partial\theta} - \frac{\sin\phi}{r\sin\theta}\frac{\partial f}{\partial\phi}\Big)$$

$$\begin{aligned}
&= \cos\theta\cos\phi\frac{\partial f}{\partial r} + \sin\theta\cos\phi\frac{\partial^2 f}{\partial r\partial\theta} - \frac{1}{r}\sin\theta\cos\phi\frac{\partial f}{\partial\theta} \\
&\quad + \frac{1}{r}\cos\theta\cos\phi\frac{\partial^2 f}{\partial\theta^2} + \frac{\cos\theta\sin\phi}{r\sin^2\theta}\frac{\partial f}{\partial\phi} - \frac{\sin\phi}{r\sin\theta}\frac{\partial^2 f}{\partial\theta\partial\phi}
\end{aligned}$$

$$\frac{\partial}{\partial\phi}\Big(\sin\theta\cos\phi\frac{\partial f}{\partial r} + \frac{1}{r}\cos\theta\cos\phi\frac{\partial f}{\partial\theta} - \frac{\sin\phi}{r\sin\theta}\frac{\partial f}{\partial\phi}\Big)$$

$$\begin{aligned}
&= -\sin\theta\sin\phi\frac{\partial f}{\partial r} + \sin\theta\cos\phi\frac{\partial^2 f}{\partial r\partial\phi} - \frac{1}{r}\cos\theta\sin\phi\frac{\partial f}{\partial\theta} \\
&\quad + \frac{1}{r}\cos\theta\cos\phi\frac{\partial^2 f}{\partial\theta\partial\phi} - \frac{\cos\phi}{r\sin\theta}\frac{\partial f}{\partial\phi} - \frac{\sin\phi}{r\sin\theta}\frac{\partial^2 f}{\partial\phi^2}
\end{aligned}$$

に，それぞれ $\sin\theta\cos\phi$, $\cos\theta\cos\phi/r$, $-\sin\phi/(r\sin\theta)$ を掛けて足し合わせ，最後に任意関数 f を除いて

$$\begin{aligned}
\frac{\partial^2}{\partial x^2} &= \sin^2\theta\cos^2\phi\frac{\partial^2}{\partial r^2} + \frac{1}{r}(1 - \sin^2\theta\cos^2\phi)\frac{\partial}{\partial r} \\
&\quad + \frac{1}{r^2}\cos^2\theta\cos^2\phi\frac{\partial^2}{\partial\theta^2} + \frac{\cos\theta}{r^2\sin\theta}(\sin^2\phi - 2\sin^2\theta\cos^2\phi)\frac{\partial}{\partial\theta} \\
&\quad + \frac{\sin^2\phi}{r^2\sin^2\theta}\frac{\partial^2}{\partial\phi^2} + \frac{2\sin\phi\cos\phi}{r^2\sin^2\theta}\frac{\partial}{\partial\phi} + \frac{2}{r}\sin\theta\cos\theta\cos^2\phi\frac{\partial^2}{\partial r\partial\theta} \\
&\quad - \frac{2\cos\theta\sin\phi\cos\phi}{r^2\sin\theta}\frac{\partial^2}{\partial\theta\partial\phi} - \frac{2}{r}\sin\phi\cos\phi\frac{\partial^2}{\partial r\partial\phi}
\end{aligned} \quad (6.17)$$

を得る．同様に

$$\begin{aligned}
\frac{\partial^2}{\partial y^2} &= \sin^2\theta\sin^2\phi\frac{\partial^2}{\partial r^2} + \frac{1}{r}(1 - \sin^2\theta\sin^2\phi)\frac{\partial}{\partial r} \\
&\quad + \frac{1}{r^2}\cos^2\theta\sin^2\phi\frac{\partial^2}{\partial\theta^2} + \frac{\cos\theta}{r^2\sin\theta}(\cos^2\phi - 2\sin^2\theta\sin^2\phi)\frac{\partial}{\partial\theta} \\
&\quad + \frac{\cos^2\phi}{r^2\sin^2\theta}\frac{\partial^2}{\partial\phi^2} - \frac{2\sin\phi\cos\phi}{r^2\sin^2\theta}\frac{\partial}{\partial\phi} + \frac{2}{r}\sin\theta\cos\theta\sin^2\phi\frac{\partial^2}{\partial r\partial\theta} \\
&\quad + \frac{2\cos\theta\sin\phi\cos\phi}{r^2\sin\theta}\frac{\partial^2}{\partial\theta\partial\phi} + \frac{2}{r}\sin\phi\cos\phi\frac{\partial^2}{\partial r\partial\phi}
\end{aligned} \quad (6.18)$$

$$\frac{\partial^2}{\partial z^2} = \cos^2\theta \frac{\partial^2}{\partial r^2} + \frac{1}{r}\sin^2\theta \frac{\partial}{\partial r} + \frac{1}{r^2}\sin^2\theta \frac{\partial^2}{\partial \theta^2}$$
$$+ \frac{2}{r^2}\sin\theta\cos\theta \frac{\partial}{\partial \theta} - \frac{2}{r}\sin\theta\cos\theta \frac{\partial^2}{\partial r \partial \theta} \tag{6.19}$$

これらを足し合わせると

$$\Delta = \frac{1}{r^2}[\,\Delta_r + \Delta_{\theta,\phi}\,] \tag{6.20}$$

となる．但し，ここで

$$\Delta_r = \frac{\partial}{\partial r}\Big(r^2 \frac{\partial}{\partial r}\Big), \quad \Delta_{\theta,\phi} = \frac{1}{\sin\theta}\frac{\partial}{\partial \theta}\Big(\sin\theta \frac{\partial}{\partial \theta}\Big) + \frac{1}{\sin^2\theta}\frac{\partial^2}{\partial \phi^2} \tag{6.21}$$

と置いた．

問題 6.1 $\partial^2/\partial y^2$, $\partial^2/\partial z^2$ を実際に計算し，$\partial^2/\partial x^2$ の結果と合わせて (6.20) 式になることを確かめよ．

この場合には，Δ_r は r のみに，また，$\Delta_{\theta,\phi}$ は θ と ϕ のみに依存する演算子であることから，時間を含まないシュレディンガー方程式

$$-\frac{\hbar^2}{2mr^2}[\,\Delta_r + \Delta_{\theta,\phi}\,]u(\boldsymbol{r}) + V(r)u(\boldsymbol{r}) = Eu(\boldsymbol{r}) \tag{6.22}$$

の解は

$$u(\boldsymbol{r}) = R(r)Y(\theta, \phi) \tag{6.23}$$

という r のみに依存する部分（動径部分）と θ, ϕ のみに依存する部分（角度部分）の積の形に変数分離でき，その結果

$$\Big[\frac{1}{r^2}\Delta_r + \frac{2m}{\hbar^2}[\,E - V(r)\,] - \frac{\lambda}{r^2}\Big]R(r) = 0 \tag{6.24}$$

及び

$$\Delta_{\theta,\phi} Y(\theta, \phi) = -\lambda Y(\theta, \phi) \tag{6.25}$$

という二つの方程式が得られる．但し，ここで λ は変数分離の定数である．

6.1 中心ポテンシャル

問題 6.2 時間を含まないシュレディンガー方程式を導いた 2.3 節の計算を参考にして (6.22) から (6.24) 式, (6.25) 式を導出せよ.

変数分離されたシュレディンガー方程式のうち, (6.24) 式の方は V の形が具体的に与えられないとこれ以上先へ進めないが, (6.25) 式は V を含まないので独立に調べられる. まず, 演算子 $\Delta_{\theta,\phi}$ の中身を見てみよう. これは, $1/\sin^2\theta$ を除けば θ 部分と ϕ 部分の和になっているので, 更に変数分離が出来ると予想される. 事実これは可能で, (6.25) の解を

$$Y(\theta, \phi) = \Theta(\theta)\Phi(\phi) \tag{6.26}$$

と表せば, $\Theta(\theta)$, $\Phi(\phi)$ は分離定数を ν として

$$\frac{1}{\sin\theta}\frac{d}{d\theta}\Big[\sin\theta\frac{d}{d\theta}\Theta(\theta)\Big] + \Big(\lambda - \frac{\nu}{\sin^2\theta}\Big)\Theta(\theta) = 0 \tag{6.27}$$

$$\frac{d^2}{d\phi^2}\Phi(\phi) + \nu\Phi(\phi) = 0 \tag{6.28}$$

という方程式に従うことが確かめられる.

問題 6.3 前問と同様に (6.27) 式, (6.28) 式を導出せよ.

以下, 第 2 の方程式 (6.28) の解から調べていくが, $\phi = 0$ と $\phi = 2\pi$ はその定義により全く同じ点を与えるので, $\Phi(\phi)$ には

$$\Phi(\phi = 0) = \Phi(\phi = 2\pi) \tag{6.29}$$

という境界条件が課されることに注意しよう.

(1) $\nu < 0$ の場合

独立な解は

$$\Phi(\phi) \sim e^{\sqrt{-\nu}\phi}, \quad e^{-\sqrt{-\nu}\phi}$$

である. しかしながら, $e^{\pm\sqrt{-\nu}\phi}$ はどちらも単調に変化する関数なので, 上記の境界条件を満たすことは出来ない. ゆえに, この場合には, 物理的に意味のある解は存在しないと結論される.

(2) $\nu = 0$ の場合

この場合は $d^2\Phi/d\phi^2 = 0$ だから

$$\Phi(\phi) = c_1 + c_2\phi$$

が一般解だが，再び境界条件より $c_2 = 0$ が要求される．

(3) $\nu > 0$ の場合

独立な解は

$$\Phi(\phi) \sim e^{i\sqrt{\nu}\phi}, \quad e^{-i\sqrt{\nu}\phi}$$

で，境界条件が満たされるのは，m を正の整数として $\sqrt{\nu} = m$ の場合である（付録 A1.1 に与えたオイラーの公式より $e^{2im\pi} = 1$ であることを思い出そう）．

従って，独立な解は，$\nu = 0$ の場合を含めて

$$\Phi(\phi) \sim e^{im\phi}, \quad e^{-im\phi}$$

（$m = 0$ または正の整数）

ということになり，更に，

$$\Phi(\phi) \sim e^{im\phi} \tag{6.30}$$

（$m = 0, \pm 1, \pm 2, \cdots$）

と一つの式で表すことが出来る．最後に，

$$\int_0^{2\pi} d\phi \, |\Phi(\phi)|^2 = 1$$

という規格化条件を課して

$$\Phi(\phi) = \frac{1}{\sqrt{2\pi}} e^{im\phi} \tag{6.31}$$

を得る．これ以降，整数 m に対する規格化された Φ を Φ_m と記すことにすれば，この関数系 $\{\Phi_m\}$ は直交性を持つことも容易に確認できるので，

$$\int_0^{2\pi} d\phi \, \Phi_m^*(\phi) \Phi_{m'}(\phi) = \delta_{mm'} \tag{6.32}$$

6.1 中心ポテンシャル

という規格直交関係が成り立つ．なお，$\Phi(\phi)$ についての境界条件 (6.29) は，1.3 節で述べたド・ブロイの物質波仮説とボーアの原子模型の関係の "量子力学版" と言える．

問題 6.4 二つの整数 m と m' が異なる場合には Φ_m と $\Phi_{m'}$ は直交する，すなわち
$$\int_0^{2\pi} d\phi\, \Phi_m^*(\phi) \Phi_{m'}(\phi) = 0$$
となることを確かめよ．

一方，$\nu = m^2$ を (6.27) 式に代入した

$$\frac{1}{\sin\theta}\frac{d}{d\theta}\Big[\sin\theta\frac{d}{d\theta}\Theta(\theta)\Big] + \Big(\lambda - \frac{m^2}{\sin^2\theta}\Big)\Theta(\theta) = 0 \tag{6.33}$$

は，ここまでに出会った方程式のように簡単に解くことは出来ないが，幸いなことに，量子力学が生まれる前に既に詳しく調べられていた．それによれば，この微分方程式は，定数 λ が $l \geq |m|$ を満たす整数 l により

$$\lambda = l(l+1) \tag{6.34}$$

と与えられる場合に限り 物理的に意味のある解を持つ．そして，この整数 l, m に対する解 $\Theta_{l,m}$ は，**ルジャンドルの陪関数**と呼ばれる関数

$$P_n^m(x) = \frac{1}{2^n n!}(1-x^2)^{m/2}\frac{d^{m+n}}{dx^{m+n}}(x^2-1)^n \tag{6.35}$$

を用いて次のように表される：

$$\Theta_{l,m}(\theta) = C_{l,m} P_l^{|m|}(\cos\theta) \tag{6.36}$$

($C_{l,m}$ は規格化のための定数)．このルジャンドルの陪関数の全体が構成する関数系も

$$\int_{-1}^{+1} dx\, P_l^m(x) P_{l'}^m(x) = 0 \quad (l \neq l')$$

という直交性を持つことが知られているので，$\Theta_{l,m}$ の規格化条件から $C_{l,m}$ を決

めてやれば

$$\int_{-1}^{+1} d\cos\theta\, \Theta_{l,m}(\theta)\Theta_{l',m}(\theta) = \int_{0}^{\pi} d\theta\, \sin\theta\, \Theta_{l,m}(\theta)\Theta_{l',m}(\theta) = \delta_{ll'} \quad (6.37)$$

という関係が成り立つ．但し，この関数の性質を詳しく知ることは重要ではあるが，初学者がいきなりそのような詳細な数学的議論に入り込んでいくと，頭を混乱させて量子力学の本質を見失う恐れもあるので，本書ではこれ以上立ち入らない．しかしながら 6.2 節でわかるように，上記の関数は角運動量の記述において必要不可欠な役割を果たすので，ここでは取り敢えずその名前を頭の片隅にキープしておき，本書読了後（或いは並行して）より本格的なテキストでじっくりと取り組んで欲しい．

以上のように，角度部分の微分方程式 (6.25) の解 $Y(\theta,\phi) = \Theta(\theta)\Phi(\phi)$ は，l 及び m という二つの整数で分類される．そこで，Y についても $\Theta_{l,m}$, Φ_m と同様に $Y_{l,m}(\theta,\phi)$ と表そう．[♯6.1] すると，$\Theta_{l,m}$ 及び Φ_m の規格直交関係 (6.32), (6.37) によって

$$\langle Y_{l,m} | Y_{l',m'} \rangle \left(= \int d\Omega\, Y_{l,m}^{*}(\theta,\phi) Y_{l',m'}(\theta,\phi) \right) = \delta_{ll'}\delta_{mm'} \quad (6.38)$$

という関係が満たされることになる．これは，一般の固有関数系の直交性（第5章）にも合致している．但し，ここで $d\Omega = \sin\theta d\theta d\phi$ であり，θ と ϕ の積分範囲は，ここまでに何度か示した通り

$$\theta:\ 0 \to \pi, \qquad \phi:\ 0 \to 2\pi$$

である．これ以降 $Y_{l,m}(\theta,\phi)$ は，このように規格化されたものを意味する（つまり $Y_{l,m}$ 全体は規格直交系を構成する）こととする．この規格化された $Y_{l,m}$ は**球面調和関数**（または**球関数**）と呼ばれている．

この関数の形が最も簡単になるのは，$l = m = 0$ の場合である．$m = 0$ なら $\Phi(\phi) = $ 定数 であることは (6.31) から直ちにわかる．一方，Θ の方は (6.33)

[♯6.1] $Y_l^m(\theta,\phi)$ と表す文献もある．

6.1 中心ポテンシャル

より

$$\frac{1}{\sin\theta}\frac{d}{d\theta}\Big[\sin\theta\frac{d}{d\theta}\Theta(\theta)\Big] = 0$$

つまり,

$$\frac{d}{d\theta}\Theta(\theta) = \frac{C}{\sin\theta}$$

(C は定数) となるが, $C \neq 0$ なら $d\Theta/d\theta$ は $\theta = 0, \pi$ で発散するので $C = 0$ でなければならず, やはり $\Theta(\theta)$ は定数となる. 従って, $Y_{0,0}$ = 定数 であり, 更に, 規格化条件 $\langle Y_{0,0}|Y_{0,0}\rangle = 1$ 及び $\int d\Omega = 4\pi$ よりこの定数も決まって

$$Y_{0,0}(\theta,\phi) = \frac{1}{\sqrt{4\pi}} \tag{6.39}$$

となる.

参考までに $l = 1, 2$ の解 $Y_{1,\pm 1}, Y_{1,0}, Y_{2,\pm 2}, Y_{2,\pm 1}, Y_{2,0}$ も紹介しておこう:

$$Y_{1,\pm 1}(\theta,\phi) = \mp\sqrt{\frac{3}{8\pi}}\sin\theta\, e^{\pm i\phi}, \quad Y_{1,0}(\theta,\phi) = \sqrt{\frac{3}{4\pi}}\cos\theta \tag{6.40}$$

$$Y_{2,\pm 2}(\theta,\phi) = \sqrt{\frac{15}{32\pi}}\sin^2\theta\, e^{\pm 2i\phi}, \quad Y_{2,\pm 1}(\theta,\phi) = \mp\sqrt{\frac{15}{8\pi}}\sin\theta\cos\theta\, e^{\pm i\phi}$$

$$Y_{2,0}(\theta,\phi) = \sqrt{\frac{5}{16\pi}}(3\cos^2\theta - 1) \tag{6.41}$$

● ● ● ● ● ● ● ● ●

数学的補足: 多重積分とヤコビアン

まず, 簡単な定積分

$$I = \int_0^1 dx\, x$$

を例として考える. この値が $1/2$ であることは直ちにわかる. ここで, 積分変数を $X = 2x$ に変えてみよう. すると, 積分の上限・下限はそれぞれ $2, 0$ となり, 被積分関数は $X/2$ に変わる. しかし, それだけでは

$$\int_0^2 dX\, \frac{X}{2} = 1$$

となってしまい, 正しい値 $I = 1/2$ が再現できない. これは, dx も

$$dx = \frac{dx}{dX}dX = \frac{1}{2}dX$$

と変換される，という置換積分の基本事項を忘れているために起こる間違いである．多重積分においても同様の因子が現れるが，それは**ヤコビアン**と呼ばれる行列式を用いて計算される．極座標の場合なら，そのヤコビアンは

$$\frac{\partial(x,y,z)}{\partial(r,\theta,\phi)} \equiv \begin{vmatrix} \partial x/\partial r & \partial x/\partial \theta & \partial x/\partial \phi \\ \partial y/\partial r & \partial y/\partial \theta & \partial y/\partial \phi \\ \partial z/\partial r & \partial z/\partial \theta & \partial z/\partial \phi \end{vmatrix}$$

$$= \begin{vmatrix} \sin\theta\cos\phi & r\cos\theta\cos\phi & -r\sin\theta\sin\phi \\ \sin\theta\sin\phi & r\cos\theta\sin\phi & r\sin\theta\cos\phi \\ \cos\theta & -r\sin\theta & 0 \end{vmatrix} = r^2 \sin\theta \quad (6.42)$$

であり，積分の変数変換はこれを用いて

$$dxdydz = \left|\frac{\partial(x,y,z)}{\partial(r,\theta,\phi)}\right| drd\theta d\phi = r^2 \sin\theta drd\theta d\phi \quad (6.43)$$

となる．これにより，例えば半径 a の球の体積は

$$\int_{x^2+y^2+z^2\leq a^2} dxdydz = \int_0^a dr\, r^2 \int_0^\pi d\theta \sin\theta \int_0^{2\pi} d\phi = \frac{4}{3}\pi a^3$$

と正しく求まる．従って，第 5 章で全空間に亘る積分 $\int dV$ を直交座標で表した時には $\int dV = \int_{-\infty}^{+\infty}\int_{-\infty}^{+\infty}\int_{-\infty}^{+\infty} dxdydz$ だったが，これは r, θ, ϕ を用いるなら $\int dV = \int_0^{+\infty}\int_0^\pi \int_0^{2\pi} r^2 \sin\theta\, drd\theta d\phi$ である．また，球面調和関数の規格直交性 (6.38) の中の $d\Omega$ は，ここで現れた要素 $r^2\sin\theta drd\theta d\phi$ の角度部分である．

● ● ● ● ● ● ● ● ●

6.2 角運動量

実は，前節で導入された整数 l, m は，考えている粒子の角運動量と直接関係しているのだが，それを示すためには，まず量子力学における角運動量を規定しなければならない．古典力学における角運動量，厳密に言えば**軌道角運動量**は，対象粒子の位置ベクトル $\boldsymbol{r}$ と運動量ベクトル $\boldsymbol{p}$ から

$$\boldsymbol{l} = \boldsymbol{r} \times \boldsymbol{p} \quad (6.44)$$

6.2 角運動量

と定義されていること，及び 系の量子化の際には $\boldsymbol{p}$ が $\boldsymbol{p} \to \hat{\boldsymbol{p}} = -i\hbar\nabla$ と演算子に置き換えられることを考えれば，量子力学における角運動量の演算子を

$$\hat{\boldsymbol{l}} = \boldsymbol{r} \times \hat{\boldsymbol{p}} = -i\hbar(\boldsymbol{r} \times \nabla) \tag{6.45}$$

と定義するのは合理的なことである．実際に，これにより原子内電子の角運動量などが矛盾なく記述できることがわかっている．また，$\boldsymbol{r}$, $\hat{\boldsymbol{p}}$ が共にエルミートであることより，この $\hat{\boldsymbol{l}}$ もエルミート演算子になる（問題 6.6）．

このように導入された量子力学的な角運動量の各成分は，ベクトル積の公式に従い

$$\hat{l}_x = y\hat{p}_z - z\hat{p}_y, \quad \hat{l}_y = z\hat{p}_x - x\hat{p}_z, \quad \hat{l}_z = x\hat{p}_y - y\hat{p}_x \tag{6.46}$$

つまり，

$$\hat{l}_x = -i\hbar\Big(y\frac{\partial}{\partial z} - z\frac{\partial}{\partial y}\Big), \quad \hat{l}_y = -i\hbar\Big(z\frac{\partial}{\partial x} - x\frac{\partial}{\partial z}\Big), \quad \hat{l}_z = -i\hbar\Big(x\frac{\partial}{\partial y} - y\frac{\partial}{\partial x}\Big) \tag{6.47}$$

となり，これよって，$\hat{l}_{x,y,z}$ の間に交換関係

$$[\hat{l}_x, \hat{l}_y] = i\hbar\hat{l}_z, \quad [\hat{l}_y, \hat{l}_z] = i\hbar\hat{l}_x, \quad [\hat{l}_z, \hat{l}_x] = i\hbar\hat{l}_y \tag{6.48}$$

が成立することが示せる．実際，任意の演算子 $\hat{a}$, $\hat{b}$, $\hat{c}$ の間に成り立つ関係

$$[\hat{a}, \hat{b} \pm \hat{c}] = [\hat{a}, \hat{b}] \pm [\hat{a}, \hat{c}], \quad [\hat{a} \pm \hat{b}, \hat{c}] = [\hat{a}, \hat{c}] \pm [\hat{b}, \hat{c}] \tag{6.49}$$

$$[\hat{a}, \hat{b}\hat{c}] = [\hat{a}, \hat{b}]\hat{c} + \hat{b}[\hat{a}, \hat{c}], \quad [\hat{a}\hat{b}, \hat{c}] = \hat{a}[\hat{b}, \hat{c}] + [\hat{a}, \hat{c}]\hat{b} \tag{6.50}$$

（これは両辺の具体的な比較により容易に確認できる）を用いて，例えば

$$\begin{aligned}
[\hat{l}_x, \hat{l}_y] &= [\, y\hat{p}_z - z\hat{p}_y,\ z\hat{p}_x - x\hat{p}_z \,] \\
&= [\, y\hat{p}_z,\ z\hat{p}_x - x\hat{p}_z \,] - [\, z\hat{p}_y,\ z\hat{p}_x - x\hat{p}_z \,] \\
&= [\, y\hat{p}_z,\ z\hat{p}_x \,] - \underbrace{[\, y\hat{p}_y,\ x\hat{p}_z \,]}_{0} - \underbrace{[\, z\hat{p}_y,\ z\hat{p}_x \,]}_{0} + [\, z\hat{p}_y,\ x\hat{p}_z \,] \\
&= [\, y\hat{p}_z,\ z\hat{p}_x \,] + [\, z\hat{p}_y,\ x\hat{p}_z \,] = y[\, \hat{p}_z,\ z\hat{p}_x \,] + x[\, z\hat{p}_y,\ \hat{p}_z \,] \\
&= y[\, \hat{p}_z,\ z \,]\hat{p}_x + x[\, z,\ \hat{p}_z \,]\hat{p}_y = (x\hat{p}_y - y\hat{p}_x)[\, z,\ \hat{p}_z \,] = i\hbar\hat{l}_z
\end{aligned}$$

である．なお，上の3組の交換関係 (6.48) は

$$\hat{\boldsymbol{l}} \times \hat{\boldsymbol{l}} = i\hbar \hat{\boldsymbol{l}} \tag{6.51}$$

と簡単に表すことも出来る．通常のベクトル積に慣れた読者は，この式を奇妙に感じるかも知れないが，ベクトル積の公式に従って左辺を計算する際に，普通の数のつもりで勝手に掛ける順序を変えたりしなければ，確かに右辺に到達する．

問題 6.5　上で述べた注意を守って，$\hat{\boldsymbol{l}} \times \hat{\boldsymbol{l}} = i\hbar \hat{\boldsymbol{l}}$ を実際に確かめよ．

問題 6.6　$\boldsymbol{r}$ と $\hat{\boldsymbol{p}}$ の交換関係に注意して $\hat{l}_{x,y,z}$ は皆エルミートであることを示せ．

ここで，5.1 節で述べた「$\hat{A}$, $\hat{B}$ という演算子に対して，共通の固有状態（固有関数）が存在できる条件」を思い出そう．それは

$$[\hat{A}, \hat{B}] = 0$$

が満たされることだった．すると，$\hat{l}_{x,y,z}$ が上記のような交換関係に従うということは，角運動量という一つの（ベクトル型）演算子の各成分が，共通の固有関数を持てないことを意味する．結果として，例えば l_z が確定値を持つような状態では，測定において $l_{x,y}$ がどのような値をとるかは確率的にしか予測できないことになり，我々の感覚からすれば大変に奇妙と言わざるを得ない．しかしながら，$\hat{l}_{x,y,z}$ は，角運動量の大きさの2乗の演算子

$$\hat{\boldsymbol{l}}^2 \equiv \hat{l}_x^2 + \hat{l}_y^2 + \hat{l}_z^2 \tag{6.52}$$

とは交換する：

$$[\hat{\boldsymbol{l}}^2, \hat{l}_x] = [\hat{\boldsymbol{l}}^2, \hat{l}_y] = [\hat{\boldsymbol{l}}^2, \hat{l}_z] = 0 \tag{6.53}$$

従って，$\hat{l}_{x,y,z}$ のどれか一つと $\hat{\boldsymbol{l}}^2$ の共通の固有関数は存在する．通常は，系を記述する波動関数として，後述するように $\hat{\boldsymbol{l}}^2$ と $\hat{l}_z$ の固有関数が用いられる．

6.2 角運動量

問題 6.7 $\hat{l}_{x,y,z}$ の間の関係 (6.48) を用い (6.53) が成立することを確かめよ．

さて，$\hat{l}_{x,y,z}$ は，(6.12) を用いれば極座標で書き直すことが出来る：

$$\hat{l}_x = i\hbar \left(\sin\phi \frac{\partial}{\partial \theta} + \cot\theta \cos\phi \frac{\partial}{\partial \phi} \right) \tag{6.54}$$

$$\hat{l}_y = i\hbar \left(-\cos\phi \frac{\partial}{\partial \theta} + \cot\theta \sin\phi \frac{\partial}{\partial \phi} \right) \tag{6.55}$$

$$\hat{l}_z = -i\hbar \frac{\partial}{\partial \phi} \tag{6.56}$$

また，$\hat{l}^2$ も (6.54)，(6.55)，(6.56) を用いて

$$\hat{l}^2 = \hat{l}_x^2 + \hat{l}_y^2 + \hat{l}_z^2 = -\hbar^2 \left[\frac{1}{\sin\theta} \frac{\partial}{\partial \theta} \left(\sin\theta \frac{\partial}{\partial \theta} \right) + \frac{1}{\sin^2\theta} \frac{\partial^2}{\partial \phi^2} \right] \tag{6.57}$$

となる．ところが，これはラプラシアンの極座標表示 (6.20) に現れた $\Delta_{\theta,\phi}$ と

$$\hat{l}^2 = -\hbar^2 \Delta_{\theta,\phi} \tag{6.58}$$

という関係にあることはすぐにわかる．ということは (6.25)，(6.34) より

$$\hat{l}^2 Y_{l,m}(\theta,\phi) = l(l+1)\hbar^2 Y_{l,m}(\theta,\phi) \tag{6.59}$$

である．また，z 成分についても，(6.56) 式を (6.31) 式に作用させれば

$$\hat{l}_z Y_{l,m}(\theta,\phi) = m\hbar Y_{l,m}(\theta,\phi) \tag{6.60}$$

となることは容易にわかる．つまり，<u>球面調和関数 $Y_{l,m}(\theta,\phi)$ は角運動量演算子 $\hat{l}^2$ と $\hat{l}_z$ の共通の固有関数で，整数 l と m は $\hbar$ を単位とした角運動量の大きさと z 成分を表す量</u>だったのである．[♯6.2] これがわかれば $l \geq |m|$ という関係も，「どんなベクトルであろうと，その z 成分がベクトル自身の大きさを超えることは有り得ない」ということで自然に理解できる．更に，この章で扱っている中心力系のハミルトニアン $\hat{H}$ の角度依存性はやはり $\Delta_{\theta,\phi}$ だけで決まるから，

$$[\hat{H}, \hat{l}^2] = [\hat{H}, \hat{l}_z] = 0 \tag{6.61}$$

[♯6.2] $\hat{l}^2$ の固有値は $l(l+1)\hbar^2$ なので，角運動量の大きさは $\sqrt{l(l+1)}\hbar$ と言うべきだが，通常は $l\hbar$ をその大きさと呼んでいる．

であることも明らかである．この関係は，「$\hat{H}$, $\hat{l}^2$, $\hat{l}_z$ が共通の固有関数を持てる」ことを保証している．

6.3 動径波動関数

ここまでの議論は，どんな中心ポテンシャルであろうと，つまり $V(r)$ がどんな関数形をとろうと成立する．更に，角運動量の定義やその固有値・固有関数の性質は，働く力の種類自体に全く無関係である．[♯6.3] 一方，既に述べたように，動径部分 $R(r)$ は $V(r)$ の形が指定されて初めて決められる．例えば，水素原子内の電子の場合は

$$V(r) = -k\frac{e^2}{r} \tag{6.62}$$

であるので，この時 $R(r)$ が満たすべき方程式は

$$-\frac{\hbar^2}{2m_e r^2}\frac{d}{dr}\Big[r^2\frac{d}{dr}R(r)\Big] + \Big[-k\frac{e^2}{r} + \frac{l(l+1)\hbar^2}{2m_e r^2}\Big]R(r) = ER(r) \tag{6.63}$$

となる．これもまた (6.33) に負けず劣らず複雑な微分方程式なので，ここでも $\Theta(\theta)$ の場合と同様に解法の詳細は省き，結果のみ簡潔にまとめよう：$r \to +\infty$ で波動関数が 0 となる，つまり束縛状態であるという条件の下では

$$E(=E_n) = -\frac{k^2 m_e e^4}{2\hbar^2 n^2} \tag{6.64}$$

（n は $n \geq l+1$ を満たす整数）

である時にのみ (6.63) には物理的に意味のある解が存在し，その解は**ラゲールの陪多項式**という名の多項式

$$L_n^m(x) = \frac{d^m}{dx^m}\Big[e^x\frac{d^n}{dx^n}(x^n e^{-x})\Big] \tag{6.65}$$

[♯6.3] 但し，$V(r)$ が中心ポテンシャルでなくなれば，そこに θ, ϕ 依存性も現れるので $[\hat{H}, \hat{l}^2] \neq 0$, $[\hat{H}, \hat{l}_z] \neq 0$ となり，三つの演算子 $\hat{H}$, $\hat{l}^2$, $\hat{l}_z$ に共通の固有関数は存在しなくなる．

6.3 動径波動関数

で表される：

$$R(r)\,(=R_{n,l}(r)) = C_{n,l}\,e^{-r/(na_0)}\left(\frac{2r}{na_0}\right)^l L_{n+l}^{2l+1}\left(\frac{2r}{na_0}\right) \tag{6.66}$$

但し、ここで $a_0 = \hbar^2/(km_e e^2)$、また、$C_{n,l}$ は規格化定数である。この $a_0\,(= 5.29 \times 10^{-11}\text{ m})$ は**ボーア半径**と呼ばれており、基底状態にある水素原子の大体のサイズを与える。

このように、三つの整数 n, l, m を指定することで波動関数は完全に定まる：

$$u_{n,l,m}(\boldsymbol{r}) = R_{n,l}(r)\,Y_{l,m}(\theta,\phi) \tag{6.67}$$

つまり、一つの電子軌道が確定するのである。これより、時間も含めた水素原子内電子のシュレディンガー方程式の一般解（電子波動関数）は、(2.27) に従って

$$\psi(\boldsymbol{r},t) = \sum_{n,l,m} C_{n,l,m}\,R_{n,l}(r)\,Y_{l,m}(\theta,\phi)\,e^{-iE_n t/\hbar} \tag{6.68}$$

と与えられることになる。整数 n, l, m は、それぞれ**主量子数**、**方位量子数**、**磁気量子数**と呼ばれており、このうち $l = 0, 1, 2, 3, \cdots$ に対応する軌道は s, p, d, f（あとは $g, h, \cdots$ というアルファベット順）と名付けられている。これより、例えば $n = 1, l = 0$ の軌道は $1s$ 軌道、$n = 3, l = 2$ の軌道は $3d$ 軌道というように表される。但し、実際には、水素原子の場合のエネルギー E は、(6.64) 式を見れば明らかなように、m だけではなく l にも偶然的に依存せず n の値だけで決まる。

$n = 1$ の状態はエネルギーが最も低く、ゆえに最も安定である。常温の水素原子（の中の電子）はこの状態にある。これに対し、$n > 1$ の状態は不安定で、やがてはエネルギーの より低い状態へ遷移していく。その際、差額のエネルギーは光子として放出されるが、$n \to m$ という遷移の場合には、その光子の振動数 ν は

$$|E_n - E_m| = h\nu \tag{6.69}$$

で決まる．正にボーアの仮定が，シュレディンガー方程式から出発する極めて理路整然とした計算により再現されるのである．井戸型ポテンシャルの場合と同様に，$n=1$ の状態は**基底状態**，また $n>1$ の状態は**励起状態**と呼ばれる．

なお，3次元空間の積分の体積要素 $dxdydz$ を r, θ, ϕ で表すと，

$$r^2 dr d(\cos\theta) d\phi \, (= r^2 \sin\theta \, dr d\theta d\phi)$$

であったから，原点からの距離が r の点での電子発見の確率密度は，$|R_{n,l}(r)|^2$ ではなく $r^2|R_{n,l}(r)|^2$ である．例として，図 6.3 に $n=1, 2, 3$ かつ $l=0$ の場合，つまり $1s$, $2s$, $3s$ 状態の $r^2|R_{n,l}(r)|^2$ の振る舞いを示す．但し，そこでは距離 r は全て a_0 を単位として計られている．例えば $r=5$ は，通常の単位では $r=5 a_0 \, [\mathrm{m}]$ である．

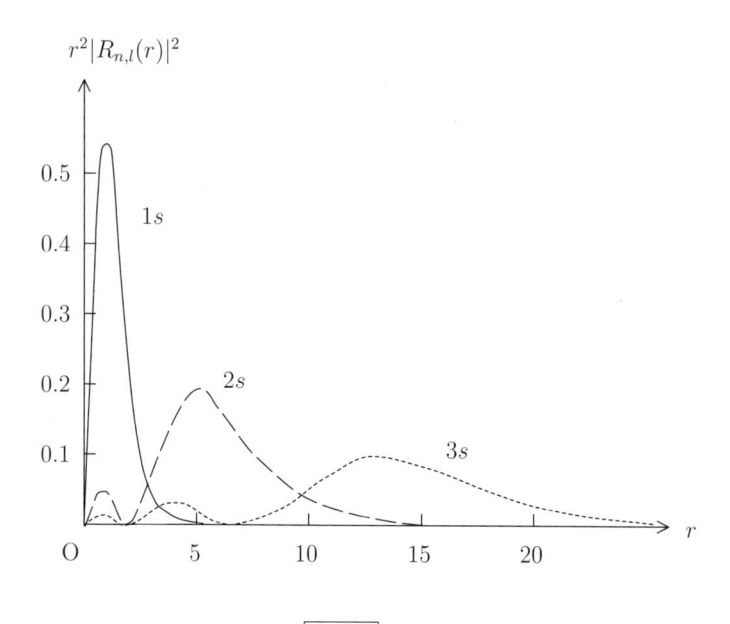

図 6.3

6.4 角運動量の昇降演算子

角運動量の取り扱いに便利な演算子を導入しよう．出発点は，各成分間の交換関係 (6.48), (6.53)

$$[\hat{l}_x, \hat{l}_y] = i\hbar \hat{l}_z, \quad [\hat{l}_y, \hat{l}_z] = i\hbar \hat{l}_x, \quad [\hat{l}_z, \hat{l}_x] = i\hbar \hat{l}_y$$

$$[\hat{\boldsymbol{l}}^2, \hat{l}_x] = [\hat{\boldsymbol{l}}^2, \hat{l}_y] = [\hat{\boldsymbol{l}}^2, \hat{l}_z] = 0$$

及び (6.59), (6.60) で与えた $\hat{\boldsymbol{l}}^2$ と $\hat{l}_z$ の固有値・固有関数（球面調和関数）

$$\hat{\boldsymbol{l}}^2 Y_{l,m}(\theta, \phi) = l(l+1)\hbar^2 Y_{l,m}(\theta, \phi)$$

$$\hat{l}_z Y_{l,m}(\theta, \phi) = m\hbar Y_{l,m}(\theta, \phi)$$

である．

ここで，

$$\hat{l}_+ \equiv \hat{l}_x + i\hat{l}_y, \quad \hat{l}_- \equiv \hat{l}_x - i\hat{l}_y \tag{6.70}$$

と定義する．すると，上記の交換関係および $\hat{l}_{x,y,z}$ のエルミート性から

$$[\hat{l}_z, \hat{l}_+] = \hbar \hat{l}_+, \quad [\hat{l}_z, \hat{l}_-] = -\hbar \hat{l}_- \tag{6.71}$$

$$[\hat{\boldsymbol{l}}^2, \hat{l}_+] = [\hat{\boldsymbol{l}}^2, \hat{l}_-] = 0, \quad (\hat{l}_\pm)^\dagger = \hat{l}_\mp \tag{6.72}$$

であることが容易に示せる．この二つの演算子 $\hat{l}_\pm$ を $Y_{l,m}(\theta, \phi)$ に作用させるとどんな結果が得られるだろうか？ まず，(6.72) 式にあるように $\hat{\boldsymbol{l}}^2$ と $\hat{l}_\pm$ は交換することを使うと

$$\hat{\boldsymbol{l}}^2 [\hat{l}_\pm Y_{l,m}(\theta, \phi)] = \hat{l}_\pm [\hat{\boldsymbol{l}}^2 Y_{l,m}(\theta, \phi)] = l(l+1)\hbar^2 [\hat{l}_\pm Y_{l,m}(\theta, \phi)] \tag{6.73}$$

となるので，$\hat{l}_\pm Y_{l,m}(\theta, \phi)$ もまた $\hat{\boldsymbol{l}}^2$ の，しかも $Y_{l,m}(\theta, \phi)$ と同じ固有値の固有関数である．更に，(6.71) の $\hat{l}_z$ と $\hat{l}_\pm$ の交換関係から

$$\hat{l}_z [\hat{l}_\pm Y_{l,m}(\theta, \phi)] = (\hat{l}_\pm \hat{l}_z \pm \hbar \hat{l}_\pm) Y_{l,m}(\theta, \phi) = (m \pm 1)\hbar [\hat{l}_\pm Y_{l,m}(\theta, \phi)] \tag{6.74}$$

が導かれるので，$\hat{l}_\pm Y_{l,m}(\theta,\phi)$ は $\hat{l}_z$ に対してそれぞれ $(m\pm 1)\hbar$ という固有値を持つこともわかる．つまり，<u>演算子 $\hat{l}_+(\hat{l}_-)$ が $Y_{l,m}(\theta,\phi)$ に作用すると，$\hat{l}_z$ の固有値だけが $\hbar$ 大きく（小さく）なった固有関数が得られる</u>ことになる．従って，$\hat{l}_\pm Y_{l,m}(\theta,\phi)$ の中身は，それぞれ $Y_{l,m\pm 1}(\theta,\phi)$ と同じと結論できる．この，m の値を"上昇"あるいは"下降"させる性質から，$\hat{l}_\pm$ は**昇降演算子**と呼ばれている．

問題 6.8　(6.71), (6.72) が成り立つことを示せ．

上記の通り，$\hat{l}_\pm Y_{l,m}(\theta,\phi)$ と $Y_{l,m\pm 1}(\theta,\phi)$ に本質的な差はないとわかったので，

$$\hat{l}_\pm Y_{l,m}(\theta,\phi) = C_{l,m}^\pm Y_{l,m\pm 1}(\theta,\phi)$$

と置き，係数 $C_{l,m}^\pm$ を決めてみよう．♯6.4 $\hat{Q}$ と $|\psi\rangle$ を任意の演算子・状態として $\hat{Q}|\psi\rangle$ を $|Q\psi\rangle$ と表せば，演算子のエルミート共役の定義（付録2）より，同じく任意の状態 $|\phi\rangle$ に対して

$$\langle\psi|\hat{Q}^\dagger|\phi\rangle = \langle\phi|\hat{Q}|\psi\rangle^* = \langle\phi|Q\psi\rangle^* = \langle Q\psi|\phi\rangle \tag{6.75}$$

が満たされる．つまり，$|Q\psi\rangle = \hat{Q}|\psi\rangle \iff \langle Q\psi| = \langle\psi|\hat{Q}^\dagger$（より詳しくはこの節末の補足参照）．従って，$(a\hat{Q})^\dagger = a^*\hat{Q}^\dagger$ （a は任意の定数．171頁の問題 A.5）も用いれば

$$\hat{l}_\pm|Y_{l,m}\rangle = C_{l,m}^\pm|Y_{l,m\pm 1}\rangle \iff \langle Y_{l,m}|(\hat{l}_\pm)^\dagger = C_{l,m}^{\pm *}\langle Y_{l,m\pm 1}|$$

が成り立つことがわかるので，$(\hat{l}_\pm)^\dagger = \hat{l}_\mp$ に注意して

$$|C_{l,m}^\pm|^2 \langle Y_{l,m\pm 1}|Y_{l,m\pm 1}\rangle = \langle Y_{l,m}|(\hat{l}_\pm)^\dagger \hat{l}_\pm|Y_{l,m}\rangle = \langle Y_{l,m}|\hat{l}_\mp \hat{l}_\pm|Y_{l,m}\rangle$$

ここで，$\hat{l}_\mp \hat{l}_\pm = \hat{\boldsymbol{l}}^2 - \hat{l}_z^2 \mp \hbar \hat{l}_z$ という関係を用いると

$$\hat{l}_\mp \hat{l}_\pm Y_{l,m}(\theta,\phi) = (\hat{\boldsymbol{l}}^2 - \hat{l}_z^2 \mp \hbar \hat{l}_z) Y_{l,m}(\theta,\phi)$$
$$= [\, l(l+1) - m(m\pm 1) \,]\hbar^2 Y_{l,m}(\theta,\phi)$$

♯6.4 付録5，特に181頁の解説も参照せよ．

6.4 角運動量の昇降演算子

となるので

$$\langle \hat{l}_\pm Y_{l,m} | \hat{l}_\pm Y_{l,m} \rangle = [\, l(l+1) - m(m\pm 1) \,]\hbar^2 \, \langle Y_{l,m} | Y_{l,m} \rangle$$

つまり,

$$|C_{l,m}^\pm|^2 \langle Y_{l,m\pm 1} | Y_{l,m\pm 1} \rangle = [\, l(l+1) - m(m\pm 1) \,]\hbar^2 \, \langle Y_{l,m} | Y_{l,m} \rangle \tag{6.76}$$

という関係が得られる. ここで球面調和関数は

$$\langle Y_{l,m\pm 1} | Y_{l,m\pm 1} \rangle = \langle Y_{l,m} | Y_{l,m} \rangle = 1$$

と規格化されていることを用いれば, 係数 $C_{l,m}^\pm$ の絶対値が

$$\begin{aligned}|C_{l,m}^\pm| &= \sqrt{l(l+1) - m(m\pm 1)}\,\hbar \\ &= \sqrt{(l\mp m)(l\pm m+1)}\,\hbar \end{aligned} \tag{6.77}$$

と決まる. 従って, これまでと同様にこの係数も実数とすれば

$$\hat{l}_+ Y_{l,m}(\theta,\phi) = \sqrt{(l-m)(l+m+1)}\,\hbar \, Y_{l,m+1}(\theta,\phi) \tag{6.78}$$

$$\hat{l}_- Y_{l,m}(\theta,\phi) = \sqrt{(l+m)(l-m+1)}\,\hbar \, Y_{l,m-1}(\theta,\phi) \tag{6.79}$$

特に, この第 1 式で $m=l$, 第 2 式で $m=-l$ と置けば

$$\hat{l}_+ Y_{l,l}(\theta,\phi) = \hat{l}_- Y_{l,-l}(\theta,\phi) = 0 \tag{6.80}$$

という重要な関係も得られる. つまり, 既に学んだように, m は角運動量の z 成分を表す量であり $l \geq |m|$ と制限されているので, 無理やりに $|m| > l$ のような波動関数をつくろうとしても 0 にしかならないという訳である.

■■■■■■■■■
物理数学的補足: 演算子が作用した状態のブラ・ケットベクトル

 $|\psi\rangle$ というケットベクトルに対応するブラベクトルは勿論 $\langle \psi|$. では, この $|\psi\rangle$ に演算子 $\hat{A}$ が作用した $\hat{A}|\psi\rangle$ についてはどうなるだろう. $\hat{A}|\psi\rangle$ もまた $|\psi\rangle$

と同じく一つの状態を表すケットベクトルなので $|\phi\rangle \equiv \hat{A}|\psi\rangle$ と置けば，その
ブラベクトルは $\langle\phi|$ と書けるが，これを $\langle\psi|$ と $\hat{A}$ で表せと言われたら考え込む
読者もいるかも知れない．

　エルミート共役の定義により $\hat{A}$ 及び $\hat{A}^\dagger$ は，任意の波動関数 $\psi_{1,2}$ に対して

$$\int dV\, \psi_1^* \hat{A} \psi_2 = \left(\int dV\, \psi_2^* \hat{A}^\dagger \psi_1\right)^*$$

という関係を満たす（付録2）．これはブラ・ケット記法を用いれば

$$\langle\psi_1|\hat{A}|\psi_2\rangle = \langle\psi_2|\hat{A}^\dagger|\psi_1\rangle^*$$

である．ここで，上記のように $|\phi_2\rangle \equiv \hat{A}|\psi_2\rangle$ と置けば，$|a\rangle$, $|b\rangle$ がどのような
状態であれ $\langle a|b\rangle = \langle b|a\rangle^*$ （第3章 (3.50) 式）だから

$$\langle\phi_2|\psi_1\rangle = \langle\psi_1|\phi_2\rangle^* = \langle\psi_1|\hat{A}|\psi_2\rangle^* = \langle\psi_2|\hat{A}^\dagger|\psi_1\rangle$$

$|\psi_1\rangle$ は任意の状態だったから，$\langle\phi_2|\psi_1\rangle$ と $\langle\psi_2|\hat{A}^\dagger|\psi_1\rangle$ が常に等しいということ
は $|\phi_2\rangle = \hat{A}|\psi_2\rangle$ ならば $\langle\phi_2| = \langle\psi_2|\hat{A}^\dagger$ であることを示している．同様に，この
逆 $\langle\phi_2| = \langle\psi_2|\hat{A}^\dagger$ なら $|\phi_2\rangle = \hat{A}|\psi_2\rangle$ も容易に示すことが出来る．すなわち，任
意の $|\psi\rangle$ 及び $\hat{A}$ に対して

$$|\phi\rangle = \hat{A}|\psi\rangle \qquad \Longleftrightarrow \qquad \langle\phi| = \langle\psi|\hat{A}^\dagger$$

が成り立つ．(6.75) の下の式変形ではこの関係を利用した訳である．なお，以
上の過程において，仮に $\langle\phi_2|\psi_1\rangle = \langle\psi_2|\hat{A}^\dagger|\psi_1\rangle$ が特定の $|\psi_1\rangle$ に対してのみ成立
したのであれば $\langle\phi_2| = \langle\psi_2|\hat{A}^\dagger$ とは言えないことには十分に注意しよう．

● ● ● ● ● ● ● ●

6.5 角運動量の合成

　粒子 1, 2 から成る任意の2粒子系を考えよう．両粒子には，一般には外部
からも互いの間にも力が作用するだろうが，もし後者の相互作用が無視できる
なら，全体系の波動関数はそれぞれの波動関数の積で与えられる．実際，

$$\hat{H}_1\, u_1(\boldsymbol{r}_1) = E_1\, u_1(\boldsymbol{r}_1), \qquad \hat{H}_2\, u_2(\boldsymbol{r}_2) = E_2\, u_2(\boldsymbol{r}_2)$$

6.5 角運動量の合成

であるならば、
$$\hat{H}u(\boldsymbol{r}_1, \boldsymbol{r}_2) = Eu(\boldsymbol{r}_1, \boldsymbol{r}_2)$$

$$(\hat{H} = \hat{H}_1 + \hat{H}_2, \quad E = E_1 + E_2)$$

は $u(\boldsymbol{r}_1, \boldsymbol{r}_2) = u_1(\boldsymbol{r}_1)u_2(\boldsymbol{r}_2)$ により満たされることが容易に確かめられる。これを参考に、この節では、2個の粒子が角運動量 $(l_1\hbar, m_1\hbar), (l_2\hbar, m_2\hbar)$ を持って運動している時、その系の全角運動量はどのような値をとり得るか調べてみる。

まず、全体系の角運動量演算子が

$$\hat{\boldsymbol{l}} = \hat{\boldsymbol{l}}_1 + \hat{\boldsymbol{l}}_2 \tag{6.81}$$

で与えられることについては特に説明の必要はないだろう。但し、$\hat{\boldsymbol{l}}_1, \hat{\boldsymbol{l}}_2$ はそれぞれ $Y_{l_1,m_1}(\theta_1, \phi_1), Y_{l_2,m_2}(\theta_2, \phi_2)$ のみに作用するので

$$\hat{\boldsymbol{l}}_2 Y_{l_1,m_1}(\theta_1, \phi_1) = \hat{\boldsymbol{l}}_1 Y_{l_2,m_2}(\theta_2, \phi_2) = 0, \quad [\hat{l}_{1i}, \hat{l}_{2j}] = 0 \tag{6.82}$$

($i, j = x, y, z$) である。それぞれの成分の交換関係を用いれば、$\hat{\boldsymbol{l}}_{1,2}$ と同様に

$$\hat{\boldsymbol{l}} \times \hat{\boldsymbol{l}} = i\hbar \hat{\boldsymbol{l}} \tag{6.83}$$

が成り立つことを示すことも容易である。

次に、前節において昇降演算子を如何に導入したかを思い出してみよう。そこでは $\hat{l}_{x,y,z}$ 及び $Y_{l,m}(\theta, \phi)$ の具体的な形には一切触れず、単に $\hat{l}_{x,y,z}$ と $\hat{\boldsymbol{l}}^2$ の交換関係のみを用いた。よって、(6.81) で与えた全角運動量についても全く同様に昇降演算子 $\hat{l}_\pm$ を導入することが出来る。そして、それは $\hat{l}_{1,2\pm}$ と

$$\hat{l}_\pm = \hat{l}_{1\pm} + \hat{l}_{2\pm} \tag{6.84}$$

という関係にあることは (6.81) より明らかである。これを用いれば $\hat{\boldsymbol{l}}^2$ と $\hat{l}_z$ の固有値と固有関数を決めていくことが出来る。以下、それを実行しよう。

はじめに，この節の冒頭で述べたことから全体系の波動関数は $Y_{l_1,m_1}(\theta_1,\phi_1)$ と $Y_{l_2,m_2}(\theta_2,\phi_2)$ の積の形になるはずなので，この積が $\hat{l}_z$ に対してどのような固有値をとるかを見てみよう：

$$\hat{l}_z[\,Y_{l_1,m_1}(\theta_1,\phi_1)Y_{l_2,m_2}(\theta_2,\phi_2)\,] = (\hat{l}_{1z}+\hat{l}_{2z})[\,Y_{l_1,m_1}(\theta_1,\phi_1)Y_{l_2,m_2}(\theta_2,\phi_2)\,]$$
$$= (m_1+m_2)\hbar\,[\,Y_{l_1,m_1}(\theta_1,\phi_1)Y_{l_2,m_2}(\theta_2,\phi_2)\,]$$

ベクトルの足し算においても，成分同士は普通の足し算に従うことを考えれば，$m_1, m_2 \to m_1+m_2$ は自然な結果である．従って，$\hat{l}_z$ の固有値が $m\hbar$ と指定されている状態の波動関数は，

$$Y_{l_1,m_1}(\theta_1,\phi_1)Y_{l_2,m-m_1}(\theta_2,\phi_2) \tag{6.85}$$

といった形，或いは その組み合わせ（様々な m_1 についての和）で与えられるだろう．特に，m の最大値 l_1+l_2 に対応する組み合わせは

$$Y_{l_1,l_1}(\theta_1,\phi_1)Y_{l_2,l_2}(\theta_2,\phi_2) \tag{6.86}$$

しか有り得ない．更に，

$$\hat{\boldsymbol{l}}^2 = \hat{\boldsymbol{l}}_1^2 + \hat{\boldsymbol{l}}_2^2 + \hat{l}_{1+}\hat{l}_{2-} + \hat{l}_{1-}\hat{l}_{2+} + 2\hat{l}_{1z}\hat{l}_{2z}$$
$$\hat{l}_{1+}Y_{l_1,l_1} = \hat{l}_{2+}Y_{l_2,l_2} = 0$$

より

$$\hat{\boldsymbol{l}}^2[\,Y_{l_1,l_1}(\theta_1,\phi_1)Y_{l_2,l_2}(\theta_2,\phi_2)\,]$$
$$= (l_1+l_2)(l_1+l_2+1)\hbar^2\,Y_{l_1,l_1}(\theta_1,\phi_1)Y_{l_2,l_2}(\theta_2,\phi_2)$$

となるので，$Y_{l_1,l_1}(\theta_1,\phi_1)Y_{l_2,l_2}(\theta_2,\phi_2)$ は $l=l_1+l_2$ の状態を記述していることもわかる．つまり，$l=l_1+l_2, m=l_1+l_2$ という状態の波動関数を $\mathcal{Y}_{l_1+l_2,l_1+l_2}$ と表すなら

$$\mathcal{Y}_{l_1+l_2,l_1+l_2}(\theta_1,\theta_2,\phi_1,\phi_2) = Y_{l_1,l_1}(\theta_1,\phi_1)Y_{l_2,l_2}(\theta_2,\phi_2) \tag{6.87}$$

6.5 角運動量の合成

である. Y_{l_1,l_1}, Y_{l_2,l_2} 共に規格化されているから, この $\mathcal{Y}_{l_1+l_2,l_1+l_2}$ も

$$\begin{aligned}\langle \mathcal{Y}_{l_1+l_2,l_1+l_2}|\mathcal{Y}_{l_1+l_2,l_1+l_2}\rangle &= \int d\Omega_1 d\Omega_2 \mid \mathcal{Y}_{l_1+l_2,l_1+l_2}(\theta_1,\theta_2,\phi_1,\phi_2) \mid^2 \\ &= \int d\Omega_1 d\Omega_2 \mid Y_{l_1,l_1}(\theta_1,\phi_1) \mid^2 \mid Y_{l_2,l_2}(\theta_2,\phi_2) \mid^2 \\ &= \langle Y_{l_1,l_1}|Y_{l_1,l_1}\rangle \langle Y_{l_2,l_2}|Y_{l_2,l_2}\rangle = 1 \quad (6.88)\end{aligned}$$

と規格化されている. これに $\hat{l}_-$ を繰り返し作用させていけば, $l = l_1 + l_2$ でありかつ $\hat{l}_z$ の固有値が $(l_1+l_2-1)\hbar, (l_1+l_2-2)\hbar, \cdots, -(l_1+l_2-1)\hbar, -(l_1+l_2)\hbar$ である状態の波動関数を導くことが出来る:

$$\begin{aligned}\hat{l}_- \mathcal{Y}_{l_1+l_2,l_1+l_2} &\implies \mathcal{Y}_{l_1+l_2,l_1+l_2-1} \\ \hat{l}_- \mathcal{Y}_{l_1+l_2,l_1+l_2-1} &\implies \mathcal{Y}_{l_1+l_2,l_1+l_2-2} \\ &\cdots\cdots\cdots\cdots \\ \hat{l}_- \mathcal{Y}_{l_1+l_2,-l_1-l_2+1} &\implies \mathcal{Y}_{l_1+l_2,-l_1-l_2}\end{aligned}$$

古典的なイメージで考えれば, 大きさがそれぞれ $l_1\hbar, l_2\hbar$ である角運動量を合成して大きさ $l\hbar = (l_1+l_2)\hbar$ の全角運動量が得られるのは, 二つの角運動量が同じ向きの場合である. もし, 二つが異なる方向を向いているなら, 合成されたベクトルの大きさも $(l_1+l_2)\hbar$ より小さくなると予想される. では, そのような状態を表す波動関数はどのように導かれるだろうか. これを調べるために, 実際に上記の作業手順に従って $l = l_1+l_2, m = l_1+l_2-1$ である波動関数を作ってみると, (6.79) 式から得られる関係

$$\hat{l}_- \mathcal{Y}_{l_1+l_2,l_1+l_2} = \sqrt{2(l_1+l_2)}\hbar\, \mathcal{Y}_{l_1+l_2,l_1+l_2-1}$$

及び

$$\begin{aligned}(\hat{l}_{1-}+\hat{l}_{2-})Y_{l_1,l_1}Y_{l_2,l_2} &= [\,\hat{l}_{1-}Y_{l_1,l_1}\,]Y_{l_2,l_2} + Y_{l_1,l_1}[\,\hat{l}_{2-}Y_{l_2,l_2}\,] \\ &= \sqrt{2l_1}\hbar\, Y_{l_1,l_1-1}Y_{l_2,l_2} + \sqrt{2l_2}\hbar\, Y_{l_1,l_1}Y_{l_2,l_2-1}\end{aligned}$$

より

$$\mathcal{Y}_{l_1+l_2,l_1+l_2-1} = \sqrt{\frac{l_2}{l_1+l_2}}\, Y_{l_1,l_1}Y_{l_2,l_2-1} + \sqrt{\frac{l_1}{l_1+l_2}}\, Y_{l_1,l_1-1}Y_{l_2,l_2} \quad (6.89)$$

となる.♯6.5 ところが,同じ $Y_{l_1,l_1-1}Y_{l_2,l_2}$ と $Y_{l_1,l_1}Y_{l_2,l_2-1}$ の組み合わせであって,かつ,この $\mathcal{Y}_{l_1+l_2,l_1+l_2-1}$ に直交する関数が存在する:

$$\mathcal{Y}' = \sqrt{\frac{l_1}{l_1+l_2}} Y_{l_1,l_1} Y_{l_2,l_2-1} - \sqrt{\frac{l_2}{l_1+l_2}} Y_{l_1,l_1-1} Y_{l_2,l_2}$$

実際,

$$\begin{aligned}
&\langle \mathcal{Y}' | \mathcal{Y}_{l_1+l_2,l_1+l_2-1} \rangle \\
&= \frac{\sqrt{l_1 l_2}}{l_1+l_2} \underbrace{\langle Y_{l_1,l_1}|Y_{l_1,l_1}\rangle}_{1} \underbrace{\langle Y_{l_2,l_2-1}|Y_{l_2,l_2-1}\rangle}_{1} + \frac{l_1}{l_1+l_2} \underbrace{\langle Y_{l_1,l_1}|Y_{l_1,l_1-1}\rangle}_{0} \underbrace{\langle Y_{l_2,l_2-1}|Y_{l_2,l_2}\rangle}_{0} \\
&\quad - \frac{l_2}{l_1+l_2} \underbrace{\langle Y_{l_1,l_1-1}|Y_{l_1,l_1}\rangle}_{0} \underbrace{\langle Y_{l_2,l_2}|Y_{l_2,l_2-1}\rangle}_{0} - \frac{\sqrt{l_1 l_2}}{l_1+l_2} \underbrace{\langle Y_{l_1,l_1-1}|Y_{l_1,l_1-1}\rangle}_{1} \underbrace{\langle Y_{l_2,l_2}|Y_{l_2,l_2}\rangle}_{1} \\
&= \frac{\sqrt{l_1 l_2}}{l_1+l_2} - \frac{\sqrt{l_1 l_2}}{l_1+l_2} = 0
\end{aligned}$$

である.♯6.6 明らかに,この $\mathcal{Y}'$ も $\hat{l}_z$ に対して固有値 $(l_1+l_2-1)\hbar$ を持つ.しかし,これに昇降演算子 $\hat{l}_+$ を作用させてみると $\hat{l}_+\mathcal{Y}' = 0$ となってしまう:

$$\begin{aligned}
\hat{l}_+\mathcal{Y}' &= \sqrt{\frac{l_1}{l_1+l_2}} \Big[\underbrace{(\hat{l}_{1+}Y_{l_1,l_1})}_{0} Y_{l_2,l_2-1} + Y_{l_1,l_1}(\hat{l}_{2+}Y_{l_2,l_2-1}) \Big] \\
&\quad - \sqrt{\frac{l_2}{l_1+l_2}} \Big[(\hat{l}_{1+}Y_{l_1,l_1-1})Y_{l_2,l_2} + Y_{l_1,l_1-1}\underbrace{(\hat{l}_{2+}Y_{l_2,l_2})}_{0} \Big] \\
&= \sqrt{\frac{l_1}{l_1+l_2}} \sqrt{2l_2}\hbar Y_{l_1,l_1} Y_{l_2,l_2} - \sqrt{\frac{l_2}{l_1+l_2}} \sqrt{2l_1}\hbar Y_{l_1,l_1} Y_{l_2,l_2} = 0
\end{aligned}$$

これは「$\mathcal{Y}'$ は角運動量の z 成分の最大値が $(l_1+l_2-1)\hbar$ である状態を表している」ことを意味する.つまりは,$\mathcal{Y}'$ は $l = l_1+l_2-1$,$m = l_1+l_2-1$ の状態を記述しているということである.事実,$\mathcal{Y}'$ に $\hat{l}^2$ を作用させてみると,

$$\hat{l}^2 \mathcal{Y}' = [\hat{l}_1^2 + \hat{l}_2^2 + \hat{l}_{1+}\hat{l}_{2-} + \hat{l}_{1-}\hat{l}_{2+} + 2\hat{l}_{1z}\hat{l}_{2z}]\mathcal{Y}'$$

♯6.5 ここで,式が長くなるのを避けるため,各関数の角度部分は省略した.例えば,$\mathcal{Y}_{l_1+l_2,l_1+l_2}$ は正確に書けば $\mathcal{Y}_{l_1+l_2,l_1+l_2}(\theta_1,\theta_2,\phi_1,\phi_2)$ であり,また,積 $Y_{l_1,l_1}Y_{l_2,l_2}$ は $Y_{l_1,l_1}(\theta_1,\phi_1)Y_{l_2,l_2}(\theta_2,\phi_2)$ の省略形である(以下同様).

♯6.6 当然のことながら,この $\mathcal{Y}'$ に -1 を掛けたものも同じ条件を満たす.ここでは慣習に従って符号を選んだ.

6.5 角運動量の合成

$$
\begin{aligned}
&= (\hat{l}_1^2 + \hat{l}_2^2)\left(\sqrt{\frac{l_1}{l_1+l_2}} Y_{l_1,l_1} Y_{l_2,l_2-1} - \sqrt{\frac{l_2}{l_1+l_2}} Y_{l_1,l_1-1} Y_{l_2,l_2}\right) \\
&\quad + (\hat{l}_{1+}\hat{l}_{2-} + \hat{l}_{1-}\hat{l}_{2+})\left(\sqrt{\frac{l_1}{l_1+l_2}} Y_{l_1,l_1} Y_{l_2,l_2-1} - \sqrt{\frac{l_2}{l_1+l_2}} Y_{l_1,l_1-1} Y_{l_2,l_2}\right) \\
&\quad + 2\hat{l}_{1z}\hat{l}_{2z}\left(\sqrt{\frac{l_1}{l_1+l_2}} Y_{l_1,l_1} Y_{l_2,l_2-1} - \sqrt{\frac{l_2}{l_1+l_2}} Y_{l_1,l_1-1} Y_{l_2,l_2}\right) \\
&= [\, l_1(l_1+1) + l_2(l_2+1)\,]\hbar^2 \\
&\quad \times \left(\sqrt{\frac{l_1}{l_1+l_2}} Y_{l_1,l_1} Y_{l_2,l_2-1} - \sqrt{\frac{l_2}{l_1+l_2}} Y_{l_1,l_1-1} Y_{l_2,l_2}\right) \\
&\quad + \sqrt{\frac{l_1}{l_1+l_2}} (\hat{l}_{1-} Y_{l_1,l_1})(\hat{l}_{2+} Y_{l_2,l_2-1}) - \sqrt{\frac{l_2}{l_1+l_2}} (\hat{l}_{1+} Y_{l_1,l_1-1})(\hat{l}_{2-} Y_{l_2,l_2}) \\
&\quad + 2l_1(l_2-1)\hbar^2 \sqrt{\frac{l_1}{l_1+l_2}} Y_{l_1,l_1} Y_{l_2,l_2-1} \\
&\quad - 2(l_1-1)l_2 \hbar^2 \sqrt{\frac{l_2}{l_1+l_2}} Y_{l_1,l_1-1} Y_{l_2,l_2} \\
&= [\, l_1(l_1+1) + l_2(l_2+1)\,]\hbar^2 \\
&\quad \times \left(\sqrt{\frac{l_1}{l_1+l_2}} Y_{l_1,l_1} Y_{l_2,l_2-1} - \sqrt{\frac{l_2}{l_1+l_2}} Y_{l_1,l_1-1} Y_{l_2,l_2}\right) \\
&\quad + 2\sqrt{\frac{l_2}{l_1+l_2}} l_1 \hbar^2 Y_{l_1,l_1-1} Y_{l_2,l_2} - 2\sqrt{\frac{l_1}{l_1+l_2}} l_2 \hbar^2 Y_{l_1,l_1} Y_{l_2,l_2-1} \\
&\quad + 2l_1(l_2-1)\hbar^2 \sqrt{\frac{l_1}{l_1+l_2}} Y_{l_1,l_1} Y_{l_2,l_2-1} \\
&\quad - 2(l_1-1)l_2 \hbar^2 \sqrt{\frac{l_2}{l_1+l_2}} Y_{l_1,l_1-1} Y_{l_2,l_2} \\
&= \sqrt{\frac{l_1}{l_1+l_2}} [\, l_1(l_1+1) + l_2(l_2+1) - 2l_2 + 2l_1(l_2-1)\,]\hbar^2 Y_{l_1,l_1} Y_{l_2,l_2-1} \\
&\quad - \sqrt{\frac{l_2}{l_1+l_2}} [\, l_1(l_1+1) + l_2(l_2+1) - 2l_1 + 2l_2(l_1-1)\,]\hbar^2 Y_{l_1,l_1-1} Y_{l_2,l_2} \\
&= (l_1+l_2)(l_1+l_2-1)\hbar^2 \mathcal{Y}' = (l_1+l_2-1)[(l_1+l_2-1)+1]\hbar^2 \mathcal{Y}'
\end{aligned}
$$

となり、確かに角運動量の大きさについても $l = l_1+l_2-1$ となっている. 従って,

$$
\mathcal{Y}' = \mathcal{Y}_{l_1+l_2-1, l_1+l_2-1} = \sqrt{\frac{l_1}{l_1+l_2}} Y_{l_1,l_1} Y_{l_2,l_2-1} - \sqrt{\frac{l_2}{l_1+l_2}} Y_{l_1,l_1-1} Y_{l_2,l_2} \tag{6.90}
$$

これに $\hat{l}_-$ を次々と作用させていけば、今度は $l = l_1 + l_2 - 1$ でありかつ $\hat{l}_z$ の

固有値が $m\hbar = (l_1 + l_2 - 2)\hbar, (l_1 + l_2 - 3)\hbar, \cdots, -(l_1 + l_2 - 1)\hbar$ である状態の波動関数を導くことが出来る．

全く同様に，「$\mathcal{Y}_{l_1+l_2,l_1+l_2}$ に $\hat{l}_-$ を2回続けて作用させて導いた $\mathcal{Y}_{l_1+l_2,l_1+l_2-2}$」及び「$\mathcal{Y}_{l_1+l_2-1,l_1+l_2-1}$ に $\hat{l}_-$ を1回作用させて求めた $\mathcal{Y}_{l_1+l_2-1,l_1+l_2-2}$」は，どちらも $Y_{l_1,l_1}Y_{l_2,l_2-2}$, $Y_{l_1,l_1-1}Y_{l_2,l_2-1}$, $Y_{l_1,l_1-2}Y_{l_2,l_2}$ の組み合わせだが，この両者に直交する第3の組み合わせも存在する．これを $\mathcal{Y}''$ と表すと，この $\mathcal{Y}''$ は $l = l_1 + l_2 - 2$ かつ $m = l_1 + l_2 - 2$ の状態を記述する波動関数となる：

$$\mathcal{Y}'' = \mathcal{Y}_{l_1+l_2-2,l_1+l_2-2}$$

実際に $\mathcal{Y}_{l_1+l_2,l_1+l_2-2}$, $\mathcal{Y}_{l_1+l_2-1,l_1+l_2-2}$ を計算してみると

$$\begin{aligned}
\mathcal{Y}_{l_1+l_2,l_1+l_2-2} &= \sqrt{\frac{l_2(2l_2-1)}{(l_1+l_2)(2l_1+2l_2-1)}} Y_{l_1,l_1} Y_{l_2,l_2-2} \\
&+ 2\sqrt{\frac{l_1 l_2}{(l_1+l_2)(2l_1+2l_2-1)}} Y_{l_1,l_1-1} Y_{l_2,l_2-1} \\
&+ \sqrt{\frac{l_1(2l_1-1)}{(l_1+l_2)(2l_1+2l_2-1)}} Y_{l_1,l_1-2} Y_{l_2,l_2} \quad (6.91)
\end{aligned}$$

$$\begin{aligned}
\mathcal{Y}_{l_1+l_2-1,l_1+l_2-2} &= \sqrt{\frac{l_1(2l_2-1)}{(l_1+l_2)(l_1+l_2-1)}} Y_{l_1,l_1} Y_{l_2,l_2-2} \\
&+ \frac{l_1 - l_2}{\sqrt{(l_1+l_2)(l_1+l_2-1)}} Y_{l_1,l_1-1} Y_{l_2,l_2-1} \\
&- \sqrt{\frac{l_2(2l_1-1)}{(l_1+l_2)(l_1+l_2-1)}} Y_{l_1,l_1-2} Y_{l_2,l_2} \quad (6.92)
\end{aligned}$$

そして，この両方に直交する $\mathcal{Y}'' = \mathcal{Y}_{l_1+l_2-2,l_1+l_2-2}$ は

$$\begin{aligned}
\mathcal{Y}_{l_1+l_2-2,l_1+l_2-2} &= \sqrt{\frac{l_1(2l_1-1)}{(l_1+l_2-1)(2l_1+2l_2-1)}} Y_{l_1,l_1} Y_{l_2,l_2-2} \\
&- \sqrt{\frac{(2l_1-1)(2l_2-1)}{(l_1+l_2-1)(2l_1+2l_2-1)}} Y_{l_1,l_1-1} Y_{l_2,l_2-1} \\
&+ \sqrt{\frac{l_2(2l_2-1)}{(l_1+l_2-1)(2l_1+2l_2-1)}} Y_{l_1,l_1-2} Y_{l_2,l_2} \quad (6.93)
\end{aligned}$$

である．

6.5 角運動量の合成

この操作を続ければ、角運動量の大きさが $l\hbar = (l_1+l_2-3)\hbar, \cdots, (|l_1-l_2|+1)\hbar$, $(|l_1 - l_2|)\hbar$ の関数の組を導くことが出来る。最後の $l = |l_1 - l_2|$ は二つの角運動量が反平行、つまり全く逆向きの場合に対応している。

問題 6.9 実際に計算して

$$\langle \mathcal{Y}''|\mathcal{Y}_{l_1+l_2,l_1+l_2-2}\rangle = \langle \mathcal{Y}''|\mathcal{Y}_{l_1+l_2-1,l_1+l_2-2}\rangle = 0, \quad \hat{l}_+\mathcal{Y}'' = 0$$

及び

$$\hat{l}^2\mathcal{Y}'' = (l_1+l_2-1)(l_1+l_2-2)\hbar^2\mathcal{Y}''$$

であることを確かめよ。これは、方針ははっきりしているものの、少々長い作業である。

クレプシュ–ゴルダン係数

ここまでの説明でわかるように、全角運動量とその z 成分が $l\hbar, m\hbar$ であるような 2 粒子系の波動関数は、それぞれの波動関数の積 $Y_{l_1,m_1}Y_{l_2,m_2}$ ($m = m_1+m_2$) の組み合わせで構成される。これを

$$\mathcal{Y}_{l,m} = \sum_{\substack{m_1,m_2 \\ (m_1+m_2=m)}} \langle l_1\ m_1, l_2\ m_2|l\ m\rangle Y_{l_1,m_1}Y_{l_2,m_2} \tag{6.94}$$

のように表し、その展開係数 $\langle l_1\ m_1, l_2\ m_2|l\ m\rangle$ を**クレプシュ–ゴルダン係数**と呼ぶ。また、Y_{l_1,m_1} と Y_{l_2,m_2} の積（の組み合わせ）から全角運動量が $(l_1+l_2)\hbar$, $(l_1+l_2-1)\hbar, \cdots, (|l_1-l_2|)\hbar$ の状態が導かれることを

$$l_1 \otimes l_2 = (l_1+l_2) \oplus (l_1+l_2-1) \oplus \cdots \oplus (|l_1-l_2|) \tag{6.95}$$

と表す。ここまでに現れたものを例とすれば

- $\mathcal{Y}_{l_1+l_2,l_1+l_2}$ の場合

$$\langle l_1\ l_1, l_2\ l_2|l_1+l_2\ l_1+l_2\rangle = 1 \tag{6.96}$$

- $\mathcal{Y}_{l_1+l_2,l_1+l_2-1}$ の場合

$$\langle l_1\ l_1, l_2\ l_2-1|l_1+l_2\ l_1+l_2-1\rangle = \sqrt{l_2/(l_1+l_2)} \tag{6.97}$$

$$\langle l_1\ l_1-1, l_2\ l_2|l_1+l_2\ l_1+l_2-1\rangle = \sqrt{l_1/(l_1+l_2)} \tag{6.98}$$

- $\mathcal{Y}_{l_1+l_2-1,l_1+l_2-1}$ の場合

$$\langle l_1\, l_1, l_2\, l_2-1 | l_1+l_2-1\ l_1+l_2-1\rangle = \sqrt{l_1/(l_1+l_2)} \qquad (6.99)$$

$$\langle l_1\, l_1-1, l_2\, l_2 | l_1+l_2-1\ l_1+l_2-1\rangle = -\sqrt{l_2/(l_1+l_2)} \qquad (6.100)$$

がそれぞれ 0 でないクレプシュ–ゴルダン係数である.

2粒子系の角運動量の合成方法がわかったということは，原理的には 3 粒子系，4 粒子系，$\cdots n$ 粒子系の全角運動量とその固有関数も，同じ手順で導出できるということである．但し，実際の計算は単純だがかなり面倒なものとなるので，コンピュータ向きの作業と言えるかも知れない．

● ● ● ● ● ● ● ● ●
物理数学的補足： 多粒子系のブラ・ケットベクトル

3章でも簡単に述べたが，ここで，改めて複数個の粒子からなる系（多粒子系）を表すブラ・ケットベクトルにつき，特に注意を要する点を中心にまとめておこう．例として，$\Psi(\bm{r}_1,\bm{r}_2) = \psi_1(\bm{r}_1)\psi_2(\bm{r}_2)$ という波動関数で記述される2粒子系を考える．この場合，右辺に対応するケットベクトルは $|\psi_1\rangle|\psi_2\rangle$ であった（これは $|\psi_1,\psi_2\rangle$ と表すこともある）．

では，内積 $\langle\Psi|\Psi\rangle$ を $|\psi_1\rangle$ と $|\psi_2\rangle$ で表せばどうなるだろうか．通常の記法なら

$$\int dV_1 \int dV_2 |\Psi(\bm{r}_1,\bm{r}_2)|^2 = \int dV_1 \int dV_2 |\psi_1(\bm{r}_1)|^2 |\psi_2(\bm{r}_2)|^2$$

だから，これを参考にすれば

$$\langle\Psi|\Psi\rangle = \langle\psi_1|\psi_1\rangle\langle\psi_2|\psi_2\rangle$$

となることが理解できるだろう．しかし，これを初学者が初めからブラ・ケット記法だけで考えようとすると

$$\langle\psi_1|\psi_2\rangle,\qquad \langle\psi_2|\psi_1\rangle$$

のような組み合わせをつくってしまうかも知れない．勿論，これらは，それぞれ

$$\psi_1^*(\bm{r}_1)\psi_2(\bm{r}_2),\qquad \psi_2^*(\bm{r}_2)\psi_1(\bm{r}_1)$$

6.5 角運動量の合成

のように二つの変数に依存する関数を一つの積分変数（r_1? それとも r_2?）で積分しようというようなもので全く意味をなさない．これは，特に

$$\Phi(r_1, r_2) = c_1\psi_1(r_1)\phi_1(r_2) + c_2\psi_2(r_1)\phi_2(r_2)$$

のように2項以上の重ね合せになっている波動関数において間違えやすい．この場合は $|\Phi\rangle = c_1|\psi_1\rangle|\phi_1\rangle + c_2|\psi_2\rangle|\phi_2\rangle$, $\langle\Phi| = c_1^*\langle\psi_1|\langle\phi_1| + c_2^*\langle\psi_2|\langle\phi_2|$ より

$$\langle\Phi|\Phi\rangle = |c_1|^2 \langle\psi_1|\psi_1\rangle\langle\phi_1|\phi_1\rangle + c_1^*c_2 \langle\psi_1|\psi_2\rangle\langle\phi_1|\phi_2\rangle$$
$$+ c_1c_2^* \langle\psi_2|\psi_1\rangle\langle\phi_2|\phi_1\rangle + |c_2|^2 \langle\psi_2|\psi_2\rangle\langle\phi_2|\phi_2\rangle$$

である．

● ● ● ● ● ● ● ● ●

♠♠ ちょっと息抜き： 柔軟な頭脳 ♠♠

　研究には柔軟な頭脳が必要とよく言われる．その度に頭を抱えてしまう．自分の頭の働きを冷静に眺めて見ると，柔軟どころかかなり固いと思わざるを得ないから．例えば，小学校や中学校の理科で,「回路が閉じていないと電流は流れない」と教わった後で，技術の電気回路にアンテナが出てきて，この固い頭は拒絶反応を起こしてしまった.「アンテナの片方には何も繋がっていないのに，何で電流が存在するん？」って訳．こういう調子だから，同じクラスの友人が何の抵抗もなくそれを受け入れて，試験でも高得点を続けるのは，ただ奇跡のように思うしかなかった．また，英語についても「文法と単語・熟語を勉強したら，あとはそれを基に，どんな表現でも自分で作れなければならない」と頭から信じ込み，しかもそれが少しもうまく行かないからと，英語が嫌になってしまった．実際，高校時代の英語の成績はひどいものだった．今は（この年になってやっと），少なくとも語学に関しては，ずっと柔軟な態度が取れるようになった．もしかすると，私の場合には，物理に揉まれたお蔭で，固い頭が少しだけ柔らかくなったのかも．ということは,「頭が固いから何々には向かない」ってことはあまり言わない方がいいかも知れない．石頭でも，好きで何かに打ち込めば，そこでいろんなことを学び，徐々にでも頭がほぐれてくる可能性が大いにあるのだから．

♣♣♣♣

7. 摂動論

量子力学の基本方程式はシュレディンガー方程式であり，対象とする系にこれを適用して波動関数を決定すれば，必要な情報はそこから引き出すことが出来る．しかしながら，実際にシュレディンガー方程式が厳密に解ける場合は多くはない．従って，有効な近似計算法の活用が重要な実用課題となる．この章では，代表的な近似手法である摂動論について その基本的な枠組みを学ぶ．これは，もともと天体力学において，例えば太陽の周りを回る地球の運動への月の引力の寄与を調べる，といった問題で用いられていたものであり，主要な運動に小さな他の影響を段階的に取り入れていく手段として有効である．

7.1 逐次近似法

数学において，方程式を近似的に解く方法の一つとして**逐次近似法**という手法がよく知られている．例として，微小な定数 ϵ を含む

$$x = 3 + \epsilon x \tag{7.1}$$

という方程式を考えてみる．これは，あっと言う間に

$$x = \frac{3}{1-\epsilon}$$

と正確な答えが出てしまうので少々簡単すぎるが，単なる例に不必要に複雑な式を使うのもスマートとは言えないので，これを用いて話を進めよう．

ポイントは，ϵ が微小定数ということである．微小なのだから，まずはその項は無視してしまう，つまり $\epsilon = 0$ と置いてしまうと (7.1) 式は

$$x = 3$$

7.1 逐次近似法

となり, 取り敢えずは解けてしまう. そこで, これを第 0 次近似の解ということで $x_{[0]}$ と表しておく. これは, ϵ を含む項は全て無視する近似における解であって, 一般には, 正確な解から ϵ の大きさ程度ずれている:

$$\frac{3}{1-\epsilon} - x_{[0]} = \frac{3\epsilon}{1-\epsilon} \simeq 3\epsilon$$

ここで, 再び (7.1) 式に戻る. 今度は, ϵ の 2 次以上は無視するが 1 次の項の寄与までは含めた解 $x_{[1]}$ を求めることにする. 右辺の第 2 項は ϵ が掛かっているので, そこの x に $x_{[0]}$ を代入しても結果として生じる誤差は ϵ^2 程度であるから, ここで要求する解の精度には影響しない. そこで, 実際に代入してみると, 結果は

$$x(=x_{[1]}) = 3 + \epsilon x_{[0]} = 3 + 3\epsilon$$

となる. ここまでくれば, ϵ^2 まで取り入れた解 $x_{[2]}$ を得るために必要な手順も直ちに理解できるだろう:

$$x_{[2]} = 3 + \epsilon x_{[1]} = 3 + 3\epsilon + 3\epsilon^2$$

この作業を全く同様に繰り返せば

$$x_{[n]} = 3 + \epsilon x_{[n-1]} = 3 + 3\epsilon + 3\epsilon^2 + \cdots + 3\epsilon^n \tag{7.2}$$

となり, これは $n \to \infty$ の極限で

$$\lim_{n\to\infty} x_{[n]} = 3 + 3\epsilon + 3\epsilon^2 + \cdots = \frac{3}{1-\epsilon} \tag{7.3}$$

と正確な解に一致する. これが逐次近似法である. これは, 繰り返せば繰り返すほど精度が上がっていくのでコンピュータ向きの解法とも言える. しかも, この例の場合で $\epsilon = 0.1$ 程度なら, 無限回どころか僅か数回で非常に良い精度の解に達することも容易に確かめられる.

量子力学における摂動論は, シュレディンガー方程式を正に逐次近似的に解くという手法であり, 極めて有効な近似計算法として知られている. 次節・次々

節でその内容を説明していくが，その前に，ここまでの説明を より摂動論向きに表現し直しておく：

———————

微小定数 ϵ を含む方程式

$$x = 3 + \epsilon x$$

の解は，ϵ が微小であることを利用し，その巾乗展開の形で求めることが出来る．事実，まず

$$x = x^{(0)} + \epsilon x^{(1)} + \epsilon^2 x^{(2)} + \cdots$$

を方程式の両辺に代入すると

$$x^{(0)} + \epsilon x^{(1)} + \epsilon^2 x^{(2)} + \cdots = 3 + \epsilon(x^{(0)} + \epsilon x^{(1)} + \epsilon^2 x^{(2)} + \cdots) \qquad (7.4)$$

次に，ϵ についての同じ巾の項を両辺から抜き出して等号で結ぶことにより

$$\begin{aligned}
\epsilon^0 \text{ の項}: &\quad x^{(0)} = 3 \\
\epsilon^1 \text{ の項}: &\quad x^{(1)} = x^{(0)} \\
\epsilon^2 \text{ の項}: &\quad x^{(2)} = x^{(1)} \\
&\quad \cdots\cdots\cdots\cdots\cdots
\end{aligned}$$

これにより，第1の等式から順に $x^{(0)}$, $x^{(1)}$, $x^{(2)}$, $\cdots$ と決まっていく．

———————

式 (7.4) において，右辺の $(x^{(0)} + \epsilon x^{(1)} + \cdots)$ 全体に一つ余分に ϵ が掛かっていることが重要な点である．

但し，<u>この逐次近似法も万能という訳ではない</u>ことは注意しておこう：まず，含まれる定数が微小でなければ，(7.2) の級数がいつまでも収束しないという事態も起こり得る．更に，正確な解が $x = 1/\epsilon$ であるような方程式は，そもそもこの方法では解くことは出来ないのである．

問題 7.1 何故 $x = 1/\epsilon$ を解に持つ方程式に逐次近似法は適用できないのか考えてみよ．

7.2 時間を含まない摂動論

$\hat{H} = \hat{H}_0 + \hat{H}'$ という形のハミルトニアンに従う系を考える．但し，右辺第 2 項は $\hat{H}' = \lambda \hat{V}$ という形で与えられているものとする．この λ は相互作用 ($\hat{V}$) の大きさを特徴付ける定数であり，ここでは話を複雑にしないために実数と仮定する．この定数 λ が微小で，かつ $\hat{H}_0$ の固有値と固有関数，すなわち 時間に依存しないシュレディンガー方程式

$$\hat{H}_0 u(\boldsymbol{r}) = E u(\boldsymbol{r}) \tag{7.5}$$

の解 $E = E_n^{(0)}, u(\boldsymbol{r}) = u_n^{(0)}(\boldsymbol{r})$ ($n = 1, 2, \cdots$, $\{u_n^{(0)}\}$ は規格直交系) が全て既知の時に，その情報を基に $\hat{H}'$ の影響を λ の 1 次，2 次，$\cdots$ と段階的に精度を上げて取り入れていくのが**摂動論**であり，$\hat{H}'$ は $\hat{H}_0$ に対する**摂動**と呼ばれる．

この節では，この摂動項が時間変化しない場合を扱う．従って，解くべき方程式は，同じく時間に依存しないシュレディンガー方程式

$$\hat{H} u(\boldsymbol{r}) = E u(\boldsymbol{r}) \tag{7.6}$$

である．まず，$\{u_n^{(0)}\}$ は完全系であることを利用して，求める $u(\boldsymbol{r})$ を

$$u(\boldsymbol{r}) = \sum_m c_m u_m^{(0)}(\boldsymbol{r}) \tag{7.7}$$

と $u_{1,2,\cdots}^{(0)}(\boldsymbol{r})$ により展開した形で表し，これを $\hat{H}$ の固有値方程式である上記 (7.6) に代入する：

$$\begin{aligned}
\text{左辺} &= \sum_m c_m \hat{H} u_m^{(0)}(\boldsymbol{r}) = \sum_m c_m (\hat{H}_0 + \lambda \hat{V}) u_m^{(0)}(\boldsymbol{r}) \\
&= \sum_m c_m (E_m^{(0)} + \lambda \hat{V}) u_m^{(0)}(\boldsymbol{r}) \\
\text{右辺} &= E \sum_m c_m u_m^{(0)}(\boldsymbol{r})
\end{aligned}$$

次に，両辺に左から $u_n^{(0)*}(\boldsymbol{r})$ を掛けて積分する：

$$\sum_m c_m \left[E_m^{(0)} \langle u_n^{(0)} | u_m^{(0)} \rangle + \lambda \langle u_n^{(0)} | \hat{V} | u_m^{(0)} \rangle \right] = E \sum_m c_m \langle u_n^{(0)} | u_m^{(0)} \rangle$$

但し，独立な固有状態の数を N とする時，n は $1 \sim N$ の間の任意の整数である．この式の左辺第 1 項および右辺の $\sum_m$ の中では，$\{u_n^{(0)}(\boldsymbol{r})\}$ の規格直交性

$$\langle u_n^{(0)} | u_m^{(0)} \rangle = \delta_{nm}$$

より $m = n$ の項だけが生き残るので，結局

$$(E - E_n^{(0)})c_n = \lambda \sum_m c_m \langle u_n^{(0)} | \hat{V} | u_m^{(0)} \rangle \tag{7.8}$$

という方程式を得る．これが本節における出発点となる．

この方程式の未知数はもちろん E 及び $c_{1,\cdots,N}$ だが

$$A_{ij} \equiv \lambda \langle u_i^{(0)} | \hat{V} | u_j^{(0)} \rangle - (E - E_i^{(0)}) \delta_{ij}$$

($i, j = 1 \sim N$) と置いて整理すれば，

$$\begin{aligned} A_{11}c_1 + A_{12}c_2 + \cdots + A_{1N}c_N &= 0 \\ A_{21}c_1 + A_{22}c_2 + \cdots + A_{2N}c_N &= 0 \\ \cdots\cdots\cdots\cdots\cdots\cdots\cdots& \\ A_{N1}c_1 + A_{N2}c_2 + \cdots + A_{NN}c_N &= 0 \end{aligned} \tag{7.9}$$

という c_i についての連立方程式の形に書き直せる．この結果，これが $c_1 = c_2 = \cdots = c_N = 0$ 以外の解を持つための条件

$$\begin{vmatrix} A_{11} & A_{12} & \cdots & A_{1N} \\ A_{21} & A_{22} & \cdots & A_{2N} \\ \cdots\cdots\cdots\cdots\cdots\cdots & \\ A_{N1} & A_{N2} & \cdots & A_{NN} \end{vmatrix} = 0 \tag{7.10}$$

(132 頁の補足参照) より，まず係数 A_{ij} に含まれている E を決めることが出来る．そして，一旦 E がわかれば係数 A_{ij} も確定されるので連立方程式 (7.9) を解くことができ，c_i も決められるということになる．ゆえに，この作業を近

似抜きで厳密に実行することが可能なら摂動論など不要なのだが，現実はそれほど甘くはない．以下では，「(7.8) 式を厳密に解くことは不可能」と仮定して，それを摂動計算で如何に逐次的に解いていくかを解説する．

3状態系の場合

簡単な例として，$N = 3$，つまり独立な固有状態が三つしかないような系を考える．そんな系は単純すぎて非現実的と批判されるかも知れないが，これは摂動計算の進め方や考え方，そして何よりも具体的な式の扱いに慣れてもらうためである．それならば $N = 2$ の方がもっと簡単と思えるが，ここでは以下でわかるように，系の一部で縮退が起こっている場合も含めて議論することを狙っており，そのためには最少でも $N = 3$ が必要になるのである．[7.1] 一般的な議論はその後で行うことにする．

それでは実際に，(7.8) 式に

$$E = E^{(0)} + \lambda E^{(1)} + \lambda^2 E^{(2)} + \cdots$$
$$c_n = c_n^{(0)} + \lambda c_n^{(1)} + \lambda^2 c_n^{(2)} + \cdots$$

という展開で λ^2 項まで取った式を代入してみよう：

$$(E^{(0)} - E_n^{(0)} + \lambda E^{(1)} + \lambda^2 E^{(2)})(c_n^{(0)} + \lambda c_n^{(1)} + \lambda^2 c_n^{(2)})$$
$$= \lambda \sum_{m=1}^{3} V_{nm}(c_m^{(0)} + \lambda c_m^{(1)}) \tag{7.11}$$

ここで，右辺では全体に λ が掛かっているので，c_m の展開の λ^2 項は落とした．また，式をコンパクトに表すために $V_{nm} \equiv \langle u_n^{(0)} | \hat{V} | u_m^{(0)} \rangle$ と置いた．この式は (7.4) 式と同じく逐次近似計算向きの形をしている．

以下では話をより具体的にするために，「$\hat{H}'$ の影響を完全に無視した時，つまり $\lambda = 0$ と置いた時には $n = 1$ の状態にある系が，$\hat{H}'$ の影響によりどう

[7.1] 複数の独立な状態が，ある演算子に対して同じ固有値を持つ場合，「その固有値は縮退している」或いは「それらの状態は縮退している」と言う．167 頁の付録2「演算子の固有値と固有関数」も参照のこと．

変わるか」を調べることにする. 従って, 第0次近似でのエネルギー固有値は $E^{(0)} = E_1^{(0)}$ である. この条件の下で (7.11) の両辺の λ^0, λ^1, λ^2 の係数がそれぞれ等しいと置くと

$$\lambda^0 \text{項}: \quad (E_1^{(0)} - E_n^{(0)})c_n^{(0)} = 0 \tag{7.12}$$

$$\lambda^1 \text{項}: \quad (E_1^{(0)} - E_n^{(0)})c_n^{(1)} + E^{(1)}c_n^{(0)} = \sum_{m=1}^{3} V_{nm}c_m^{(0)} \tag{7.13}$$

$$\lambda^2 \text{項}: \quad (E_1^{(0)} - E_n^{(0)})c_n^{(2)} + E^{(1)}c_n^{(1)} + E^{(2)}c_n^{(0)} = \sum_{m=1}^{3} V_{nm}c_m^{(1)} \tag{7.14}$$

これを $n = 1, 2, 3$ について陽に書く：

- $n = 1$

$$E^{(1)}c_1^{(0)} = V_{11}c_1^{(0)} + V_{12}c_2^{(0)} + V_{13}c_3^{(0)}$$
$$E^{(1)}c_1^{(1)} + E^{(2)}c_1^{(0)} = V_{11}c_1^{(1)} + V_{12}c_2^{(1)} + V_{13}c_3^{(1)} \tag{7.15}$$

- $n = 2$

$$(E_1^{(0)} - E_2^{(0)})c_2^{(0)} = 0$$
$$(E_1^{(0)} - E_2^{(0)})c_2^{(1)} + E^{(1)}c_2^{(0)} = V_{21}c_1^{(0)} + V_{22}c_2^{(0)} + V_{23}c_3^{(0)}$$
$$(E_1^{(0)} - E_2^{(0)})c_2^{(2)} + E^{(1)}c_2^{(1)} + E^{(2)}c_2^{(0)}$$
$$\qquad = V_{21}c_1^{(1)} + V_{22}c_2^{(1)} + V_{23}c_3^{(1)} \tag{7.16}$$

- $n = 3$

$$(E_1^{(0)} - E_3^{(0)})c_3^{(0)} = 0$$
$$(E_1^{(0)} - E_3^{(0)})c_3^{(1)} + E^{(1)}c_3^{(0)} = V_{31}c_1^{(0)} + V_{32}c_2^{(0)} + V_{33}c_3^{(0)}$$
$$(E_1^{(0)} - E_3^{(0)})c_3^{(2)} + E^{(1)}c_3^{(1)} + E^{(2)}c_3^{(0)}$$
$$\qquad = V_{31}c_1^{(1)} + V_{32}c_2^{(1)} + V_{33}c_3^{(1)} \tag{7.17}$$

これに基づき更に計算を進めるには, 縮退のない場合とある場合に分けなければならない.

7.2 時間を含まない摂動論

3状態系: 縮退のない場合

まず, 三つの状態 $u^{(0)}_{1,2,3}(\boldsymbol{r})$ の間に縮退はない, つまり $E^{(0)}_{1,2,3}$ は全て互いに異なっているとしよう. この時には, $n = 2, 3$ のそれぞれの第1の方程式から $c^{(0)}_{2,3} = 0$ が導かれ, それを $n = 1$ の第1方程式に代入して

$$(E^{(1)} - V_{11})c^{(0)}_1 = 0$$

を得る. ここで, もし $c^{(0)}_1 = 0$ なら第0次近似の波動関数が恒等的に0という事態になり, $\lambda = 0$ の時に系は $n = 1$ 状態にあるという前提に反するので

$$c^{(0)}_1 \neq 0, \qquad E^{(1)} = V_{11} \tag{7.18}$$

でなければならない. 但し, この段階では $c^{(0)}_1$ については, これ以外には何の条件も付かないが, 第0次近似波動関数 $u = c^{(0)}_1 u^{(0)}_1$ が規格化されていることを要求すれば, $\langle u^{(0)}_1 | u^{(0)}_1 \rangle = 1$ より $|c^{(0)}_1| = 1$ となる. 従って, これまでと同様に $c^{(0)}_1$ の位相 $= 0$ ととれば, つまり, $c^{(0)}_1$ は実数とすれば

$$c^{(0)}_1 = 1 \tag{7.19}$$

と結論できる. これで, 第0次近似の係数および固有値への第1次補正がまず決まった:

$$c^{(0)}_1 = 1, \quad c^{(0)}_{2,3} = 0, \quad E^{(1)} = V_{11} \tag{7.20}$$

これを上記 (7.15) の第2式および (7.16)・(7.17) の第2・3式に代入すると

- $n = 1$

$$E^{(2)} = V_{12} c^{(1)}_2 + V_{13} c^{(1)}_3 \tag{7.21}$$

- $n = 2$

$$(E^{(0)}_1 - E^{(0)}_2) c^{(1)}_2 = V_{21}$$

$$(E_1^{(0)} - E_2^{(0)})c_2^{(2)} + E^{(1)}c_2^{(1)} = V_{21}c_1^{(1)} + V_{22}c_2^{(1)} + V_{23}c_3^{(1)} \quad (7.22)$$

● $n = 3$

$$(E_1^{(0)} - E_3^{(0)})c_3^{(1)} = V_{31}$$

$$(E_1^{(0)} - E_3^{(0)})c_3^{(2)} + E^{(1)}c_3^{(1)} = V_{31}c_1^{(1)} + V_{32}c_2^{(1)} + V_{33}c_3^{(1)} \quad (7.23)$$

となって，(7.21) 式および (7.22)・(7.23) それぞれの第 1 式より 固有関数の展開係数の第 1 次補正項 $c_{2,3}^{(1)}$ と固有値への第 2 次補正 $E^{(2)}$ も決まる:

$$c_2^{(1)} = \frac{V_{21}}{E_1^{(0)} - E_2^{(0)}}, \quad c_3^{(1)} = \frac{V_{31}}{E_1^{(0)} - E_3^{(0)}}, \quad E^{(2)} = V_{12}c_2^{(1)} + V_{13}c_3^{(1)} \quad (7.24)$$

ただ，$E^{(1)} = V_{11}$ を (7.15) の第 2 式に代入したことによって $c_1^{(1)}$ についての項は消えてしまったが，この $c_1^{(1)}$ は，第 0 次近似の場合と同様に，波動関数の (λ^1 までの精度での) 規格化条件から決めることが出来る．そして，それを実行してみれば $c_1^{(1)} = 0$ であることがわかる．実際，

$$\langle u|u \rangle = \int dV \, u^*(\boldsymbol{r})u(\boldsymbol{r}) = 1$$

の左辺に

$$u(\boldsymbol{r}) = u_1^{(0)}(\boldsymbol{r}) + \lambda \sum_{i=1}^{3} c_i^{(1)} u_i^{(0)}(\boldsymbol{r})$$

を代入してみると

$$\langle u|u \rangle = \int dV \left[u_1^{(0)*}(\boldsymbol{r}) + \lambda \sum_{i=1}^{3} c_i^{(1)*} u_i^{(0)*}(\boldsymbol{r}) \right] \left[u_1^{(0)}(\boldsymbol{r}) + \lambda \sum_{i=1}^{3} c_i^{(1)} u_i^{(0)}(\boldsymbol{r}) \right]$$

$$= \langle u_1^{(0)} | u_1^{(0)} \rangle + \lambda \sum_{i=1}^{3} \left[c_i^{(1)} \langle u_1^{(0)} | u_i^{(0)} \rangle + c_i^{(1)*} \langle u_i^{(0)} | u_1^{(0)} \rangle \right]$$

ここで右辺第 1 項は $u_1^{(0)}(\boldsymbol{r})$ が規格化されていることより 1，また第 2・第 3 項では $\{u_i^{(0)}(\boldsymbol{r})\}$ の規格直交性より $i = 1$ のみが残り $\lambda(c_1^{(1)} + c_1^{(1)*})$．従って

$$\langle u|u \rangle = 1 + \lambda(c_1^{(1)} + c_1^{(1)*}) = 1 \quad \Longrightarrow \quad c_1^{(1)} + c_1^{(1)*} = 0$$

7.2 時間を含まない摂動論

でなければならないが，$c_1^{(0)}$ の場合と同様に $c_1^{(1)}$ を実数とすれば

$$c_1^{(1)} = 0 \tag{7.25}$$

という訳である．

次に，この $c_1^{(1)} = 0$ を (7.22)・(7.23) それぞれの第 2 式に代入すれば両者は

- $n = 2$

$$c_2^{(2)} = [(V_{22} - E^{(1)})c_2^{(1)} + V_{23}c_3^{(1)}]/(E_1^{(0)} - E_2^{(0)}) \tag{7.26}$$

- $n = 3$

$$c_3^{(2)} = [V_{32}c_2^{(1)} + (V_{33} - E^{(1)})c_3^{(1)}]/(E_1^{(0)} - E_3^{(0)}) \tag{7.27}$$

と書き直されるので，この右辺に $E^{(1)} = V_{11}$ と (7.24) で決まった $c_{2,3}^{(1)}$ を代入することにより $c_{2,3}^{(2)}$ が求まる．ここでも $c_1^{(2)}$ を決めるための直接的な情報はないが，それは，これまで同様この近似での規格化条件から決めることが出来る．

3 状態系：縮退がある場合

それでは，第 0 次近似において状態 1 と 2 が縮退している，つまり $E_1^{(0)} = E_2^{(0)}$ だったら，この計算はどうなるだろうか．この場合には

- $n = 1$

$$E^{(1)}c_1^{(0)} = V_{11}c_1^{(0)} + V_{12}c_2^{(0)} + V_{13}c_3^{(0)}$$
$$E^{(1)}c_1^{(1)} + E^{(2)}c_1^{(0)} = V_{11}c_1^{(1)} + V_{12}c_2^{(1)} + V_{13}c_3^{(1)} \tag{7.28}$$

- $n = 2$

$$E^{(1)}c_2^{(0)} = V_{21}c_1^{(0)} + V_{22}c_2^{(0)} + V_{23}c_3^{(0)}$$
$$E^{(1)}c_2^{(1)} + E^{(2)}c_2^{(0)} = V_{21}c_1^{(1)} + V_{22}c_2^{(1)} + V_{23}c_3^{(1)} \tag{7.29}$$

- $n = 3$

$$(E_1^{(0)} - E_3^{(0)})c_3^{(0)} = 0$$
$$(E_1^{(0)} - E_3^{(0)})c_3^{(1)} + E^{(1)}c_3^{(0)} = V_{31}c_1^{(0)} + V_{32}c_2^{(0)} + V_{33}c_3^{(0)}$$

$$(E_1^{(0)} - E_3^{(0)})c_3^{(2)} + E^{(1)}c_3^{(1)} + E^{(2)}c_3^{(0)}$$
$$= V_{31}c_1^{(1)} + V_{32}c_2^{(1)} + V_{33}c_3^{(1)} \qquad (7.30)$$

が出発点である．まず，$n=3$ の第 1 式より $c_3^{(0)} = 0$ がわかるので，これを用いて

- $n=1$

$$E^{(1)}c_1^{(0)} = V_{11}c_1^{(0)} + V_{12}c_2^{(0)}$$
$$E^{(1)}c_1^{(1)} + E^{(2)}c_1^{(0)} = V_{11}c_1^{(1)} + V_{12}c_2^{(1)} + V_{13}c_3^{(1)} \qquad (7.31)$$

- $n=2$

$$E^{(1)}c_2^{(0)} = V_{21}c_1^{(0)} + V_{22}c_2^{(0)}$$
$$E^{(1)}c_2^{(1)} + E^{(2)}c_2^{(0)} = V_{21}c_1^{(1)} + V_{22}c_2^{(1)} + V_{23}c_3^{(1)} \qquad (7.32)$$

- $n=3$

$$(E_1^{(0)} - E_3^{(0)})c_3^{(1)} = V_{31}c_1^{(0)} + V_{32}c_2^{(0)}$$
$$(E_1^{(0)} - E_3^{(0)})c_3^{(2)} + E^{(1)}c_3^{(1)} = V_{31}c_1^{(1)} + V_{32}c_2^{(1)} + V_{33}c_3^{(1)} \qquad (7.33)$$

ここで，$n=1,2$ のそれぞれの第 1 式に注目しよう．それらを少し書き直せば

$$(V_{11} - E^{(1)})c_1^{(0)} + V_{12}c_2^{(0)} = 0$$
$$V_{21}c_1^{(0)} + (V_{22} - E^{(1)})c_2^{(0)} = 0 \qquad (7.34)$$

となるが，これは第 0 次近似の展開係数 $c_{1,2}^{(0)}$ を決める方程式である．読者は「第 0 次近似の波動関数は決まっているという前提で出発したのに，ここで何故こんな方程式が現れるのか？」と戸惑うかも知れない．しかし，これは間違いではない．実は，この場合には $u_{1,2}^{(0)}(\boldsymbol{r})$ の任意の組み合わせもまた固有値 $E_1^{(0)}(=E_2^{(0)})$ に対する固有関数になれるため，<u>出発点がまだ確定していなかった</u>のである．そこに第 1 次以上の項を取り入れれば，一般には縮退がなくなるので固有関数は確定し，逆にその確定した固有関数の中で λ 項を落とすことで第 0 次固有関

7.2 時間を含まない摂動論

数も決まる．その条件を与えるのが，上記の連立方程式 (7.34) なのである．それが $c_1^{(0)} = c_2^{(0)} = 0$ 以外の解を持つための条件は

$$\begin{vmatrix} V_{11} - E^{(1)} & V_{12} \\ V_{21} & V_{22} - E^{(1)} \end{vmatrix} = 0 \tag{7.35}$$

だから，これから $E^{(1)}$ が決まる．この方程式は，特に摂動論では**永年方程式**と呼ばれている．これは $E^{(1)}$ についての

$$(E^{(1)} - V_{11})(E^{(1)} - V_{22}) = V_{12}V_{21} \tag{7.36}$$

という 2 次方程式なので，一般には異なる二つの解があり，そのそれぞれに対して係数の組 $c_{1,2}^{(0)}$ が求められ，やっと第 0 次固有関数が決定される．もう少し正確に言うなら，それぞれの $E^{(1)}$ に対して (7.34) を通じて $c_{1,2}^{(0)}$ の関係が定まり，それに波動関数の規格化条件を課すことで $c_{1,2}^{(0)}$ 自体が決まるのである．

但し，(7.35) が重解を持つことも有りえ，その場合には，更に λ^2 以上の効果まで取り入れないといけないが，ここでは $c_{1,2}^{(0)}$ が確定するとしよう．そこで決まった二組の $c_{1,2}^{(0)}$ を (7.33) 式（$n = 3$ の式）の第 1 式に代入すると

$$c_3^{(1)} = \frac{V_{31}c_1^{(0)} + V_{32}c_2^{(0)}}{E_1^{(0)} - E_3^{(0)}} \tag{7.37}$$

が決まり，一方 $n = 1, 2$ の第 2 式からは

$$(V_{11} - E^{(1)})c_1^{(1)} + V_{12}c_2^{(1)} = E^{(2)}c_1^{(0)} - V_{13}c_3^{(1)}$$
$$V_{21}c_1^{(1)} + (V_{22} - E^{(1)})c_2^{(1)} = E^{(2)}c_2^{(0)} - V_{23}c_3^{(1)} \tag{7.38}$$

が得られる．この (7.38) の左辺の $c_{1,2}^{(1)}$ の係数は (7.34) 式と全く同じであり，その係数には既に (7.35) という条件が課されたから，右辺に唯一つ残る未定の $E^{(2)}$ も勝手な値を取ることは許されない．つまり，(7.38) の第 1 式に V_{21} を，また第 2 式に $(V_{11} - E^{(1)})$ を掛ければ両者の左辺は (7.36) により等しくなるので，当然右辺同士も一致しなければならない：

$$(E^{(2)}c_1^{(0)} - V_{13}c_3^{(1)})V_{21} = (E^{(2)}c_2^{(0)} - V_{23}c_3^{(1)})(V_{11} - E^{(1)}) \tag{7.39}$$

そして，これから決められた $E^{(2)}$ を用いて改めて (7.38) により $c_{1,2}^{(1)}$ が決まる．これで，エネルギー固有値に対する λ^2 までの補正と固有関数に対する λ^1 補正が確定した．

このように，縮退がある場合には，第0次固有関数を決める条件も必要になるため，縮退がない場合とは異なり，λ^2 まで入れた方程式から出発しても，固有関数は λ^1 の精度でしか決められない．

●●●●●●●●●
数学的補足：永年方程式

次のような連立方程式を考えてみよう：

$$ax + by = 0$$
$$cx + dy = 0$$

この二つの方程式はどちらも原点Oを通る直線を表している（図 7.1）ので，一般には両者が交差するのも原点，ゆえに $x = y = 0$ しか解はないことになる．しかしこれには例外がある．二つの方程式が全く同じ直線を表すなら，$x = y = 0$ に限らずその直線上の全ての点が解となれる．但し，その場合には x, y の値自体は確定せず，単にその関係が定まるだけであるが，ともかくこの例外が実現される条件は2直線の傾きが等しいこと，つまり

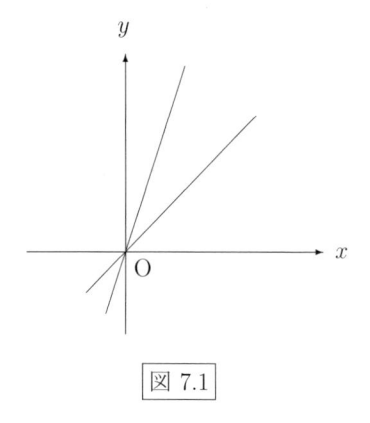

$$a/b = c/d \quad \Longrightarrow \quad ad = bc$$

図 7.1

であり，行列式の形式で表せば

$$\begin{vmatrix} a & b \\ c & d \end{vmatrix} = 0$$

7.2 時間を含まない摂動論

となる．前出の（縮退する２状態に関する）永年方程式 (7.35) は これに対応するものであり，(7.9) と (7.10) の関係はこの一般化である．

次に，上の条件を満たす a, b, c, d を係数とする別の連立方程式

$$ax + by = A$$
$$cx + dy = B$$

を考えてみる．この場合には，A, B の値によっては解が存在しないことも有り得る．つまり，

$$\begin{aligned} 第1式 \times c &\implies acx + bcy = Ac \\ 第2式 \times a &\implies acx + ady = Ba \end{aligned}$$

及び $ad = bc$ より

$$Ac = Ba$$

でなければならないのである．(7.39) 式はこれに対応している．

●●●●●●●●●

一般の系：縮退がない場合

ここまでの計算を一般の場合に拡張しよう．既に，本質的な部分は全て説明されているが，任意の状態数の系に適用できるよう一般公式を与えることは，無意味ではないだろう．

ここでは具体的な条件として，$\lambda \to 0$ の時に $u(\boldsymbol{r}) \to u_l^{(0)}(\boldsymbol{r})$, $E \to E_l^{(0)}$ となるような固有値方程式 (7.6)

$$\hat{H} u(\boldsymbol{r}) = E u(\boldsymbol{r})$$

の解を探す．そこで，

$$E = E_l^{(0)} + \lambda E^{(1)} + \lambda^2 E^{(2)} + \cdots$$
$$c_n = c_n^{(0)} + \lambda c_n^{(1)} + \lambda^2 c_n^{(2)} + \cdots$$

と表し，これらを (7.8) 式に代入する：

$$(E_l^{(0)} - E_n^{(0)} + \lambda E^{(1)} + \lambda^2 E^{(2)} + \cdots)(c_n^{(0)} + \lambda c_n^{(1)} + \lambda^2 c_n^{(2)} + \cdots)$$
$$= \lambda \sum_m \left[V_{nm} c_m^{(0)} + \lambda V_{nm} c_m^{(1)} + \cdots \right]$$

第1次近似として λ の2次以上の項は全て落とすと

$$(E_l^{(0)} - E_n^{(0)}) c_n^{(0)} + \lambda (E_l^{(0)} - E_n^{(0)}) c_n^{(1)} + \lambda E^{(1)} c_n^{(0)}$$
$$= \lambda \sum_m V_{nm} c_m^{(0)}$$

この式の左辺第1項だけが第0次の項なので $(E_l^{(0)} - E_n^{(0)}) c_n^{(0)} = 0$ が得られ，これから第0次波動関数の規格化も考慮して

$$c_n^{(0)} = \delta_{nl} \tag{7.40}$$

残った式にこれを代入し，その両辺を λ で割って

$$(E_l^{(0)} - E_n^{(0)}) c_n^{(1)} + E^{(1)} \delta_{nl} = V_{nl} \tag{7.41}$$

を得る．この式で，$n = l$ とすると

$$E^{(1)} = V_{ll} \tag{7.42}$$

つまり，求めるエネルギー固有値は，λ^2 以上の微小量を無視する近似では

$$E = E_l^{(0)} + \lambda V_{ll} \tag{7.43}$$

である．また，$n \neq l$ と置くと展開係数が

$$c_n^{(1)} = V_{nl} / (E_l^{(0)} - E_n^{(0)}) \tag{7.44}$$

と決まる．

7.2 時間を含まない摂動論

この時，$c_l^{(1)}$ は未定のまま残ってしまうが，これは 3 状態系の場合と全く同様に，第 1 次の補正まで含めた固有関数 $u(\boldsymbol{r})$ の規格化条件から決められる：

$$\langle u|u\rangle = \int dV\, u^*(\boldsymbol{r})u(\boldsymbol{r}) = 1$$

に $u(\boldsymbol{r}) = u_l^{(0)}(\boldsymbol{r}) + \lambda \sum_m c_m^{(1)} u_m^{(0)}(\boldsymbol{r})$ を代入し

$$\begin{aligned}\langle u|u\rangle &= \int dV \left[u_l^{(0)*}(\boldsymbol{r}) + \lambda \sum_m c_m^{(1)*} u_m^{(0)*}(\boldsymbol{r}) \right]\left[u_l^{(0)}(\boldsymbol{r}) + \lambda \sum_m c_m^{(1)} u_m^{(0)}(\boldsymbol{r}) \right] \\ &= \langle u_l^{(0)}|u_l^{(0)}\rangle + \lambda \sum_m \left[c_m^{(1)}\langle u_l^{(0)}|u_m^{(0)}\rangle + c_m^{(1)*}\langle u_m^{(0)}|u_l^{(0)}\rangle \right] = 1\end{aligned}$$

ここで $\{u_m^{(0)}(\boldsymbol{r})\}$ の規格直交性 $\langle u_l^{(0)}|u_l^{(0)}\rangle = 1$，$\langle u_l^{(0)}|u_m^{(0)}\rangle = \langle u_m^{(0)}|u_l^{(0)}\rangle = \delta_{lm}$ を用いて

$$\lambda(c_l^{(1)} + c_l^{(1)*}) = 0$$

を得るが，これまでと同じ理由で，これは実質的に

$$c_l^{(1)} = 0 \tag{7.45}$$

を意味する．これで，すべての係数 $c_m^{(1)}$ が決まった，つまり $u_l^{(0)}(\boldsymbol{r})$ への第 1 次の補正項が確定したことになる．

問題 7.2 第 3 章の問題 3.1 で確かめたように，井戸型ポテンシャル

$$V(x) = +\infty \;(x < 0,\, x > a),\; = 0 \;(0 \leq x \leq +a)$$

の中で運動する粒子のエネルギー固有値と固有関数は

$$E_n = \frac{n^2\pi^2\hbar^2}{2ma^2}, \quad u_n(x) = \sqrt{\frac{2}{a}}\sin\frac{n\pi}{a}x \quad (n = 1, 2, 3, \cdots)$$

で与えられる．この系に $\hat{H}' = \lambda x$ という摂動が加わったとして，その場合に E_n と u_n が受ける補正を

$$E_n \;\to\; E_n + \Delta E_n, \quad u_n(x) \;\to\; u_n(x) + \Delta u_n(x)$$

と表せば，これらの補正項は，第 1 次近似では

$$\Delta E_n = \frac{1}{2}\lambda a, \quad \Delta u_n(x) = \lambda \sum_{k(\neq n)} \frac{8ma^3\left[1-(-1)^{k+n}\right]kn}{\pi^4\hbar^2(k^2-n^2)^3}\sqrt{\frac{2}{a}}\sin\left(\frac{k\pi}{a}x\right)$$

となることを示せ．

λ についての第 2 次, 第 3 次, ⋯ の補正の一般公式も同様の手続きで求めていくことが出来る. これが摂動論の基本的な枠組みである. これは大変強力な近似計算法だが, 7.1 節末でも述べたように残念ながら万能ではない. 相互作用の影響が大きい, つまり $|\lambda|$ が小さくない時には, λ のみを残して λ^2 以上は落とすなどという操作は無意味なものとなるからである. また, $|\lambda|$ は小さくても, $|\lambda E^{(1)}| \ll |E^{(0)}|$ が満たされないと近似は悪くなるし, 同様に, $c_n^{(1)}$ を与える式の分母の絶対値 $|E_l^{(0)} - E_n^{(0)}|$ が偶然的に分子よりもずっと小さかったりすると $|\lambda c_n^{(1)}| \ll 1$ が成立せず, やはり精度は落ちる. 従って, この近似の有効性は

$$|\lambda V_{ll}| \ll |E_l^{(0)}|, \qquad |\lambda V_{nl}| \ll |E_l^{(0)} - E_n^{(0)}| \tag{7.46}$$

が成り立つかどうかにも依存することになる.

一般の系: 縮退がある場合

上記の計算の中で, 展開係数 $c_n^{(1)}$ $(n \neq l)$ は

$$(E_l^{(0)} - E_n^{(0)})c_n^{(1)} = V_{nl}$$

から求められたが, もし第 l 状態と第 n 状態が縮退しているなら $E_l^{(0)} - E_n^{(0)} = 0$ となるため, もはやこの式は使えない. ここでは, より一般的に第 n_1 状態から第 n_k 状態までが (k 重に) 縮退しているとしてみよう. 従って, $u_i^{(0)}(\boldsymbol{r})(i = n_1 \sim n_k)$ の任意の線形結合もまた同じエネルギー固有値に属する固有関数である. そこで, 第 0 次近似の波動関数を, $u_l^{(0)}(\boldsymbol{r})$ ではなく

$$u_0(\boldsymbol{r}) = \sum_{i=n_1}^{n_k} c_i^{(0)} u_i^{(0)}(\boldsymbol{r}) \tag{7.47}$$

と, またそれらの共通のエネルギー固有値を $E^{(0)}$ と表すことにする.

摂動計算の出発点 (7.8) 式

$$(E - E_n^{(0)})c_n = \lambda \sum_m V_{nm} c_m$$

7.2 時間を含まない摂動論

に $c_n = c_n^{(0)} + \lambda c_n^{(1)} + \cdots$, $E = E^{(0)} + \lambda E^{(1)} + \cdots$ を代入すると, $n = n_i (i = 1 \sim k)$ なら λ の 1 次の項

$$E^{(1)} c_{n_i}^{(0)} = \sum_m V_{n_i m} c_m^{(0)}$$

が, また, $n \neq n_i$ なら λ の 0 次の項

$$(E^{(0)} - E_n^{(0)}) c_n^{(0)} = 0$$

が最初の（最低次の）方程式となる．後者からは (7.47) の要求でもある $c_n^{(0)} = 0 \, (n \neq n_i)$ が直ちに得られるから，それを前者に代入して

$$E^{(1)} c_{n_i}^{(0)} = \sum_{j=1}^k V_{n_i n_j} c_{n_j}^{(0)} \tag{7.48}$$

を得る．この方程式の未知数は $E^{(1)}$ 及び $c_{n_1}^{(0)}, \cdots, c_{n_k}^{(0)}$ であり，従って，これは，エネルギー固有値への第 1 次補正と，縮退のため任意性のあった第 0 次固有関数を決める方程式である．これは

$$\sum_{j=1}^k (V_{n_i n_j} - \delta_{n_i n_j} E^{(1)}) c_{n_j}^{(0)} = 0 \tag{7.49}$$

と書き直せばわかるように, $c_{n_1}^{(0)}, \cdots, c_{n_k}^{(0)}$ についての同次方程式であるから，この連立方程式が意味のある解 ($c_{n_1}^{(0)} = \cdots = c_{n_k}^{(0)} = 0$ 以外の解）を持つ条件は

$$|V_{n_i n_j} - \delta_{n_i n_j} E^{(1)}| = 0 \tag{7.50}$$

或いは，より具体的に書いて

$$\begin{vmatrix} V_{n_1 n_1} - E^{(1)} & V_{n_1 n_2} & \cdots & V_{n_1 n_k} \\ V_{n_2 n_1} & V_{n_2 n_2} - E^{(1)} & \cdots & V_{n_2 n_k} \\ \cdots\cdots\cdots\cdots\cdots\cdots\cdots\cdots\cdots\cdots\cdots\cdots\cdots\cdots \\ V_{n_k n_1} & V_{n_k n_2} & \cdots & V_{n_k n_k} - E^{(1)} \end{vmatrix} = 0 \tag{7.51}$$

になる．これが，この場合の永年方程式であり，かつ一般的に表した永年方程式でもある．これは $E^{(1)}$ についての k 次方程式なので，そこには k 個の解 $E_{1,2,\cdots,k}^{(1)}$ が存在する．そして，そのそれぞれの解を用いて上記の $c_{n_j}^{(0)}$ に対する

連立方程式 (7.49) を解き，その結果を対応する固有関数の規格化条件と組み合わせれば，独立な係数の組 $\{c_{n_1}^{(0)}, \cdots, c_{n_k}^{(0)}\}$ が k セット求まるという訳である．

以下，より高次の補正項についての公式も同様に導いていくことが出来るが，その作業は読者に任せることにしよう．

7.3 時間を含む摂動論

摂動 $\hat{H}'$ が時間と共に変化するような場合には，時間に依存するシュレディンガー方程式から出発しなければならない．すなわち，必要な作業は

$$i\hbar\frac{\partial}{\partial t}\psi(\boldsymbol{r},t) = (\hat{H}_0 + \lambda\hat{V})\psi(\boldsymbol{r},t) \tag{7.52}$$

を摂動論の手法で解くことである．

これまで同様 $\hat{H}_0$ の全ての固有値 $E_n^{(0)}$ と固有関数 $u_n^{(0)}(\boldsymbol{r})$ ($n=1,2,3,\cdots$) は既知，従って，$\lambda = 0$ の時の方程式

$$i\hbar\frac{\partial}{\partial t}\psi(\boldsymbol{r},t) = \hat{H}_0\psi(\boldsymbol{r},t) \tag{7.53}$$

の，対応する解 $\psi(\boldsymbol{r},t) = \psi_n^{(0)}(\boldsymbol{r},t) = u_n^{(0)}(\boldsymbol{r})e^{-iE_n^{(0)}t/\hbar}$ もわかっているとして，求める (7.52) の解を $\{\psi_n^{(0)}(\boldsymbol{r},t)\}$ による展開

$$\psi(\boldsymbol{r},t) = \sum_m c_m(t)\psi_m^{(0)}(\boldsymbol{r},t) \tag{7.54}$$

の形で表そう．但し，簡単のため縮退はないものとする．これを (7.52) 式に代入すると

$$i\hbar\sum_m\Bigl[\frac{d}{dt}c_m(t)\Bigr]\psi_m^{(0)}(\boldsymbol{r},t) = \lambda\sum_m c_m(t)\hat{V}\psi_m^{(0)}(\boldsymbol{r},t)$$

が残るので，この両辺に左から $\psi_n^{(0)*}(\boldsymbol{r},t)$ を掛けて $\boldsymbol{r}$ について積分する．そこで左辺において $\{\psi_n^{(0)}(\boldsymbol{r},t)\}$ の規格直交性 $\langle\psi_n^{(0)}(t)|\psi_m^{(0)}(t)\rangle = \delta_{nm}$ を使うと

$$\frac{d}{dt}c_n(t) = -\frac{i\lambda}{\hbar}\sum_m c_m(t)\langle\psi_n^{(0)}(t)|\hat{V}|\psi_m^{(0)}(t)\rangle \tag{7.55}$$

7.3 時間を含む摂動論

という展開係数についての微分方程式が得られる.

ここで, 具体的に 相互作用は時刻 $t = 0$ から働き始めるという前提で, $\lambda \to 0$ の時 $\psi(\boldsymbol{r}, t) \to \psi_l^{(0)}(\boldsymbol{r}, t)$ となる解を求めてみよう. この条件より $\psi(\boldsymbol{r}, 0) = \psi_l^{(0)}(\boldsymbol{r}, 0)$, つまり $c_n(0) = \delta_{nl}$ だから, 上記の $c_m(t)$ についての微分方程式 (7.55) を時刻 0 から t まで積分すると

$$c_n(t) = \delta_{nl} - \frac{i\lambda}{\hbar} \int_0^t dt \sum_m c_m(t) \langle \psi_n^{(0)}(t) | \hat{V} | \psi_m^{(0)}(t) \rangle \tag{7.56}$$

という積分方程式になる. これも逐次近似計算に適した形をしている. まず, 第 0 次近似として $\lambda = 0$ と置くと

$$c_n(t) = \delta_{nl} \tag{7.57}$$

となる. これは, 摂動＝0 なら同じ状態が続くという当然の結果を表している. 次に, これを積分方程式の右辺の $c_m(t)$ に代入する. すると, 今度は λ の 1 次までの解が

$$c_n(t) = \delta_{nl} - \frac{i\lambda}{\hbar} \int_0^t dt \, \langle \psi_n^{(0)}(t) | \hat{V} | \psi_l^{(0)}(t) \rangle \tag{7.58}$$

と定まる. これを, 更に もとの積分方程式の右辺に代入すれば λ^2 までの係数が得られる … という訳である. $\psi_n^{(0)}(\boldsymbol{r}, t)$ の時間依存性は

$$\psi_n^{(0)}(\boldsymbol{r}, t) = u_n^{(0)}(\boldsymbol{r}) e^{-iE_n^{(0)}t/\hbar}$$

とわかっているので, 上の式は

$$c_n(t) = \delta_{nl} - \frac{i\lambda}{\hbar} \int_0^t dt \, e^{i\omega_{nl}t} \langle u_n^{(0)} | \hat{V} | u_l^{(0)} \rangle \tag{7.59}$$

($\omega_{nl} \equiv (E_n^{(0)} - E_l^{(0)})/\hbar$) とも表される.

問題 7.3 前節の問題と同じく, 無限に深い井戸型ポテンシャル

$$V(x) = +\infty \ (x < 0, \ x > a), \ = 0 \ (0 \leq x \leq +a)$$

で記述される系に

$$\hat{H}' = \lambda \, x \, e^{i\omega t}$$

という時間に依存する摂動が加わった場合の影響を第 1 次近似で調べよ.

時刻 0 以降 系に一定の電場や磁場をかけるというような状況では，摂動 $\hat{H}'$ の時間依存性は，$\hat{H}' = 0\ (t < 0)$, $\hat{H}' = $ 一定 $(t \geq 0)$ という単純なものとなる．そのような場合には (7.59) の右辺の積分も簡単に実行でき，

- $n \neq l$ の場合

$$c_n(t) = -\frac{i\lambda}{\hbar} V_{nl} \int_0^t dt\, e^{i\omega_{nl}t} = \frac{1 - e^{i\omega_{nl}t}}{\hbar \omega_{nl}} \lambda V_{nl}$$

- $n = l$ の場合

$$c_n(t) = 1 - \frac{i\lambda}{\hbar} V_{ll} \int_0^t dt = 1 - \frac{i\lambda}{\hbar} V_{ll} t$$

となるので，時刻 t における系の波動関数が

$$\psi(\boldsymbol{r}, t) = \left(1 - \frac{i\lambda}{\hbar} V_{ll} t\right) \psi_l^{(0)}(\boldsymbol{r}, t) + \lambda \sum_{n \neq l} \frac{1 - e^{i\omega_{nl}t}}{\hbar \omega_{nl}} V_{nl} \psi_n^{(0)}(\boldsymbol{r}, t) \tag{7.60}$$

と求められる．重ね合せの原理を思い出せば，ここで状態が $\psi_{n(\neq l)}^{(0)}$ に見出される確率は

$$\left|\frac{1 - e^{i\omega_{nl}t}}{\hbar \omega_{nl}} \lambda V_{nl}\right|^2 = \left|\frac{\lambda V_{nl}}{\hbar \omega_{nl}}\right|^2 |1 - e^{i\omega_{nl}t}|^2 = \left|\frac{\lambda V_{nl}}{\hbar \omega_{nl}}\right|^2 |e^{i\omega_{nl}t/2}(e^{-i\omega_{nl}t/2} - e^{i\omega_{nl}t/2})|^2$$

$$= \left|\frac{\lambda V_{nl}}{\hbar \omega_{nl}}\right|^2 \underbrace{|e^{i\omega_{nl}t/2}|^2}_{1} \underbrace{|e^{-i\omega_{nl}t/2} - e^{i\omega_{nl}t/2}|^2}_{-2i\sin(\omega_{nl}t/2)} = \frac{4|\lambda V_{nl}|^2}{(E_n^{(0)} - E_l^{(0)})^2} \sin^2 \frac{(E_n^{(0)} - E_l^{(0)})t}{2\hbar}$$

である．$t < 0$ では状態は $\psi_l^{(0)}$ にあったのだから，これは，時刻 0 から系に加わった摂動 $\hat{H}'$ により t 秒間に $\psi_l^{(0)} \to \psi_n^{(0)}$ という遷移が起こる確率 (**遷移確率**) $P_{l \to n}(t)$ を表している：

$$P_{l \to n}(t) = \frac{4|\lambda V_{nl}|^2}{(E_n^{(0)} - E_l^{(0)})^2} \sin^2 \frac{(E_n^{(0)} - E_l^{(0)})t}{2\hbar} \tag{7.61}$$

問題 7.4 (7.60) の $\psi(\boldsymbol{r}, t)$ は，λ^2 を無視する近似では $\langle \psi(t) | \psi(t) \rangle = 1$ と規格化されていることを確かめよ．

t が十分に大きい時には，上の遷移確率 $P_{l \to n}(t)$ は t に比例する形になる．実際，証明は省くが

$$\lim_{t \to +\infty} \frac{\sin^2 xt}{\pi x^2 t} = \delta(x)$$

7.3 時間を含む摂動論

というデルタ関数の公式があるので，これを用いて

$$P_{l \to n}(t) = \frac{2\pi}{\hbar}|\lambda V_{nl}|^2 \delta(E_n^{(0)} - E_l^{(0)})t$$

となる．大きさ一定であっても相互作用が働き続ければ，それだけ変化は起きやすくなるのだから，$P_{l \to n}(t)$ が t に比例するのは自然な結果と言える．また，デルタ関数 $\delta(E_n^{(0)} - E_l^{(0)})$ の存在がエネルギー保存を保証している．更に，これを用いて**単位時間当りの遷移確率** $w_{l \to n} = P_{l \to n}(t)/t$ も導入できる：

$$w_{l \to n} = \frac{2\pi}{\hbar}|\lambda V_{nl}|^2 \delta(E_n^{(0)} - E_l^{(0)}) \tag{7.62}$$

この公式は**フェルミの黄金律**という名で知られている．

　2個の電子あるいはその他の素粒子の衝突（散乱）現象の記述には，ここで述べた手法が必要となる．衝突する粒子がまだ遠く離れている時（始状態）には，両者ともに相互作用＝０のシュレディンガー方程式で記述されるが，お互いが近づくにつれて力が働き始め，そして衝突が起こり，その後 粒子（新しい粒子が生成される場合もある）は遠く飛び去り，再び相互作用のない方程式で記述される状態（終状態）に落ち着くという訳である（図 7.2）．実際の実験で詳しく測定されるのは，この，終状態に落ち着いた粒子（群）である．

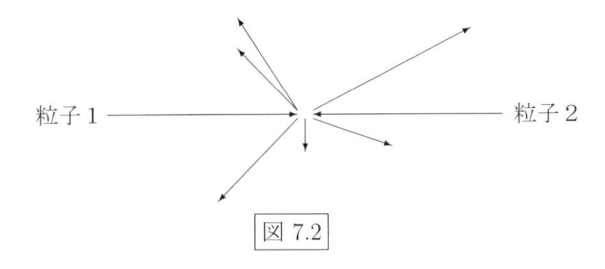

粒子 1 ────→　　←──── 粒子 2

図 7.2

8. スピン角運動量と多粒子系

ここまでは，量子力学の基本的構成の理解を目指して，主に1粒子系を扱ってきた．しかし，現実問題としては，調べる対象が1個の粒子だけから成るということはまず有り得ない．水素原子の次に簡単な構造を持つヘリウム原子でさえ，原子核を別としても2電子系である．このような多粒子系を扱う際には，個々の粒子が持つスピンという量も重要な役割を果たすことがわかっている．

8.1 スピン角運動量

量子力学においては，電子や光子は広がりを持たない数学的な点として扱われる．これは，古典力学における質点の概念と同じものである．いくら小さいからと言って，体積0の「数学的な点」というのは非現実的だと思われるかも知れないが，実際に有限の大きさを持つ粒子に関して，相対論と矛盾のない理論を構成するのは非常に難しいので，通常は点として扱われているのである．よって，このような場合には自転などという運動（自由度）は考えようがない．そして，自転という回転運動がないのなら，それに伴う角運動量もないということになる．

ところが，原子スペクトルなどにおいて，電子が固有の角運動量を持つと考えないと理解できない現象が見つかってきた．電子は，原子内では回転運動に伴う軌道角運動量 $\boldsymbol{l} = \boldsymbol{r} \times \boldsymbol{p}$ を持つが，それとは全く別に しかし性質は角運動量という量も持つ，というのである．しかも，どうもその大きさは $\hbar/2$ であるらしい．従って，もしこの量にも通常の角運動量の理論が適用できるなら，そ

8.1 スピン角運動量

の z 成分（の固有値）は $+\hbar/2$ と $-\hbar/2$ ということになる．これが事実なら，例えば電子同士の散乱実験などでも，その角運動量成分がプラス同士，プラスとマイナス，マイナス同士という組み合わせでは結果は異なるだろう．そして，実際に多くの実験を通じて，この予想が正しいことがわかってきた．また，同様に光子も固有の角運動量を持ち，その大きさは $\hbar$ であることも知られるようになった．この，電子や光子のような量子力学に従う粒子に付随する固有の角運動量は，現在では**スピン角運動量**，或いは簡単に**スピン**と名付けられており，また，その z 成分を $\hbar$ で割った量は**スピン量子数**と呼ばれている．

この新しい物理量はどのように定式化できるだろうか？軌道角運動量は既に古典力学にも存在した量なので，その定義の中で $p \to \hat{p} = -i\hbar\nabla$ という置き換えをすることにより導入できた．しかし，このスピン角運動量（以後スピンと略記）は古典力学の中に対応物を持っていないので，この方法を真似るのは不可能である．そこで，既に確立された軌道角運動量の量子力学的取り扱いが参考にされる：スピン演算子を $\hat{s}$ として，これを交換関係

$$\hat{s} \times \hat{s} = i\hbar\hat{s} \tag{8.1}$$

に従う量として定義するのである．

以下，原子構造を議論する上で特に重要な電子の場合に焦点を絞って話を進める．$\sigma_1 = \hbar/2$, $\sigma_2 = -\hbar/2$ という二つの値のみをとるスピン変数（スピン座標）σ 及びスピンの情報を担うスピン波動関数 $v(\sigma)$ を導入しよう．通常の規格化された波動関数と同じように考えれば，粒子が $\sigma = \sigma_{1,2}$ の状態に見出される確率はそれぞれ $|v(\sigma_{1,2})|^2$ で与えられ，[♯8.1] その規格化条件は

$$\sum_{i=1}^{2} |v(\sigma_i)|^2 = |v(\sigma_1)|^2 + |v(\sigma_2)|^2 = 1 \tag{8.2}$$

となる（以後，これは満たされているとする）．特に，$\sigma = \sigma_1$, $\sigma = \sigma_2$ と確定している状態の波動関数をそれぞれ $\alpha(\sigma), \beta(\sigma)$ とする．この二つの関数が

[♯8.1] この場合，スピン変数は離散的なので，扱う量は「確率密度」ではなく「確率」である．

$$\alpha(\sigma_1) = 1, \quad \alpha(\sigma_2) = 0 \quad \text{及び} \quad \beta(\sigma_1) = 0, \quad \beta(\sigma_2) = 1 \tag{8.3}$$

という性質を持つことは，その定義から明らかだろう．

このように導入された電子スピン波動関数は，σ が二つの値しかとらないことから，2成分の行列形式で表すことが出来る．まず，$v(\sigma)$ を

$$v = \begin{pmatrix} v(\sigma_1) \\ v(\sigma_2) \end{pmatrix} \tag{8.4}$$

と表す．すると，$\alpha(\sigma), \beta(\sigma)$ は (8.3) より

$$\alpha = \begin{pmatrix} \alpha(\sigma_1) \\ \alpha(\sigma_2) \end{pmatrix} = \begin{pmatrix} 1 \\ 0 \end{pmatrix}, \qquad \beta = \begin{pmatrix} \beta(\sigma_1) \\ \beta(\sigma_2) \end{pmatrix} = \begin{pmatrix} 0 \\ 1 \end{pmatrix} \tag{8.5}$$

となり，これより v は次のように α, β の組み合わせで書けるようになる:

$$v = \begin{pmatrix} v(\sigma_1) \\ v(\sigma_2) \end{pmatrix} = v(\sigma_1) \begin{pmatrix} 1 \\ 0 \end{pmatrix} + v(\sigma_2) \begin{pmatrix} 0 \\ 1 \end{pmatrix} = v(\sigma_1)\alpha + v(\sigma_2)\beta \tag{8.6}$$

つまり，α, β による v の展開である．また，行列のエルミート共役の定義（行・列の転置＋全要素の複素共役）に従い $v^\dagger = (v^*(\sigma_1),\ v^*(\sigma_2))$ であることを用いれば，規格化条件 $\sum_i |v(\sigma_i)|^2 = 1$ は

$$v^\dagger v = 1 \tag{8.7}$$

と簡単に表される．

一方，スピン演算子 $\hat{s}$ は，当然のことながらスピン波動関数に作用するものだから，スピン波動関数が上記のように2成分の形式（これは2成分の**スピノル**と呼ばれる）なら，スピン演算子は2行2列の行列で表現される．通常は

$$\hat{s} = \frac{1}{2}\hbar\boldsymbol{\sigma} \qquad \text{つまり} \qquad \hat{s}_{x,y,z} = \frac{1}{2}\hbar\sigma_{x,y,z} \tag{8.8}$$

により2行2列の行列 $\sigma_{x,y,z}$ を導入し，これを用いてスピンが表現される．$\hat{s}$ の従う交換関係 (8.1) より，この $\boldsymbol{\sigma}$ は

$$\boldsymbol{\sigma} \times \boldsymbol{\sigma} = 2i\boldsymbol{\sigma}$$

或いは成分で表して

8.1 スピン角運動量

$$[\sigma_x,\,\sigma_y] = 2i\sigma_z, \quad [\sigma_y,\,\sigma_z] = 2i\sigma_x, \quad [\sigma_z,\,\sigma_x] = 2i\sigma_y \tag{8.9}$$

という関係を満たさなければならない.

さて,ここからは,軌道角運動量と同様に $\hat{\boldsymbol{s}}^2$ 及び $\hat{s}_z$ の固有状態を考える. この場合,α,β が,それぞれ $\hat{s}_z$ の固有値 $=\pm\hbar/2$ の状態を表すことになる:

$$\hat{s}_z\alpha = \frac{1}{2}\hbar\sigma_z\alpha = +\frac{1}{2}\hbar\alpha, \quad \hat{s}_z\beta = \frac{1}{2}\hbar\sigma_z\beta = -\frac{1}{2}\hbar\beta \tag{8.10}$$

従って,σ_z は

$$\sigma_z\begin{pmatrix}1\\0\end{pmatrix} = +\begin{pmatrix}1\\0\end{pmatrix}, \quad \sigma_z\begin{pmatrix}0\\1\end{pmatrix} = -\begin{pmatrix}0\\1\end{pmatrix}$$

を満たさなければならない. これより

$$\sigma_z = \begin{pmatrix}+1 & 0\\0 & -1\end{pmatrix} \tag{8.11}$$

である. すると,$\sigma_{x,y}$ も交換関係 (8.9) から

$$\sigma_x = \begin{pmatrix}0 & +1\\+1 & 0\end{pmatrix}, \quad \sigma_y = \begin{pmatrix}0 & -i\\+i & 0\end{pmatrix} \tag{8.12}$$

と決まる. この三つの行列 $\sigma_{x,y,z}$ は,量子力学や場の量子論に頻繁に登場する重要な量で,**パウリ行列**と呼ばれる.

問題 8.1 (8.11), (8.12) で与えた $\sigma_{x,y,z}$ が実際に交換関係 (8.9) を満たすことを確かめよ.

このパウリ行列を用いて $\hat{\boldsymbol{s}}^2$ を表現すれば

$$\hat{\boldsymbol{s}}^2 = \hat{s}_x^2 + \hat{s}_y^2 + \hat{s}_z^2 = \frac{1}{4}\hbar^2(\sigma_x^2+\sigma_y^2+\sigma_z^2) = \frac{3}{4}\hbar^2\begin{pmatrix}1 & 0\\0 & 1\end{pmatrix}$$

となる. これより

$$\hat{\boldsymbol{s}}^2\alpha = \frac{3}{4}\hbar^2\alpha, \quad \hat{\boldsymbol{s}}^2\beta = \frac{3}{4}\hbar^2\beta \tag{8.13}$$

となり,$3/4 = 1/2\times(1/2+1)$ だから,確かにスピンの大きさは $\hbar/2$ であることが保証されている.

最後に，スピンも含めた電子の波動関数は

$$\psi(\boldsymbol{r},t,\sigma) = \psi(\boldsymbol{r},t)v(\sigma) \tag{8.14}$$

で，また規格化条件は

$$\sum_\sigma \int dV \, |\psi(\boldsymbol{r},t,\sigma)|^2 = 1 \tag{8.15}$$

で与えられることになる．前章までのように，特にスピンについて記されていない波動関数が現れた場合には，それはスピン変数について平均をとったものと理解すればよい．

8.2 粒子の同等性と多粒子系

冒頭でも述べたように，量子力学においてスピンが特に重要な役割を果たすのは，原子内電子の系のような多粒子系である．そして，そこでは**同一粒子の同等性**という量子力学特有の効果も現れる．我々の（古典物理学的な）感覚からすれば，2個の同種粒子はいくら「同種」だからと言っても原理的にはいつでも区別がつくはずなのに，電子のような量子力学的粒子は，原理的・本質的に区別不可能というのである．例えば，2個の電子を二つの箱のそれぞれに1個ずつ入れる操作を考えてみる．我々の常識ではこの入れ方には二通りある．しかし，奇妙なことに，このように考えて量子の統計を議論すると間違った答えが出てしまう．両者は本質的に区別がつかないのだから，場合の数は，単に両方の箱に電子が1個ずつで一通りというのが，正しく実際の現象を説明する答えになるという訳である．

このことは，多粒子系の波動関数にも強い影響を与える．例として，状態1, 2に粒子が1個ずつ存在する系を考えよう．簡単のため，時間変数は省略し，空間座標変数 $\boldsymbol{r}$ 及びスピン座標変数 σ をまとめて ξ で表して，全体系の波動関数を

$$\psi(\xi_1,\xi_2)$$

8.2 粒子の同等性と多粒子系

と書くことにする.この時,もしこの二つの粒子が同種のものであるなら,上記の事実により両者は全く区別できないのだから,<u>ξ_1 と ξ_2 を入れ換えた関数 $\psi(\xi_2, \xi_1)$ も同じ状態を記述する</u>ことになる.従って,$\psi(\xi_1, \xi_2)$ と $\psi(\xi_2, \xi_1)$ は互いに独立ではなく

$$\psi(\xi_2, \xi_1) = C\,\psi(\xi_1, \xi_2) \tag{8.16}$$

(C は定数)でなければならない.これより $\xi_{1,2}$ の交換を続けて行えば

$$\psi(\xi_1, \xi_2) = C\,\psi(\xi_2, \xi_1) = C^2\,\psi(\xi_1, \xi_2) \implies C^2 = 1 \implies C = \pm 1$$

つまり

$$\psi(\xi_2, \xi_1) = +\psi(\xi_1, \xi_2) \quad \text{または} \quad \psi(\xi_2, \xi_1) = -\psi(\xi_1, \xi_2) \tag{8.17}$$

と結論される.この全体の波動関数は,粒子間の相互作用を無視できる時には,$C = \pm 1$ に対応し 1 粒子波動関数からそれぞれ

$$\psi(\xi_1, \xi_2) = \frac{1}{\sqrt{2}}\left[\,\psi_1(\xi_1)\psi_2(\xi_2) \pm \psi_2(\xi_1)\psi_1(\xi_2)\,\right] \tag{8.18}$$

と構成される.ここで,右辺の係数 $1/\sqrt{2}$ は,全体が規格化されるように決められている.但し,ψ_1 と ψ_2 は直交しているものとする.

問題 8.2 $\psi_{1,2}(\xi)$ が両方とも規格化されており,かつ互いに直交するなら,上記の $\psi(\xi_1, \xi_2)$ も規格化されていることを確認せよ.

全く同様に,3 個以上の系になっても全体の波動関数は,個々の入れ換え(1 対の交換)の下で,常に $C = \pm 1$ に応じて定まった符号を出すように構成されなければならない.具体的には n 粒子系の波動関数は $C = +1$ の場合には

$$\psi(\xi_1, \xi_2, \cdots, \xi_n) = \frac{1}{\sqrt{n!}} \sum_P \psi_{p(1)}(\xi_1)\psi_{p(2)}(\xi_2)\cdots\psi_{p(n)}(\xi_n) \tag{8.19}$$

また,$C = -1$ の場合には

$$\psi(\xi_1, \xi_2, \cdots, \xi_n) = \frac{1}{\sqrt{n!}} \sum_P (-1)^P \psi_{p(1)}(\xi_1)\psi_{p(2)}(\xi_2)\cdots\psi_{p(n)}(\xi_n) \tag{8.20}$$

で与えられる．但し，ここで $\{p(1), p(2), \cdots, p(n)\}$ は $\{1, 2, \cdots, n\}$ の ある並べ替え (P) であり，$\sum_P$ はこのような並べ替え全体に亙る和を表している．また，後者における $(-1)^P$ は，P が $\{1, 2, \cdots, n\}$ から偶数個の対の入れ換え（偶置換）で得られるなら $+1$，奇数個の対の入れ換え（奇置換）でなら -1 となる記号を意味する．例えば $n = 3$ の場合には，可能な $\{p(1), p(2), p(3)\}$ としては $\{1, 2, 3\}$, $\{1, 3, 2\}$, $\{2, 1, 3\}$, $\{2, 3, 1\}$, $\{3, 1, 2\}$, $\{3, 2, 1\}$ があり，これに対応して $(-1)^P$ はそれぞれ $+1$, -1, -1, $+1$, $+1$, -1 である（下の問題参照）．更に，(8.20) においては，その右辺から係数 $1/\sqrt{n!}$ を除いた部分は，行列

$$\begin{pmatrix} \psi_1(\xi_1) & \psi_1(\xi_2) & \cdots & \psi_1(\xi_n) \\ \psi_2(\xi_1) & \psi_2(\xi_2) & \cdots & \psi_2(\xi_n) \\ \cdots\cdots\cdots\cdots\cdots\cdots\cdots\cdots \\ \psi_n(\xi_1) & \psi_n(\xi_2) & \cdots & \psi_n(\xi_n) \end{pmatrix}$$

の行列式の定義そのものである．従って，$C = -1$ の波動関数は

$$\psi(\xi_1, \xi_2, \cdots, \xi_n) = \frac{1}{\sqrt{n!}} \begin{vmatrix} \psi_1(\xi_1) & \psi_1(\xi_2) & \cdots & \psi_1(\xi_n) \\ \psi_2(\xi_1) & \psi_2(\xi_2) & \cdots & \psi_2(\xi_n) \\ \cdots\cdots\cdots\cdots\cdots\cdots\cdots\cdots \\ \psi_n(\xi_1) & \psi_n(\xi_2) & \cdots & \psi_n(\xi_n) \end{vmatrix} \qquad (8.21)$$

と表すことも出来る．このように表現すれば，行列式の基本的性質から，どのような奇数回の粒子対の入れ換えに対してもマイナス符号が出ることは明らかとなる．この便利な式は**スレーター行列式**と名付けられている．

問題 8.3 (8.19) 式，(8.20) 式は $n = 3$ の場合には，それぞれ

$$\psi(\xi_1, \xi_2, \xi_3) = \frac{1}{\sqrt{6}} \big[\psi_1(\xi_1)\psi_2(\xi_2)\psi_3(\xi_3) + \psi_1(\xi_1)\psi_3(\xi_2)\psi_2(\xi_3) \\ + \psi_2(\xi_1)\psi_1(\xi_2)\psi_3(\xi_3) + \psi_2(\xi_1)\psi_3(\xi_2)\psi_1(\xi_3) \\ + \psi_3(\xi_1)\psi_1(\xi_2)\psi_2(\xi_3) + \psi_3(\xi_1)\psi_2(\xi_2)\psi_1(\xi_3) \big]$$

$$\psi(\xi_1, \xi_2, \xi_3) = \frac{1}{\sqrt{6}} \big[\psi_1(\xi_1)\psi_2(\xi_2)\psi_3(\xi_3) - \psi_1(\xi_1)\psi_3(\xi_2)\psi_2(\xi_3) \\ - \psi_2(\xi_1)\psi_1(\xi_2)\psi_3(\xi_3) + \psi_2(\xi_1)\psi_3(\xi_2)\psi_1(\xi_3) \\ + \psi_3(\xi_1)\psi_1(\xi_2)\psi_2(\xi_3) - \psi_3(\xi_1)\psi_2(\xi_2)\psi_1(\xi_3) \big]$$

となることを確認せよ．

8.2 粒子の同等性と多粒子系

実際の入れ換えに対してどちらの符号となるかは，粒子の種類によって異なり，電子の場合にはマイナス（反対称的），光子の場合にはプラス（対称的）でなければならないことが知られている．[‡8.2] これは，量子力学の枠内では経験的な事実として扱わざるを得ないが，相対論的な場の量子論においては，それぞれが従う運動方程式から必然的に導かれる性質である．電子のように交換に対して反対称的な粒子は**フェルミ–ディラック統計**（略してフェルミ統計）に従う粒子，**フェルミオン**，或いは**フェルミ粒子**などと呼ばれる．一方，対称的な振る舞いをする粒子は**ボース–アインシュタイン統計**（ボース統計）に従う粒子，**ボース粒子**，または**ボソン**と呼ばれている．

電子のようなフェルミ粒子には，この波動関数の反対称性によって極めて重要な性質が付与される：2 電子系の場合の

$$\psi(\xi_1, \xi_2) = \frac{1}{\sqrt{2}} [\, \psi_1(\xi_1)\psi_2(\xi_2) - \psi_2(\xi_1)\psi_1(\xi_2) \,]$$

を例にとろう．ここで 1 と 2 が同じ状態ならば全体の波動関数は自動的に 0 になってしまう．これは 3 個以上の系でも全く同じで，要するに，<u>2 個以上のフェルミ粒子は，同じ状態に同時に存在することは許されない</u>のである．これは**パウリの排他原理**または**排他律**という名で知られている．

<u>この性質のお陰で原子内の各軌道には限られた個数の電子しか入り込むことが出来ず，そのことが，実に様々な性質の元素の存在を可能にしている</u>．例えば 6.3 節で説明したように，$1s$ 軌道は，$n = 1$（主量子数）かつ $l = 0$（方位量子数＝軌道角運動量の大きさ）で定まる，エネルギーが最も低い状態である．ここには，スピンの z 成分が $+\hbar/2$ と $-\hbar/2$ の電子が 1 個ずつ存在できる．しかし，ここにもう一つ電子を追加しようとしても，それは必ず既に存在する電子のどちらかと同じ状態になってしまうために許されない．このため，この 3 番目の電子は $n = 2$ の軌道に入らざるを得ないことになる．もし，仮に電子が

[‡8.2] スピン角運動量の大きさが $\hbar$ の整数倍の粒子はプラス，半整数倍の粒子はマイナスという対応がある．量子力学にもよく登場する粒子のスピンに関しては，光子の場合は $s = \hbar$，電子，陽子，中性子の場合は $s = \hbar/2$ であることがわかっている．

ボース粒子だったら，基底状態では何個の電子であろうと全て一番内側の $1s$ 軌道に入れるので，どの元素も化学的には似通った個性のないものになってしまうだろう．

♠♠ ちょっと息抜き： 量子論と相対論 ♠♠

　量子論と相対論はどっちが難しいのだろうか？ これから物理を勉強していこうという学生諸君には気になる比較かも知れない．しかしながら，あっさりと冷たく言い切ってしまうなら，こんな問いには大した意味はない．例えば「イタリア料理と中華料理はどっちが旨いか」と比較して大真面目に議論したところで，当然のことながら，答えは本人の好みや料理人の腕に依存して変わるのと同じだから（ちなみに，こういう例え話をする場合，普通は「フランス料理」と「中華料理」を持ち出すようだけど，私はイタリアンの方が好きなので…）．ただ，初学者には，一般に量子論の方が難しく見える のかも知れない．何故かと言うと，堂々と「相対論は間違っている」と宣ふアマチュアの（アンチ）相対論ファンは時々いるけど，「量子論は間違っている」と真面目に主張する「量子論ファン」にはあまりお目にかからないから．確かに，相対論，特に特殊相対論の導入部分を見ると，ややこしい式より一見 簡単に理解できそうな図などが示されることが多いので，そこで全てわかった気になり，その自分が納得できない部分が現れたら，直ちに「間違っている」という結論になってしまうのかも知れない．一方，量子論の方は，新書などの解説書を除けば，式ばかりという感じだから，敬遠されてしまってファンになるどころの話ではないのかも．しかし，少し慣れれば，むしろ多くを数式的に理解していける方が楽という気もする．いずれにせよ，量子論・相対論の両方が現代物理学の基礎であることは言うまでもない．更に，高エネルギー素粒子反応を扱う素粒子物理学では，特殊相対論と量子論を融合させた「相対論的量子力学」或いは「相対論的場の量子論」が不可欠な道具となっている．

♣♣♣♣

付録1 量子力学のための数学

ここでは，量子力学の入門コースを学ぶ際に必要となる数学の基本的事項を整理し，簡潔にまとめておく．但し，以下の項目を全て理解しても，中・上級レベルの量子力学のための数学としては十分ではないので，余裕のある読者は，積極的に より詳しいテキストにも取り組んで欲しい．

A1.1 複素数

運動量やエネルギーのように，実験や観測の結果に直接現れる量は当然実数で与えられなければならないが，計算の中間段階では，古典物理学でも複素数がしばしば便利な道具として用いられる．ましてや量子力学においては，系の情報を担う波動関数が一般には複素数となるため，その知識は不可欠である．

● 虚数単位

$x^2 = -1$ の解の一つを i と書き，**虚数単位**と呼ぶ．この時，もう一つの解は $x = -i$ である．$i = \sqrt{-1}$ と書くこともあるが，これに対して $\sqrt{a} \times \sqrt{b} = \sqrt{ab}$ という公式を適用してはならない．この公式が成立するのは a, b が共に負でない場合だけである．これを無視して a や b が負の場合にも使うと，$1 = \sqrt{1} = \sqrt{(-1) \times (-1)} = \sqrt{-1} \times \sqrt{-1} = i^2 = -1$ などという結果が出てしまう．

● 複素数

a, b を任意の実数として，

$$z = a + bi \tag{A.1}$$

という形の数を**複素数**(複数の要素から成る数)と呼ぶ．この z の中で，a をその**実部**，b をその**虚部**と言い，それぞれ $\mathrm{Re}\, z$, $\mathrm{Im}\, z$ と書き表す：

$$a = \mathrm{Re}\, z, \qquad b = \mathrm{Im}\, z \tag{A.2}$$

これに対して $a - bi$ を z の**複素共役**と言い，z^* で表す．この時 $(z^*)^* = z$ である

ことは明らかだろう．また，$z = 0$ とは $a = b = 0$ のことであり，$z_1 = a_1 + b_1 i$，$z_2 = a_2 + b_2 i$ に対して $z_1 = z_2$ は「$a_1 = a_2$ **かつ** $b_1 = b_2$」を意味する．

複素数の足し算・引き算については

$$(a_1 + b_1 i) \pm (a_2 + b_2 i) = (a_1 \pm a_2) + (b_1 \pm b_2)i \tag{A.3}$$

のように実部同士，虚部同士をそれぞれ足したり引いたりする．従って，

$$a = \operatorname{Re} z = \frac{z + z^*}{2}, \qquad b = \operatorname{Im} z = \frac{z - z^*}{2i} \tag{A.4}$$

である．

問題 A.1 上の (A.4) 式を確かめよ．

掛け算については，多項式の掛け算のように進めればよい．但し，i^2 が出てきたら -1 で置き換えることは言うまでもない．

$$\begin{aligned}(a_1 + b_1 i)(a_2 + b_2 i) &= a_1 a_2 + a_1 b_2 i + a_2 b_1 i + b_1 b_2 i^2 \\ &= (a_1 a_2 - b_1 b_2) + (a_1 b_2 + a_2 b_1)i\end{aligned} \tag{A.5}$$

また，割り算については

$$(a_1 + b_1 i) \div (a_2 + b_2 i) = (a_1 + b_1 i) \times \frac{1}{a_2 + b_2 i}$$

として

$$\frac{1}{a_2 + b_2 i} = \frac{a_2 - b_2 i}{(a_2 + b_2 i)(a_2 - b_2 i)} = \frac{a_2 - b_2 i}{a_2^2 + b_2^2} = \frac{a_2}{a_2^2 + b_2^2} - \frac{b_2}{a_2^2 + b_2^2} i \tag{A.6}$$

と変形することにより掛け算に直せる．

- **複素数の極形式**

複素数は，実部を x 座標，虚部を y 座標として 2 次元平面（**複素平面**）上の点で表すことが出来る（図 A.1）．

付録1 量子力学のための数学

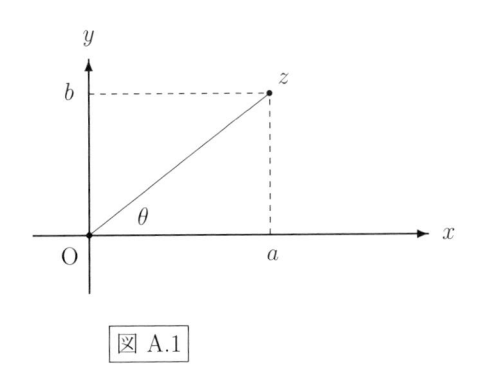

この時，この平面上で原点 O から z までの距離 $r\,(=\sqrt{a^2+b^2})$ を z の**絶対値**と言い，$|z|$ と表す．

$$zz^* = (a+b\,i)(a-b\,i) = a^2+b^2 \tag{A.7}$$

であるから

$$|z| = \sqrt{zz^*} \tag{A.8}$$

また，線分 Oz が x 軸となす角 θ（x 軸から測る）を z の**偏角**と言い，$\arg z$ と書く．図より明らかなように $\tan(\arg z)(=\tan\theta) = b/a$ である．

複素数は，その実部と虚部を指定すれば決定されるが，その替りに絶対値と偏角を指定してもよい．$a = r\cos\theta$, $b = r\sin\theta$ だから，r と θ を用いれば

$$z = r(\cos\theta + i\sin\theta) \tag{A.9}$$

と表せる．絶対値と偏角によるこのような表現を複素数の**極形式**（または**極表示**）と言う．

● オイラーの公式

上記 (A.9) 右辺の $\cos\theta + i\sin\theta$ という組み合わせは，自然対数の底 e を用いて

$$e^{i\theta} = \cos\theta + i\sin\theta \tag{A.10}$$

と表すことが出来る．これを**オイラーの公式**と言う．実際，テイラー展開

$$e^x = 1 + x + \frac{1}{2!}x^2 + \frac{1}{3!}x^3 + \cdots$$

$$\sin x = x - \frac{1}{3!}x^3 + \frac{1}{5!}x^5 - \cdots$$

$$\cos x = 1 - \frac{1}{2!}x^2 + \frac{1}{4!}x^4 - \cdots$$

を利用すると

$$e^{i\theta} = 1 + i\theta + \frac{1}{2!}(i\theta)^2 + \frac{1}{3!}(i\theta)^3 + \frac{1}{4!}(i\theta)^4 + \frac{1}{5!}(i\theta)^5 + \cdots$$
$$= 1 + i\theta - \frac{1}{2!}\theta^2 - \frac{1}{3!}i\theta^3 + \frac{1}{4!}\theta^4 + \frac{1}{5!}i\theta^5 - \cdots$$
$$= \left(1 - \frac{1}{2!}\theta^2 + \frac{1}{4!}\theta^4 - \cdots\right) + i\left(\theta - \frac{1}{3!}\theta^3 + \frac{1}{5!}\theta^5 - \cdots\right)$$
$$= \cos\theta + i\sin\theta$$

となる．これより，一般の複素数 $z = a + bi$ は

$$z = a + bi = re^{i\theta} \tag{A.11}$$

$$(\, r = \sqrt{a^2 + b^2},\ \tan\theta = b/a\,)$$

と表せる．この表現を使えば，直ちに複素数の積や商の絶対値と偏角が

$$r_1 e^{i\theta_1} \times r_2 e^{i\theta_2} \div r_3 e^{i\theta_3} = (r_1 r_2 / r_3) e^{i(\theta_1 + \theta_2 - \theta_3)} \tag{A.12}$$

と計算される．

- 三角関数の加法定理

オイラーの公式を用いると，三角関数の加法定理も次のように簡単に導出することが出来る：

$$e^{i\theta_1} e^{i\theta_2} = (\cos\theta_1 + i\sin\theta_1)(\cos\theta_2 + i\sin\theta_2)$$

において

$$\text{左辺} = e^{i(\theta_1 + \theta_2)} = \cos(\theta_1 + \theta_2) + i\sin(\theta_1 + \theta_2)$$

$$\text{右辺} = (\cos\theta_1\cos\theta_2 - \sin\theta_1\sin\theta_2) + i(\sin\theta_1\cos\theta_2 + \cos\theta_1\sin\theta_2)$$

付録1 量子力学のための数学　　　　　　　　　　　　　　　　　　　　155

であるから，両辺の実部同士および虚部同士を それぞれ比較することによって

$$\cos(\theta_1 + \theta_2) = \cos\theta_1\cos\theta_2 - \sin\theta_1\sin\theta_2 \tag{A.13}$$

$$\sin(\theta_1 + \theta_2) = \sin\theta_1\cos\theta_2 + \cos\theta_1\sin\theta_2 \tag{A.14}$$

問題 A.2　次の複素数を極形式で表せ（但し，n は任意の整数）．
(1) $1+i$　　(2) $1-i$　　(3) $1+\sqrt{3}i$　　(4) $\sqrt{3}+i$　　(5) $(1+i)^n$
(6) $(1+i)^n + (1-i)^n$

A1.2 微積分

　微分積分は単に数学の一分野というだけでなく，物理学を始めとする自然科学全般において，極めて重要な役割を果たしている．もちろん量子力学の理解のためにも必要不可欠である．

● 微分の定義

　関数 $y = f(x)$ において極限

$$\lim_{h \to 0}[\,f(a+h) - f(a)\,]/h$$

が存在する時，その関数は点 $x = a$ で**微分可能**であると言う．その極限値は $f(x)$ の $x = a$ における**微分係数**と呼ばれ $f'(a)$, $\left.\dfrac{d}{dx}f(x)\right|_{x=a}$ 或いは $\left.\dfrac{dy}{dx}\right|_{x=a}$ などと表される：

$$f'(a) \equiv \lim_{h \to 0}\frac{f(a+h) - f(a)}{h} \tag{A.15}$$

また，任意の x について上の極限をとったものを $f(x)$ の**導関数**と呼び，$f'(x)$, y', $\dfrac{d}{dx}f(x)$ 或いは $\dfrac{dy}{dx}$ などと表す：

$$f'(x) \equiv \lim_{h \to 0}\frac{f(x+h) - f(x)}{h} \tag{A.16}$$

$f(x)$ の導関数を求めることを，$f(x)$ を**微分する**とも言う．

● 積分の定義

1) 不定積分

関数 $y = f(x)$ に対して，$F'(x) = f(x)$ となるような関数 $F(x)$ を $f(x)$ の**原始関数**と名付ける．定数は微分すれば 0 になるから，$F(x)$ が $f(x)$ の原始関数なら $F(x) + C$ （C: 任意の定数）もまた原始関数である．この任意定数も含めた原始関数全体を $f(x)$ の**不定積分**と言い，$\int dx\, f(x)$ と表す．つまり

$$\int dx\, f(x) = F(x) + C \iff f(x) = F'(x) \tag{A.17}$$

この関係の中で，第 1 式左辺の $f(x)$ は**被積分関数**，x は**積分変数**，右辺の C は**積分定数**と呼ばれる．また，単に「$f(x)$ を（x で）**積分する**」と言う場合は，この不定積分を求めることを意味する．

2) 定積分

まず，関数 $y = f(x)$ と直線 $x = a$, $x = b$ 及び x 軸で囲まれた部分の面積 S について考える（図 A.2）．

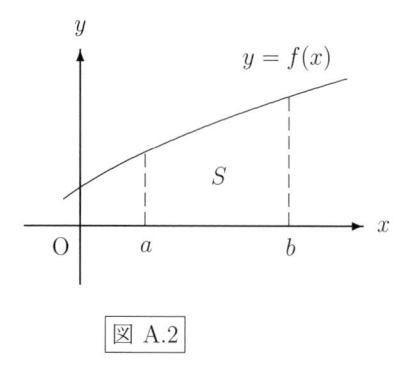

図 A.2

$a \leq x \leq b$ の区間を Δx という間隔で細かく分割し，第 i 番目の領域を「幅 Δx, 高さ $f(x_i)$ の長方形」（x_i は，この微小区間上の どこか一つの点の x 座標）と見なせば，近似的に

$$S \simeq \sum_i f(x_i) \Delta x$$

付録 1 量子力学のための数学

である．そこで，この分割を無限に細かくしていけば S が正確に計算できることになる：

$$S = \lim_{\Delta x \to 0} \sum_i f(x_i) \Delta x$$

この右辺が，関数 $f(x)$ の（$x=a$ から $x=b$ までの）**定積分**であり，

$$\int_a^b dx\, f(x)$$

と表される．ここでも $f(x)$ は被積分関数，x は積分変数と，また，a は**積分の下限**，b は**積分の上限**と呼ばれる．なお，定積分の場合，その値は被積分関数の形と a, b だけで決まるから，積分変数としてどういう文字を使うかは結果に無関係である．例えば，x の替りに z と書いても t と書いても構わない．

この"面積"という意味を考えれば，次の関係が成り立つのは明らかだろう：

$$\int_a^b dx\, f(x) - \int_a^c dx\, f(x) = \int_c^b dx\, f(x), \qquad \int_a^a dx\, f(x) = 0 \tag{A.18}$$

ここで，$g(x) = \int_a^x dx'\, f(x')$ と置いてみよう（積分上限の x と区別するために積分変数を x' と書き換えた）．この $g(x)$ を微分すると，上の第 1 の等式より

$$\begin{aligned}
g'(x) &= \lim_{h \to 0} \frac{g(x+h) - g(x)}{h} \\
&= \lim_{h \to 0} \frac{1}{h} \Big[\int_a^{x+h} dx'\, f(x') - \int_a^x dx'\, f(x') \Big] \\
&= \lim_{h \to 0} \frac{1}{h} \int_x^{x+h} dx'\, f(x')
\end{aligned}$$

h は微小量だから，再び定積分の面積としての意味を考えれば

$$\int_x^{x+h} dx'\, f(x') \simeq f(x) h$$

であり $h \to 0$ の極限では両辺は厳密に等しくなるので

$$g'(x) = f(x)$$

つまり，

$$g(x) = F(x) + C$$

但し，(A.18) 第 2 の関係より $g(a) = \int_a^a dx' \, f(x') = 0$ だから

$$C = -F(a)$$

である：

$$\int_a^x dx' \, f(x') = F(x) - F(a) \tag{A.19}$$

これより（積分変数を $x' \to x$ と戻して）$f(x)$ の a から b までの定積分は

$$\int_a^b dx \, f(x) = F(b) - F(a) \tag{A.20}$$

$$\left(= \left[F(x) \right]_a^b \text{ 或いは } F(x)|_a^b \text{ と表す} \right)$$

と計算できることになる．

● 微分公式

1) 一般公式

$$\begin{aligned}
f(x) &= x^n & &\to & f'(x) &= nx^{n-1} \\
f(x) &= \ln(ax+b) & &\to & f'(x) &= a/(ax+b) \\
f(x) &= e^{ax} & &\to & f'(x) &= ae^{ax} \\
f(x) &= \sin(ax) & &\to & f'(x) &= a\cos(ax) \\
f(x) &= \cos(ax) & &\to & f'(x) &= -a\sin(ax) \\
f(x) &= a^x & &\to & f'(x) &= a^x \ln a
\end{aligned} \tag{A.21}$$

ここで，a, b, n は x さえ含まなければ変数（例えば時間変数 t）でも構わない．

2) 積の微分

複数の関数，例えば $f(x), g(x)$ の積の微分は

$$\frac{d}{dx}\left[f(x)g(x) \right] = f'(x)g(x) + f(x)g'(x) \tag{A.22}$$

で与えられる．3 個以上の関数の積も同様．

3) 合成関数の微分

y が x の関数で，更に x が t の関数なら y は t の関数であるが，この時

$$\frac{dy}{dt} = \frac{dy}{dx}\frac{dx}{dt} \tag{A.23}$$

付録 1　量子力学のための数学

が成立する．また，ここで特に $t = y$ とすれば

$$\frac{dy}{dy} = 1 = \frac{dy}{dx}\frac{dx}{dy} \quad \Longrightarrow \quad \frac{dx}{dy} = \Bigl(\frac{dy}{dx}\Bigr)^{-1} \tag{A.24}$$

という関係が得られる．

● 積分公式

1) 一般公式

$$\begin{aligned}
\int dx\, x^n &= \frac{1}{n+1}x^{n+1} + C \\
\int dx\, \frac{1}{ax+b} &= \frac{1}{a}\ln(ax+b) + C \\
\int dx\, e^{ax} &= \frac{1}{a}e^{ax} + C \\
\int dx\, \sin(ax) &= -\frac{1}{a}\cos(ax) + C \\
\int dx\, \cos(ax) &= \frac{1}{a}\sin(ax) + C
\end{aligned} \tag{A.25}$$

但し，ここでは勿論 $a \neq 0$ である．

2) 部分積分

　積の微分 (A.22) を利用すれば，以下の部分積分の公式が得られる：

$$\int dx\, f'(x)g(x) = f(x)g(x) - \int dx\, f(x)g'(x) \tag{A.26}$$

これは，対数を含む積分などでその威力を発揮する：

$$\begin{aligned}
\int dx\, x^n \ln x &= \int dx\, \frac{d}{dx}\Bigl(\frac{x^{n+1}}{n+1}\Bigr)\ln x \\
&= \frac{1}{n+1}x^{n+1}\ln x - \frac{1}{n+1}\int dx\, x^{n+1}\frac{d}{dx}\ln x \\
&= \frac{1}{n+1}x^{n+1}\ln x - \frac{1}{n+1}\int dx\, x^{n+1}\frac{1}{x} \\
&= \frac{1}{n+1}x^{n+1}\ln x - \frac{1}{n+1}\int dx\, x^n \\
&= \frac{1}{n+1}x^{n+1}\ln x - \frac{1}{(n+1)^2}x^{n+1} + C
\end{aligned} \tag{A.27}$$

3) 置換積分

積分変数を $x = x(t)$ と置き換えて，$\int dx\, f(x)$ を t についての積分計算として求めることも出来る：

$$\int dx\, f(x) = \int dt\, f(x(t))\Big(\frac{dx}{dt}\Big) \tag{A.28}$$

例えば

$$I = \int dx\, \sin^n x \cos x$$

において $x = \arcsin\theta$（つまり $\theta = \sin x$）と置けば

$$\int dx\, \sin^n x \cos x = \int d\theta\, \theta^n \cos x \Big(\frac{dx}{d\theta}\Big)$$

ここで $d\theta/dx = \cos x$ より $dx/d\theta = 1/\cos x$．従って，

$$I = \int d\theta\, \theta^n = \frac{1}{n+1}\theta^{n+1} + C = \frac{1}{n+1}\sin^{n+1} x + C \tag{A.29}$$

となる．

A1.3 微分方程式

物理学の基本法則は，しばしば微分方程式の形で表される．ゆえに，"どんな微分方程式でも解ける"という実力があれば理想的のように思えるが，実際には，そんな力を身につけるのは数学者でも無理だろうし，また，物理学を学ぶ上ではその必要もない．物理学に現れる多くの微分方程式には一定のパターンがあるので，それらについての知識があれば，少なくとも基本事項を学ぶ場合には大丈夫だろう．

- 微分方程式の解

まず初めに「微分方程式の解」の意味を確認しておこう．例として

$$x^2 + 2x + 1 = 0$$

付録1 量子力学のための数学　　　　　　　　　　　　　　　　161

という普通の（微分方程式ではない）方程式を取り上げよう．この方程式の解は $x = -1$ だが，この場合の「解」の意味は「$x = -1$ の場合にのみ両辺が等しくなる」ということである．これに対して

$$dy/dx = 2x$$

という微分方程式の解が $y = x^2$ (+積分定数) であるというのは，「この関数を上の微分方程式に代入した場合には，任意の x の値に対して両辺が等しくなる」ということを意味する．例えば $y = 2x$ を左辺に代入すれば上式は $2 = 2x$ となり，$x = 1$ の場合には両辺はやはり等しくなる．しかし，それ以外の x に対しては等号は成立しない．このようなものは微分方程式の解とは言わない．

基本事項

「ある関数 $y = f(x)$ が，考えている微分方程式の解である」という意味は，<u>これをその微分方程式に代入した場合，（許される）任意の変数の値に対して等号が成立すること，つまり恒等式になること</u>である．

● 変数分離型微分方程式

　では，一般的な話から始めよう．基本的かつ代表的なものとして，**変数分離型**と呼ばれる次のタイプを考える：

$$\frac{dy}{dx} = F(x)G(y) \tag{A.30}$$

解法の定石は

$$\frac{dy}{G(y)} = F(x)dx$$

と書き直して，両辺を積分することである：

$$\int \frac{dy}{G(y)} = \int dx\, F(x) \tag{A.31}$$

但し，これは「(dy/dx) は全体で一つの記号であり，dy と dx から成る分数などではない」という高校での教えに大いに反するように見えるが，実際には

$$\frac{dy}{dx} = F(x)G(y) \implies \frac{1}{G(y)}\frac{dy}{dx} = F(x)$$

$$\implies \text{(両辺を } x \text{ で積分)} \implies \int dx \frac{1}{G(y)} \frac{dy}{dx} = \int dx\, F(x)$$

（置換積分の公式より）　左辺 $= \int dy \frac{1}{G(y)} \implies \int \frac{dy}{G(y)} = \int dx\, F(x)$

という計算を簡単に表現したに過ぎないので心配は要らない．

問題 A.3 次の微分方程式を解け（但し，a は任意の定数）．

(1) $\dfrac{dy}{dx} = 2ax,\quad$ (2) $\dfrac{dy}{dx} = x(1-y),\quad$ (3) $\dfrac{dy}{dx} = 1 - y^2,\quad$ (4) $\dfrac{dy}{dx} = \dfrac{y}{x}$

● 量子力学の中の微分方程式

次に，量子力学に現れる微分方程式に焦点を絞って考える．量子力学では，その基本方程式であるシュレディンガー方程式が 2 階の微分方程式であるため

$$\frac{d^2 y}{dx^2} = F(x, y) \tag{A.32}$$

という方程式が現れる．但し，ここで x は空間座標だけを意味する訳ではなく，時間変数でもそれ以外の変数であってもよいことは勿論である．

この方程式自身は必ずしも簡単には解けないが，例えば位置エネルギーが定数であるような場合には，解くべき式は

$$\frac{d^2 y}{dx^2} = ay \tag{A.33}$$

という形になり，その一般解は直ちに書き下せる．$c_{1,2}, c, \cdots$ を任意定数として
(1) $a > 0$ の場合

$$y = c_1 e^{\sqrt{a} x} + c_2 e^{-\sqrt{a} x} \tag{A.34}$$

(2) $a < 0$ の場合

$$y = c_1 e^{i\sqrt{|a|} x} + c_2 e^{-i\sqrt{|a|} x} \tag{A.35}$$

これは，オイラーの公式を思い出し係数 $c_{1,2}$ を適当に組み替えることにより

$$y = c'_1 \sin(\sqrt{|a|} x) + c'_2 \cos(\sqrt{|a|} x) \tag{A.36}$$

付録1 量子力学のための数学　　163

とも
$$y = c_1'' \sin(\sqrt{|a|}x + c_2'') \quad \text{或いは} \quad c_1''' \cos(\sqrt{|a|}x + c_2''') \tag{A.37}$$
とも書ける．

(3) $a = 0$ の場合
$$y = c_1 x + c_2 \tag{A.38}$$

また，時間を含むシュレディンガー方程式を変数分離して変形する時に
$$\frac{dy}{dx} = ay \tag{A.39}$$
という1階の方程式も現れる．この一般解は，$a \neq 0$ なら a の符号に関係なく
$$y = c\,e^{ax} \tag{A.40}$$
$a = 0$ なら
$$y = c' (= \text{定数}) \tag{A.41}$$
である．

A1.4 偏微分とベクトル解析

　高校数学で扱われる関数はほとんど全てが1変数だが，物理学においてはむしろ複数の変数が同時に現れる方が普通である．このような関数の時間・空間的変化を調べる場合には偏微分の概念が必要になる．ここでは，この偏微分とそれに関連の深いベクトル解析の基本事項をまとめる．

● 偏微分と全微分

　例として，3次元空間内の点 P=(x, y, z) での温度 T を考えよう．この T は当然 x, y, z の関数
$$T = T(x, y, z)$$
である．更に言えば，同じ点の温度も時間が経てば変わるから，T は時間 t の関数でも有り得る．この場合に T を微分せよと言われても，1変数関数しか知

らない者にはどうしていいかわからない．そこで**偏微分**という新しい演算が登場する．

と言っても，普通の微分がわかっている者にとっては，これは難しくはない．例えば，上の T を x について偏微分するというのは，y と z は定数と思って x で微分することを意味し，それを

$$\frac{\partial T}{\partial x}$$

と書く（<u>デル</u> <u>ティー</u> <u>デル</u> <u>エックス</u>と読む）．つまり，x についての偏微分というのは，y や z は動かさず，x だけを僅かに変化させた時に，T の値がどう変化するかを見るものである：

$$\frac{\partial T}{\partial x} = \lim_{\Delta x \to 0} \frac{1}{\Delta x}\big[\, T(x+\Delta x, y, z) - T(x, y, z)\,\big] \tag{A.42}$$

例：$T = x + y + z$ の場合

$$\frac{\partial T}{\partial x} = \frac{\partial T}{\partial y} = \frac{\partial T}{\partial z} = 1$$

$T = xy^2 z + x$ の場合

$$\frac{\partial T}{\partial x} = y^2 z + 1\,, \quad \frac{\partial T}{\partial y} = 2xyz\,, \quad \frac{\partial T}{\partial z} = xy^2$$

$T = xyz + z^3$ の場合

$$\frac{\partial T}{\partial x} = yz\,, \quad \frac{\partial T}{\partial y} = xz\,, \quad \frac{\partial T}{\partial z} = xy + 3z^2$$

では，x, y, z 全部の値を僅かに（但し独立に）変化させた時に T の値がどう変化するのかを見たい場合は，どうすればいいのだろうか．これに応えるのが**全微分** dT である．これの定義は

$$dT = \lim_{\Delta x, \Delta y, \Delta z \to 0} \big[\, T(x+\Delta x, y+\Delta y, z+\Delta z) - T(x, y, z)\,\big] \tag{A.43}$$

付録1 量子力学のための数学　　　　　　　　　　　　　　　　　　　165

だが，普通はもっと簡単に $dT = T(x+dx, y+dy, z+dz) - T(x,y,z)$ とも書かれる．

T の全微分は T の偏微分から次のように計算できる：

$$\begin{aligned}
dT &= T(x+dx, y+dy, z+dz) - T(x,y,z) \\
&= T(x+dx, y+dy, z+dz) - T(x, y+dy, z+dz) \\
&\quad + T(x, y+dy, z+dz) - T(x, y, z+dz) \\
&\quad + T(x, y, z+dz) - T(x, y, z) \\
&= \frac{1}{dx}\Big[T(x+dx, y+dy, z+dz) - T(x, y+dy, z+dz)\Big]dx \\
&\quad + \frac{1}{dy}\Big[T(x, y+dy, z+dz) - T(x, y, z+dz)\Big]dy \\
&\quad + \frac{1}{dz}\Big[T(x, y, z+dz) - T(x, y, z)\Big]dz \\
&= \Big(\frac{\partial T}{\partial x}\Big)dx + \Big(\frac{\partial T}{\partial y}\Big)dy + \Big(\frac{\partial T}{\partial z}\Big)dz
\end{aligned}$$

この公式

$$dT = \Big(\frac{\partial T}{\partial x}\Big)dx + \Big(\frac{\partial T}{\partial y}\Big)dy + \Big(\frac{\partial T}{\partial z}\Big)dz \tag{A.44}$$

は，物理学全般において非常に重要である．

例：$T = xy^2z^3$ の場合

$$\begin{aligned}
dT &= \Big(\frac{\partial T}{\partial x}\Big)dx + \Big(\frac{\partial T}{\partial y}\Big)dy + \Big(\frac{\partial T}{\partial z}\Big)dz \\
&= y^2z^3 dx + 2xyz^3 dy + 3xy^2z^2 dz
\end{aligned}$$

● ベクトル解析

上の全微分の式 (A.44) は，$(\partial T/\partial x, \partial T/\partial y, \partial T/\partial z)$ というベクトルと $d\boldsymbol{r} = (dx, dy, dz)$ というベクトルの内積と見なすことが出来る．このうち，前者は T の**勾配**と呼ばれ，grad T と表される：

$$\text{grad } T \equiv \Big(\frac{\partial T}{\partial x}, \frac{\partial T}{\partial y}, \frac{\partial T}{\partial z}\Big) \tag{A.45}$$

$$dT = (\operatorname{grad} T)\, d\boldsymbol{r} \tag{A.46}$$

なお,「grad」は「グラディエント」と読む.[注A.1]

例: $T = x + xy^2 + z^3$ の場合

$$\operatorname{grad} T = (1 + y^2,\, 2xy,\, 3z^2)$$

　ベクトルが関係する微分量としては,上記の勾配の他に「**発散**」,「**回転**」が物理学の中に頻繁に現れる.但し,勾配とは異なり,両者ともにベクトル型の関数を微分するものである.まず,発散は div (ダイヴァージェンス) という記号で表され,$\boldsymbol{f} = (f_x, f_y, f_z)$ というベクトル (関数) に対して

$$\operatorname{div} \boldsymbol{f} \equiv \frac{\partial}{\partial x} f_x + \frac{\partial}{\partial y} f_y + \frac{\partial}{\partial z} f_z \tag{A.47}$$

と定義される.電磁気学では,電荷密度とそれが生み出す電場の関係を表す際などに用いられる.量子力学でも第4章で扱う確率保存則に顔を出す.一方,回転は rot (ローテーション) と表され,

$$\operatorname{rot} \boldsymbol{f} \equiv \left(\frac{\partial f_z}{\partial y} - \frac{\partial f_y}{\partial z},\ \frac{\partial f_x}{\partial z} - \frac{\partial f_z}{\partial x},\ \frac{\partial f_y}{\partial x} - \frac{\partial f_x}{\partial y} \right) \tag{A.48}$$

で定義される.本書では使われていないが,電磁気学では,時間変動する電場・磁場が生み出す磁場・電場を記述するのに不可欠な演算を表す.その定義からわかるように,

　勾配: 　スカラー量から生まれるベクトル量
　発散: 　ベクトル量から生まれるスカラー量
　回転: 　ベクトル量から生まれるベクトル量

である.

[注A.1] 1変数の場合,df/dx は曲線 $y = f(x)$ の (点 x における) 接線の傾き (変化の大きさ,勾配) を表すが,この考えを3次元の場合に拡張したのが $\operatorname{grad} T$ である.この量は,やはり T の (x, y, z) 点での変化の大きさを表す.

ここまでに与えた三つの量は，すべて**ナブラ**という名の演算記号

$$\nabla \equiv \Big(\frac{\partial}{\partial x}, \frac{\partial}{\partial y}, \frac{\partial}{\partial z}\Big) = \boldsymbol{e}_x\frac{\partial}{\partial x} + \boldsymbol{e}_y\frac{\partial}{\partial y} + \boldsymbol{e}_z\frac{\partial}{\partial z} \tag{A.49}$$

を用いて表すことが出来る：

- 勾配： $\qquad\qquad\operatorname{grad} f = \nabla f \qquad\qquad\qquad$ (A.50)
- 発散： $\qquad\qquad\operatorname{div} \boldsymbol{f} = \nabla \boldsymbol{f} \qquad\qquad\qquad$ (A.51)
- 回転： $\qquad\qquad\operatorname{rot} \boldsymbol{f} = \nabla \times \boldsymbol{f} \qquad\qquad\;\,$ (A.52)

問題 A.4 任意の微分可能な関数 $f(x,y,z), g(x,y,z)$ に対して

$$\operatorname{div}\Big[f(\operatorname{grad} g) - (\operatorname{grad} f)g\Big] = f(\Delta g) - (\Delta f)g$$

という関係が成立することを示せ．

本文中では主として１次元系を扱っているが，その場合には向き (x 軸) を表すのにわざわざ基本単位ベクトル $\boldsymbol{e}_x$ を用いたりはしないので，∇ は単なる $\partial/\partial x$ という微分記号になり，$\operatorname{grad} f$ も $\operatorname{div} \boldsymbol{f}$ も実質的には同じ微分量となる．但し，$\operatorname{rot} \boldsymbol{f}$ はその定義からわかるように３次元でないと意味のない記号である．

付録２ 演算子の固有値と固有関数

一般に，ある関数 (f) に作用して別の関数 (g) を生みだすものを**演算子**（或いは**作用素**）と呼ぶ．但し，ここで「別の関数」というのは広い意味であって $g = f$ の場合も含める．例えば微分記号 d/dx も ∇ も演算子（**微分演算子**）である．演算子はしばしば $\hat{A}$ のように「＾」(ハット) をつけて表されるが，誤解の恐れのない時には このハット記号が省略されることも少なくない．

<u>演算子自体は抽象的なものであり，実際に関数に作用して初めて具体的な意味が生ずる</u>．従って，二つの演算子 $\hat{A}, \hat{B}$ が等しいというのは，任意の関数

$f(x)$ に対して両者が全く同じ結果を与える,つまり

$$\hat{A}f(x) = \hat{B}f(x)$$

が成り立つという意味である.[A.2] これを

$$\hat{A} = \hat{B} \tag{A.53}$$

と表す.また,ある演算子に対して,それと逆の作用をする演算子を 元の演算子の**逆演算子**と呼び,$\hat{A}^{-1}$ のように表す.つまりは,任意関数 $f(x)$ について

$$\hat{A}\hat{A}^{-1}f(x) = \hat{A}^{-1}\hat{A}f(x) = f(x) \tag{A.54}$$

である.

● 固有値・固有関数

演算子 $\hat{A}$ が関数 $g(x)$ ($\neq 0$) に作用した結果,単に $g(x)$ を定数倍しただけの関数が生まれる場合,つまり a を定数として

$$\hat{A}g(x) = a\,g(x) \tag{A.55}$$

という関係が成立する場合,定数 a を $\hat{A}$ の**固有値**,関数 $g(x)$ を(その固有値に属する)**固有関数**と定義し,それらを求める問題を**固有値問題**と言う.一般には,演算子の固有値・固有関数の組は複数存在する.例を挙げれば,

$$\frac{d}{dx}e^{ax} = ae^{ax}$$

だから,$y = Ce^{ax}$(C は定数)は,微分演算子 d/dx の,a という固有値に属する固有関数である.a は任意だから,この場合には固有値とその固有関数は無数にあることになる.また,この例からわかるように,微分演算子の固有値問題は微分方程式を解くことでもある.

[A.2] ここでは簡単のため f を 1 変数関数のように書いたが,以下の話は 1 変数関数だけに適用されるものではない.

付録2 演算子の固有値と固有関数

　固有値と固有関数の対応は常に一対一とは限らず，複数の独立な固有関数が同じ固有値に属することも珍しくはない．このような場合，その固有値は**縮退**していると言う．例えば

$$\frac{d^2}{dx^2}e^{\pm ax} = a^2 e^{\pm ax}$$

だから，関数 $y = Ce^{ax}$ と $y = De^{-ax}$（C, D : 定数）は，どちらも固有値 a^2 に属する，演算子 d^2/dx^2 の独立な固有関数であり，そこに縮退があることになる．より一般に n 個の固有関数が同一固有値に属する場合は「n 重の縮退」という言葉を用いる．容易に確かめられるように，<u>縮退がある場合には，任意に選び出した複数の固有関数の線形結合もまた同じ固有値の固有関数となる</u>．なお，量子力学においては，物理量の演算子の固有値・固有関数は一つの物理的な状態を記述するので，固有値に縮退がある場合には，対応する<u>状態が縮退している</u>と表現する．

● エルミート演算子とユニタリ演算子

　演算子 $\hat{A}$ とそれが作用する任意の二つの関数 $f(x), g(x)$ に対して，それらの関数の定義域全体（上限・下限を $x_\pm$ で表す）に亘る定積分

$$\int_{x_-}^{x_+} dx\, f^*(x)\hat{A}g(x)$$

（$*$ は複素共役）を考える．[♯A.3] この時

$$\int_{x_-}^{x_+} dx\, f^*(x)\hat{A}g(x) = \Big[\int_{x_-}^{x_+} dx\, g^*(x)\hat{B}f(x)\Big]^* \tag{A.56}$$

を満たす演算子 $\hat{B}$ を「$\hat{A}$ にエルミート共役な演算子」と呼び，$\hat{A}^\dagger$ と表す：

$$\int_{x_-}^{x_+} dx\, f^*(x)\hat{A}g(x) \equiv \Big[\int_{x_-}^{x_+} dx\, g^*(x)\hat{A}^\dagger f(x)\Big]^* \tag{A.57}$$

　量子力学に現れる演算子の中で特に重要なものは「エルミート演算子」と「ユニタリ演算子」である．

[♯A.3] この節では「定積分」であることを明確に示すために上限・下限を明記する．

エルミート演算子

エルミート共役が自分自身に等しい，つまり $\hat{A}^\dagger = \hat{A}$ であるような演算子はエルミート演算子と呼ばれる．或いは「$\hat{A}$ はエルミートである」とも言う．従って，$\hat{A}$ がエルミートなら (A.57) より

$$\int_{x_-}^{x_+} dx\, f^*(x)\hat{A}g(x) = \Big[\int_{x_-}^{x_+} dx\, g^*(x)\hat{A}f(x)\Big]^* \tag{A.58}$$

である．

ユニタリ演算子

一方，もう一つの重要な演算子であるユニタリ演算子は

$$\hat{A}^\dagger \hat{A} = \hat{A}\hat{A}^\dagger = 1 \tag{A.59}$$

或いは同じことだが

$$\hat{A}^\dagger = \hat{A}^{-1} \tag{A.60}$$

を満たす演算子として定義される．

● エルミート演算子の重要な性質

1) エルミート演算子の固有値は実数である

何故なら

$$\hat{A}f(x) = a\, f(x)$$

である時，上の (A.58) の中で $g(x)$ に $f(x)$ を代入した等式

$$\int_{x_-}^{x_+} dx\, f^*(x)\hat{A}f(x) = \Big[\int_{x_-}^{x_+} dx\, f^*(x)\hat{A}f(x)\Big]^*$$

において

$$\text{左辺} = a\int_{x_-}^{x_+} dx\, f^*(x)f(x)$$
$$\text{右辺} = \Big[a\int_{x_-}^{x_+} dx\, f^*(x)f(x)\Big]^* = a^*\int_{x_-}^{x_+} dx\, f^*(x)f(x)$$

より $a = a^*$ となるからである．

付録2 演算子の固有値と固有関数

2) 異なる固有値に属する固有関数同士は直交する [A.4]

何故なら,

$$\hat{A}f(x) = a_1 f(x), \quad \hat{A}g(x) = a_2 g(x) \quad (a_1 \neq a_2)$$

である場合, 1) の性質より $a_{1,2}$ は実数とわかっているので

$$\int_{x_-}^{x_+} dx \, f^*(x) \hat{A} g(x) = \Big[\int_{x_-}^{x_+} dx \, g^*(x) \hat{A} f(x) \Big]^*$$

において

$$\text{左辺} = a_2 \int_{x_-}^{x_+} dx \, f^*(x) g(x)$$
$$\text{右辺} = \Big[a_1 \int_{x_-}^{x_+} dx \, g^*(x) f(x) \Big]^* = a_1 \int_{x_-}^{x_+} dx \, f^*(x) g(x)$$

と変形でき,

$$(a_1 - a_2) \int_{x_-}^{x_+} dx \, f^*(x) g(x) = 0$$
$$\implies a_1 \neq a_2 \text{ なら } \int_{x_-}^{x_+} dx \, f^*(x) g(x) = 0$$

となるからである.

なお, この証明からわかるように, 固有値が縮退している, つまり $a_1 = a_2$ なら必ずしも $f(x)$ と $g(x)$ は直交しているとは言えないが, その場合には $f(x)$ と $g(x)$ の任意の線形結合もまた同じ固有値に属する固有関数となることを利用し, そこから互いに直交する二つの組み合わせを構成することは常に出来る. そこで, その二つを改めて独立な固有関数として指定することにすれば, 常に「エルミート演算子の独立な固有関数は互いに直交する」と言えることになる.

問題 A.5 a を任意の定数, $\hat{A}, \hat{B}, \hat{C}$ を任意の演算子とする時

$$(a\hat{A})^\dagger = a^* \hat{A}^\dagger, \quad \int dV \, \psi^* \hat{A}^\dagger \hat{A} \psi \geq 0, \quad (\hat{A}\hat{B})^\dagger = \hat{B}^\dagger \hat{A}^\dagger, \quad (\hat{A}\hat{B}\hat{C})^\dagger = \hat{C}^\dagger \hat{B}^\dagger \hat{A}^\dagger$$

であることを示せ. 但し, 第2式は定義域全体に亘る定積分である.

[A.4] $\int_{x_-}^{x_+} dx \, f^*(x) g(x) = 0$ が成立する時, $f(x)$ と $g(x)$ は互いに直交すると言う.

問題 A.6　$\hat{A}, \hat{B}$ が共にエルミートであるなら $\hat{A}\hat{B}$ もエルミートであると言えるか？　また，$\hat{A}, \hat{B}$ が共にユニタリである時 $\hat{A}\hat{B}$ もユニタリであると言えるか？

付録 3　古典力学における基本的な物理量

古典力学における基本的な物理量の中から，量子力学にも登場するものを選び，その定義や性質をまとめておこう．

対象とする粒子の位置は，基準点からその粒子に向けて引いた**位置ベクトル** $\boldsymbol{r}$ で表される．特に，通常行われるように，その基準点を座標原点 $(0,0,0)$ に選べば，位置ベクトルの成分は粒子の座標そのもの (x, y, z) となる：

$$\boldsymbol{r} = (x, y, z) \tag{A.61}$$

この粒子の**速度ベクトル** $\boldsymbol{v}$ は，$\boldsymbol{r}$ の時間微分で与えられる：

$$\boldsymbol{v} = \frac{d}{dt}\boldsymbol{r} \tag{A.62}$$

また，その**運動量ベクトル**は，粒子の質量を m として

$$\boldsymbol{p} = m\boldsymbol{v} = m\frac{d}{dt}\boldsymbol{r} \tag{A.63}$$

加速度ベクトルは

$$\boldsymbol{a} = \frac{d}{dt}\boldsymbol{v} = \frac{d^2}{dt^2}\boldsymbol{r} \tag{A.64}$$

である．

古典力学（ニュートン力学）の基本方程式は，**ニュートンの運動方程式**

$$\boldsymbol{F} = m\boldsymbol{a} \tag{A.65}$$

付録3 古典力学における基本的な物理量

である．これは，粒子に作用する外力 $\boldsymbol{F}$ と，それによって生じる加速度 $\boldsymbol{a}$ の関係を規定するが，$\boldsymbol{p}$ や $\boldsymbol{r}$ を用いて

$$\boldsymbol{F} = \frac{d}{dt}\boldsymbol{p} = m\frac{d}{dt}\boldsymbol{v} = m\frac{d^2}{dt^2}\boldsymbol{r} \tag{A.66}$$

とも表せる．特に，第1の式から，

$$\boldsymbol{F} = 0 \quad \Longrightarrow \quad \boldsymbol{p} = \text{時間的に一定} \tag{A.67}$$

という**運動量保存則**が成立する．

この外力が，$\boldsymbol{r}$ のスカラー関数 $V(\boldsymbol{r})$ から

$$\boldsymbol{F} = -\operatorname{grad} V(\boldsymbol{r}) = -(\partial V/\partial x, \partial V/\partial y, \partial V/\partial z) \tag{A.68}$$

と導かれる時，この $\boldsymbol{F}$ は**保存力**，V はこの $\boldsymbol{F}$ による粒子の**位置エネルギー**または**ポテンシャルエネルギー**と呼ばれる．$\boldsymbol{F}$ が保存力である時には

$$E = \frac{1}{2}m\boldsymbol{v}^2 + V(\boldsymbol{r}) \tag{A.69}$$

という組み合わせは，時間が経っても変化しない量，つまり保存量となる．実際

$$\begin{aligned}
\frac{dE}{dt} &= \frac{1}{2}m\frac{d}{dt}\boldsymbol{v}^2 + \frac{d}{dt}V(\boldsymbol{r}) \\
&= m\boldsymbol{v}\frac{d\boldsymbol{v}}{dt} + \frac{\partial V}{\partial x}\frac{dx}{dt} + \frac{\partial V}{\partial y}\frac{dy}{dt} + \frac{\partial V}{\partial z}\frac{dz}{dt} \\
&= \boldsymbol{F}\boldsymbol{v} + (\operatorname{grad} V)\boldsymbol{v} = \boldsymbol{F}\boldsymbol{v} - \boldsymbol{F}\boldsymbol{v} = 0
\end{aligned} \tag{A.70}$$

である．E は粒子の**力学的エネルギー**，$m\boldsymbol{v}^2/2$ は**運動エネルギー**と呼ばれ，この保存則は**力学的エネルギー保存則**という名で知られている．

力学的エネルギーを $\boldsymbol{p}$, $\boldsymbol{r}$ の関数と見なして

$$H(\boldsymbol{p}, \boldsymbol{r}) = \frac{1}{2m}\boldsymbol{p}^2 + V(\boldsymbol{r}) \tag{A.71}$$

と表したものは，この粒子の**ハミルトニアン**或いは**ハミルトン関数**という名前を持ち，力学の上級コースである**解析力学**において非常に重要な役割を果たす．ちなみに，p の替りに $\dot{r}\,(\equiv d\bm{r}/dt)$ を用いた組み合わせ

$$L(\bm{r}, \dot{\bm{r}}) = \frac{1}{2}m\dot{\bm{r}}^2 - V(\bm{r}) \tag{A.72}$$

(V の前のマイナス符号は誤植ではない) は**ラグランジアン**または**ラグランジュ関数**と名付けられ，やはり解析力学で不可欠な量となっている．

運動量や運動エネルギーは運動の勢いを表すが，特に回転運動の勢いを表すのは**角運動量** $\bm{l}$ である．これは運動量 $\bm{p}$ と位置ベクトル $\bm{r}$ から

$$\bm{l} = \bm{r} \times \bm{p} \tag{A.73}$$

と定義される．ここで掛け算記号はベクトル積（外積）を表すので，$\bm{r}$ と $\bm{p}$ の順序を勝手に交換してはいけない．この $\bm{l}$ の時間変化は

$$\begin{aligned}\frac{d}{dt}\bm{l} &= \frac{d}{dt}(\bm{r} \times \bm{p}) = \left(\frac{d}{dt}\bm{r}\right) \times \bm{p} + \bm{r} \times \left(\frac{d}{dt}\bm{p}\right) \\ &= m\underbrace{(\bm{v} \times \bm{v})}_{0} + \bm{r} \times \bm{F} = \bm{r} \times \bm{F}\end{aligned} \tag{A.74}$$

となるため，例えば，$\bm{F} = k\bm{r}$ と書ける場合，つまり $\bm{F}$ が中心力である場合には

$$\bm{r} \times \bm{F} = 0 \quad \Longrightarrow \quad \bm{l} = 時間的に一定 \tag{A.75}$$

となり，**角運動量保存則**が成り立つ．これは，太陽系の惑星の運動やコマの運動など，いろいろな回転運動を扱う上で非常に重要な法則である．

付録 4　1次元束縛状態の一般的性質

第 3 章において，1次元系の束縛問題を簡単なポテンシャルについて調べたが，そこで，「ポテンシャルが偶関数であれば固有関数は必ず偶関数か奇関数の

付録4　1次元束縛状態の一般的性質

どちらかになる」と述べた．我々が住む世界は3次元であり，現実の問題も3次元である場合の方がずっと多いので，1次元系の特殊な性質にこだわるのは有意義とは言えないかも知れないが，本文中の議論より少しだけレベルの高い応用問題として，ここで調べてみよう．

まず，この議論のために必要になる1次元系のもう一つの性質「1次元系の束縛状態には縮退はない」，すなわち「1次元系の束縛状態は，すべて異なるエネルギー固有値を持つ」を証明しよう．出発点は，時間を含まないシュレディンガー方程式

$$-\frac{\hbar^2}{2m}\frac{d^2}{dx^2}u(x) + V(x)u(x) = Eu(x)$$

である．今，同一の E に対して二つの解 $u_1(x)$, $u_2(x)$ があったとしよう．すると，上の方程式を少し変形して

$$\frac{d^2}{dx^2}u_1(x) + \frac{2m}{\hbar^2}[E-V(x)]u_1(x) = 0 \tag{A.76}$$

$$\frac{d^2}{dx^2}u_2(x) + \frac{2m}{\hbar^2}[E-V(x)]u_2(x) = 0 \tag{A.77}$$

が同時に成立する．そこで，第1式の両辺に $u_2(x)$ を，第2式の両辺に $u_1(x)$ をそれぞれ掛けて両者の差をとると

$$u_2(x)\frac{d^2}{dx^2}u_1(x) - u_1(x)\frac{d^2}{dx^2}u_2(x) = 0 \tag{A.78}$$

となるが，この左辺は

$$\frac{d}{dx}\Big[u_2(x)\frac{d}{dx}u_1(x) - u_1(x)\frac{d}{dx}u_2(x)\Big]$$

と変形できるので，(A.78) は

$$u_2(x)\frac{d}{dx}u_1(x) - u_1(x)\frac{d}{dx}u_2(x) = 定数 \tag{A.79}$$

を要求していることになる．この等式は任意の x において成立するのだから，特に $x \to \infty$ としてみると，束縛状態という条件より $u_{1,2}(x) \to 0$ となり，右

辺の定数は 0 でなければならないことがわかる．従って，

$$u_2(x)\frac{d}{dx}u_1(x) = u_1(x)\frac{d}{dx}u_2(x)$$
$$\implies \frac{1}{u_1(x)}\frac{d}{dx}u_1(x) = \frac{1}{u_2(x)}\frac{d}{dx}u_2(x) \tag{A.80}$$

この第2式の両辺を積分すると

$$\ln u_1(x) = \ln u_2(x) + C \text{ （積分定数）}$$

すなわち

$$u_1(x) = \text{定数} \times u_2(x) \tag{A.81}$$

となって，二つの関数は独立ではないという結論に達する．

そこで，次に $V(x)$ が偶関数 $V(x) = V(-x)$ であるとする．

$$\frac{d^2}{dx^2}u(x) + \frac{2m}{\hbar^2}[\,E - V(x)\,]u(x) = 0$$

において，$x \to -x$ と置き換えると

$$\frac{d^2}{dx^2}u(-x) + \frac{2m}{\hbar^2}[\,E - V(x)\,]u(-x) = 0$$

つまり，$u(x)$ も $u(-x)$ も同じエネルギー固有値 E に属する固有関数ということになり，ゆえに，上での証明より両者は独立ではないことになる：

$$u(x) = \text{定数} \times u(-x)$$

この式で，更にもう一度 $x \to -x$ と置き換えると

$$u(x) = \text{定数} \times u(-x) = \text{定数}^2 \times u(x)$$

だから

$$\text{定数}^2 = 1 \quad \implies \quad \text{定数} = \pm 1$$

となり

$$u(x) = +u(-x) \quad \text{または} \quad u(x) = -u(-x) \tag{A.82}$$

つまり，$u(x)$ は必ず偶関数か奇関数のどちらかと結論される．

束縛状態以外では，$u(x)$ は $x \to \pm\infty$ の両極限で同時に 0 になることはないので，上の証明は有効性を失う．しかし，$V(x)$ が偶関数である限り $u(x)$ も $u(-x)$ も同じ E に属する固有関数であることには変わりはないから，このような場合でも

$$u_\pm(x) \sim \left[u(x) \pm u(-x) \right] \tag{A.83}$$

という組み合わせによって，偶関数と奇関数を得ることは常に可能である．

付録 5 調和振動子と生成消滅演算子

3.2 節では，調和振動子ポテンシャルの下で運動する粒子の波動関数を級数展開により求めたが，ここでは，生成演算子・消滅演算子と呼ばれる二つの演算子を用いた別の解法を示そう．

まず，演算子 $\hat{a}$ を

$$\hat{a} \equiv \frac{\alpha}{\sqrt{2}}\left(x + \frac{i}{m\omega}\hat{p}\right) \tag{A.84}$$

と定義する．[♯A.5] すると，そのエルミート共役 $\hat{a}^\dagger$ は $\hat{p}^\dagger = \hat{p}$ より

$$\hat{a}^\dagger = \frac{\alpha}{\sqrt{2}}\left(x - \frac{i}{m\omega}\hat{p}\right) \tag{A.85}$$

となり，これらは，$[\hat{p}, x] = -i\hbar$，$[\hat{p}, \hat{p}] = [x, x] = 0$ から容易に導かれるように

$$[\hat{a}, \hat{a}^\dagger] = 1, \quad [\hat{a}, \hat{a}] = [\hat{a}^\dagger, \hat{a}^\dagger] = 0 \tag{A.86}$$

という交換関係を満たす．

問題 A.7 交換関係 (A.86) が成り立つことを確かめよ．

[♯A.5] ここで現れる定数は，すべて 3.2 節で用いたものと同じである．

このように導入した $\hat{a}^\dagger$, $\hat{a}$ がそれぞれ上述の**生成演算子**および**消滅演算子**であり，両者はまとめて**生成消滅演算子**とも呼ばれる（この名称が何を意味するかは以下で明らかになる）．これらは，$\hat{a}^\dagger \neq \hat{a}$ だから勿論エルミートではないが，量子力学の上級版である「場の量子論」にも応用される重要な演算子である．その基本的な作用は，6.4 節で学んだ角運動量の昇降演算子に大変よく似ているので，そこでの説明も参考にしながら読み進めて欲しい．

これら $\hat{a}$, $\hat{a}^\dagger$ を用いると調和振動子ハミルトニアンは

$$\hat{H} = \frac{\hat{p}^2}{2m} + \frac{1}{2}m\omega^2 x^2 = \hbar\omega\left(\hat{a}^\dagger \hat{a} + \frac{1}{2}\right) \tag{A.87}$$

と表されるので，時間に依存しないシュレディンガー方程式 $\hat{H}u = Eu$ は

$$\hbar\omega\left(\hat{a}^\dagger \hat{a} + \frac{1}{2}\right)u(x) = Eu(x) \tag{A.88}$$

となり，従って，これを解くことは，$\hat{a}^\dagger \hat{a}$ の固有値・固有関数を求める問題

$$\hat{a}^\dagger \hat{a}\, u_n(x) = \epsilon_n u_n(x) \tag{A.89}$$

（$n = 1, 2, \cdots$）に帰着される．ここで，$\hat{a}^\dagger \hat{a}$ はエルミート演算子だから固有値 ϵ_n は常に実数である．また，固有関数（波動関数）u_n は 1 に規格化されているものとする．

この式の両辺に左から u_n^* を掛けて積分（定義域全体での定積分）を行おう：

$$\int dx\, u_n^*(x)\hat{a}^\dagger \hat{a}\, u_n(x) = \epsilon_n \int dx\, u_n^*(x)u_n(x)$$

すると，上述のように u_n は規格化された関数であるから右辺は ϵ_n となり，また左辺はエルミート共役の定義より

$$\int dx\, u_n^*(x)\hat{a}^\dagger \hat{a}\, u_n(x)$$
$$= \left[\int dx\, [\hat{a}\, u_n(x)]^*(\hat{a}^\dagger)^\dagger u_n(x)\right]^* = \left[\int dx\, |\hat{a}\, u_n(x)|^2\right]^*$$
$$= \int dx\, |\hat{a}\, u_n(x)|^2 \geq 0$$

付録 5 調和振動子と生成消滅演算子

となるので，固有値 ϵ_n は負の値はとり得ないことがわかる．

これら二つの演算子はどんな機能を持つのだろう．交換関係 (A.86) を用いれば

$$\hat{a}^\dagger \hat{a} \, [\hat{a} u_n(x)] = (\hat{a}\hat{a}^\dagger - 1)\hat{a} u_n(x) = \hat{a}(\hat{a}^\dagger \hat{a} - 1) u_n(x)$$
$$= (\epsilon_n - 1)\hat{a} u_n(x) \tag{A.90}$$
$$\hat{a}^\dagger \hat{a} \, [\hat{a}^\dagger u_n(x)] = \hat{a}^\dagger \, [\hat{a}\hat{a}^\dagger u_n(x)] = \hat{a}^\dagger (\hat{a}^\dagger \hat{a} + 1) u_n(x)$$
$$= (\epsilon_n + 1)\hat{a}^\dagger u_n(x) \tag{A.91}$$

という関係が得られる．これからわかるように，$\hat{a}$ は u_n に作用して固有値が 1 だけ小さい固有関数を生み出す能力を，また $\hat{a}^\dagger$ は固有値が 1 だけ大きい固有関数を生み出す能力をそれぞれ持っている．

この結果，$\hat{a}$ を u_n に連続して作用させていくと，その固有値が $\epsilon_n - 1$, $\epsilon_n - 2$, $\cdots$ であるような固有関数が生まれるが，すべての固有値は正または 0 であるから，最後には最小の固有値 ϵ_0 に属する関数 $u_0(\neq 0)$ に達する．そこで，更にこの u_0 に $\hat{a}$ を作用させたらどうなるだろうか．もしも $\hat{a} u_0 \neq 0$ であるとすると，この関数 $\hat{a} u_0$ には (A.90) 式の計算に従い $\epsilon_0 - 1$ という固有値が対応することになり，"最小固有値 ϵ_0 よりも小さい固有値が存在する" という論理矛盾が生じる．従って，

$$\hat{a} u_0(x) = 0 \tag{A.92}$$

でなければならない．この式の両辺に左から複素共役 $(\hat{a} u_0)^*$（勿論これも 0）を掛けて積分すると，エルミート共役の定義も用いて

$$\int dx \, [\hat{a} u_0(x)]^* \hat{a} u_0(x) = \Big[\int dx \, [\hat{a} u_0(x)]^* \hat{a} u_0(x) \Big]^*$$
$$= \int dx \, u_0^*(x) \underbrace{\hat{a}^\dagger \hat{a} u_0(x)}_{\epsilon_0 u_0(x)} = \epsilon_0 \int dx \, |u_0(x)|^2 = 0$$

となるが，$u_0(x) \neq 0$ だったから，結局，最小固有値 ϵ_0 は 0 ということになる．しかも，任意の固有値 (ϵ_n) から 1 ずつ引くことによって $\epsilon_0 (= 0)$ に到達したの

だから，すべての固有値は 0 または正の整数という結論を得る．この結果，$\hat{a}^\dagger \hat{a}$ の固有値が n の場合，ハミルトニアン $\hat{H}$ の固有値は

$$E_n = \left(n + \frac{1}{2}\right)\hbar\omega$$

ということになり，3.2 節の結果が再現される訳である．また，ここで改めて $\hat{a}^\dagger$, $\hat{a}$ の働き，すなわち $\hat{a}^\dagger \hat{a}$ の固有値を ± 1 ずつ変化させることを思い出せば，これらは状態のエネルギーを $\hbar\omega$ ずつ増減させることがわかる．これを量子論的に表現すれば，$\hbar\omega$ というエネルギーの量子が 1 個増えたり減ったりするということで，生成・消滅演算子という名称もここに由来する．[♯A.6] また，$\hat{a}^\dagger \hat{a}$ は，その固有値がこの量子の数を表すことになるので，**個数演算子**と呼ばれる．

それでは波動関数を具体的に計算していこう．まず，消滅演算子 $\hat{a}$ の定義 (A.84) を見れば，式 (A.92) は u_0 を決める微分方程式でもあることが理解できる：

$$\left(x + \frac{i}{m\omega}\hat{p}\right)u_0(x) = \left(x + \frac{1}{\alpha^2}\frac{d}{dx}\right)u_0(x) = 0$$

これを

$$\frac{1}{u_0(x)}\frac{d}{dx}u_0(x) = -\alpha^2 x$$

と書き直せば両辺は直ちに積分でき，

$$u_0(x) = C_0 e^{-\alpha^2 x^2/2}$$

という解に達する．但し，C_0 は積分定数に対応する任意定数であり，u_0 の規格化を通じて決められる．すなわち，積分公式 (3.42) を用いれば

$$\int_{-\infty}^{+\infty} dx\, e^{-\alpha^2 x^2} = \sqrt{\pi}/\alpha$$

なので，3.1 節での説明（40 頁）に従い C_0 を実数として $C_0 = (\alpha/\sqrt{\pi})^{1/2}$ である：

$$u_0(x) = \left(\frac{\alpha}{\sqrt{\pi}}\right)^{1/2} e^{-\alpha^2 x^2/2} \qquad (A.93)$$

[♯A.6] $\hat{a}^\dagger$ と $\hat{a}$ は，状態のエネルギー準位をそれぞれ一つ上げ下げするという意味で，角運動量の場合と同じように昇降演算子と呼ぶ文献もある．

付録5 調和振動子と生成消滅演算子

これに生成演算子 $\hat{a}^\dagger$ を次々と作用させていけば一般の波動関数 u_n も得られることになるが，そのためには，きちんと u_{n+1} と $\hat{a}^\dagger u_n$ を関係づけなければならない．とは言っても，それは難しい作業ではない．すなわち，<u>両者はどちらも同じ固有値に属する $\hat{a}^\dagger \hat{a}$ の固有関数だから互いに独立ではなく，たかだか一方 (u_{n+1}) が他方 ($\hat{a}^\dagger u_n$) の定数倍という差しかない</u>はずである．より具体的に言えば，その定数を C_n として

$$u_{n+1}(x) = C_n \hat{a}^\dagger u_n(x)$$

と書ける訳で，この C_n を決めればよい．そこで，再び両辺の複素共役との積を積分する（前述の C_0 と同じ理由で C_n も実数として扱う）：

$$\int dx\, u_{n+1}^*(x) u_{n+1}(x) = C_n^2 \int dx\, [\hat{a}^\dagger u_n(x)]^* \hat{a}^\dagger u_n(x)$$

ここで u_{n+1} は規格化された波動関数だから左辺は 1，また右辺はエルミート共役の定義に従って

$$\begin{aligned}
\text{右辺} &= C_n^2 \left[\int dx\, u_n^*(x)(\hat{a}^\dagger)^\dagger [\hat{a}^\dagger u_n(x)] \right]^* = C_n^2 \left[\int dx\, u_n^*(x) \hat{a} \hat{a}^\dagger u_n(x) \right]^* \\
&\quad (\text{交換関係より } \hat{a}\hat{a}^\dagger = \hat{a}^\dagger \hat{a} + 1 \text{ だから}) \\
&= C_n^2 \left[\int dx\, u_n^*(x) \underbrace{(\hat{a}^\dagger \hat{a} + 1) u_n(x)}_{(n+1) u_n(x)} \right]^* = C_n^2 (n+1) \left[\int dx\, u_n^*(x) u_n(x) \right]^* \\
&= C_n^2 (n+1)
\end{aligned}$$

よって，$C_n = 1/\sqrt{n+1}$．つまり，欲しかった関係は

$$u_{n+1}(x) = \hat{a}^\dagger u_n(x)/\sqrt{n+1} \tag{A.94}$$

であり，更に，ここでの n が負ではない任意の整数であることを利用してこの関係を繰り返せば

$$u_n(x) = \frac{1}{\sqrt{n}} \hat{a}^\dagger u_{n-1}(x) = \frac{1}{\sqrt{n(n-1)}} (\hat{a}^\dagger)^2 u_{n-2}(x) = \cdots = \frac{1}{\sqrt{n!}} (\hat{a}^\dagger)^n u_0(x)$$

を得る.

残る作業は $(\hat{a}^\dagger)^n u_0(x)$ の計算だが,[♯A.7] これは,任意の微分可能な関数 $f(x)$ に対して成り立つ等式

$$\hat{a}^\dagger f(x) = -\frac{1}{\sqrt{2}\alpha}\Big(\frac{d}{dx} - \alpha^2 x\Big) f(x) = -\frac{1}{\sqrt{2}\alpha} e^{\alpha^2 x^2/2} \frac{d}{dx}\big[e^{-\alpha^2 x^2/2} f(x)\big]$$

を用いて

$$\begin{aligned}
u_n(x) &= \frac{1}{\sqrt{n!}}(\hat{a}^\dagger)^n u_0(x) = \frac{1}{\sqrt{n!}}\frac{-1}{\sqrt{2}\alpha}(\hat{a}^\dagger)^{n-1}\Big[e^{\alpha^2 x^2/2}\frac{d}{dx}\big[e^{-\alpha^2 x^2/2} u_0(x)\big]\Big] \\
&= \frac{C_0}{\sqrt{n!}}(\hat{a}^\dagger)^{n-1}\frac{-1}{\sqrt{2}\alpha} e^{\alpha^2 x^2/2}\frac{d}{dx} e^{-\alpha^2 x^2} \\
&= \frac{C_0}{\sqrt{n!}}(\hat{a}^\dagger)^{n-2}\frac{-1}{\sqrt{2}\alpha}\hat{a}^\dagger\Big[e^{\alpha^2 x^2/2}\frac{d}{dx} e^{-\alpha^2 x^2}\Big]
\end{aligned}$$

(ここで上記公式を再度使って)

$$\begin{aligned}
&= \frac{C_0}{\sqrt{n!}}(\hat{a}^\dagger)^{n-2}\Big(\frac{-1}{\sqrt{2}\alpha}\Big)^2 e^{\alpha^2 x^2/2}\frac{d}{dx}\Big[e^{-\alpha^2 x^2/2} e^{\alpha^2 x^2/2}\frac{d}{dx} e^{-\alpha^2 x^2}\Big] \\
&= \frac{C_0}{\sqrt{n!}}(\hat{a}^\dagger)^{n-2}\Big(\frac{-1}{\sqrt{2}\alpha}\Big)^2 e^{\alpha^2 x^2/2}\frac{d^2}{dx^2} e^{-\alpha^2 x^2}
\end{aligned}$$

(この計算を $\hat{a}^\dagger$ がなくなるまで繰り返し)

$$\begin{aligned}
&= \frac{C_0}{\sqrt{n!}}\Big(\frac{-1}{\sqrt{2}\alpha}\Big)^n e^{\alpha^2 x^2/2}\frac{d^n}{dx^n} e^{-\alpha^2 x^2} \\
&= \Big(\frac{\alpha}{\sqrt{\pi}2^n n!}\Big)^{1/2}(-1)^n e^{\alpha^2 x^2}\Big[\frac{d^n}{d(\alpha x)^n} e^{-\alpha^2 x^2}\Big] e^{-\alpha^2 x^2/2}
\end{aligned}$$

と実行できる.これで全ての工程が完了した.最後にエルミートの多項式の定義

$$H_n(x) = (-1)^n e^{x^2}\frac{d^n}{dx^n} e^{-x^2}$$

を用いて

$$u_n(x) = \Big(\frac{\alpha}{\sqrt{\pi}2^n n!}\Big)^{1/2} H_n(\alpha x) e^{-\alpha^2 x^2/2} \tag{A.95}$$

このようにして,量子力学的調和振動子の波動関数とエネルギー固有値が完全に決定された.

[♯A.7] このあたりの計算に関しては「量子力学」(原康夫,岩波書店)を大いに参考にさせて頂いた.

付録6 ディラックのデルタ関数

第4章で現れたディラックのデルタ関数 $\delta(x)$ についてまとめておく．これは，

$$\delta(x) = +\infty \ (x = 0), \quad = 0 \ (x \neq 0) \tag{A.96}$$

であり，かつ任意の連続関数 $f(x)$ との積の積分が

$$\int_{-\infty}^{+\infty} dx \, f(x) \, \delta(x - a) = f(a) \tag{A.97}$$

となるような関数として導入される．但し，実際の積分区間は $x = a$ さえ含んでいればよい．これは，$\delta(x - a)$ が $x = a$ 以外では0であることを考えれば理解できるだろう．特に，(A.97) 式で $f(x) = 1$ という関数の場合を考えれば

$$\int_{-\infty}^{+\infty} dx \, \delta(x - a) = 1 \tag{A.98}$$

となる．「$y = \ln x$ も $y = x$ も $y = e^x$ も，すべて $x \to \infty$ で無限大になるが，この中では $y = e^x$ が最も速く増大する」というように，無限大にもレベルの違いがあるが，(A.98) 式は「$\delta(x)$ の定義 (A.96) に現れる無限大は，この関数と x 軸で囲まれた面積が1であるような無限大」ということを示している．この関数は，通常の感覚では捉えきれない奇妙な関数であり，数学では「超関数」という名称で分類されている．

これを表現する公式は幾つかあるが，例えば，積分を使わないものには

$$\delta(x) = \frac{1}{\pi} \lim_{L \to +\infty} \frac{\sin Lx}{x} \tag{A.99}$$

がある．この右辺は，極限操作の順序交換という，数学的には微妙な問題を気にしなければ，確かに上記の性質を備えている．まず，$x = 0$ の値については

$$\lim_{x \to 0} \left[\frac{1}{\pi} \lim_{L \to +\infty} \frac{\sin Lx}{x} \right] = \lim_{L \to +\infty} \left[\frac{L}{\pi} \lim_{x \to 0} \frac{\sin Lx}{Lx} \right] = \lim_{L \to +\infty} \frac{L}{\pi} = +\infty \tag{A.100}$$

である．次に，$x \neq 0$ の場合は $\lim_{L \to +\infty} \sin Lx$ は極めて短い波長，換言すれば非常に激しく振動する波の極限となるため，どのような連続関数との積の積分に

おいても正負の寄与が完全に打ち消し合い 0 となり，これより $\lim_{L\to+\infty} \sin Lx = 0$ ということになる．ただ，ここは理解しづらいポイントかも知れない．いくら激しく振動すると言っても，$\sin Lx$ は $+1$ と -1 の間の値をとることができ，すべて 0 などとは決められないようにも思われるからである．しかしながら，デルタ関数が実際の測定可能量と結び付けられるのは，積分を通してである．そして，積分の中では，正に上記のような打ち消し合いが起こるため，恒等的に 0 と同値になるのである．このあたりを補うために，もう少し定量的な議論もやってみよう．$f(x) = \lim_{L\to+\infty} \sin Lx$ と置き，ここでも積分と極限の順序交換はできると仮定して その不定積分 $F(x)$ を求めると

$$F(x) = \int dx\, f(x) = \lim_{L\to+\infty} \int dx\, \sin Lx$$
$$= \lim_{L\to+\infty} \left[C - \frac{\cos Lx}{L} \right] = C \text{（積分定数）}$$

となるので，

$$f(x) = F'(x) = 0$$

という訳である．最後に，それ自身の積分についても

$$\int_{-\infty}^{+\infty} dx\, \frac{\sin Lx}{x} = \pi \tag{A.101}$$

を用いて[#A.8]

$$\int_{-\infty}^{+\infty} dx\, \left[\lim_{L\to+\infty} \frac{\sin Lx}{\pi x} \right] = \lim_{L\to+\infty} \left[\int_{-\infty}^{+\infty} dx\, \frac{\sin Lx}{\pi x} \right] = 1 \tag{A.102}$$

を得る．

一方，積分を用いた表示としては

$$\delta(x) = \frac{1}{2\pi} \int_{-\infty}^{+\infty} dp\, e^{+ipx} = \frac{1}{2\pi} \int_{-\infty}^{+\infty} dp\, e^{-ipx} \tag{A.103}$$

[#A.8] これは，複素積分によって導かれる結果である．例えば，「物理と関数論」（今村勤著：岩波全書）62 頁参照．

付録6 ディラックのデルタ関数

がある．事実,

$$\frac{1}{2\pi}\lim_{L\to+\infty}\int_{-L}^{+L}dp\,e^{ipx} = \frac{1}{2\pi}\lim_{L\to+\infty}\frac{e^{iLx}-e^{-iLx}}{ix} = \frac{1}{\pi}\lim_{L\to+\infty}\frac{\sin Lx}{x} \quad \text{(A.104)}$$

と変形できるので，(A.99) 式より確かに第1の等式が成り立つことがわかり，また，第2の等号が成立することは $p \to -p$ という積分変数の変換（置換積分）から明らかだろう．(A.103) は極めて利用度が高く，量子力学や場の量子論では不可欠な公式である．

仕上げに，このデルタ関数を含む幾つかの公式を挙げておく：

$$\delta(x) = \delta(-x) \quad \text{(A.105)}$$

$$f(x)\delta(x-a) = f(a)\delta(x-a) \quad \text{(A.106)}$$

$$\delta(ax) = \frac{1}{|a|}\delta(x) \quad \text{(A.107)}$$

$$\delta(f(x)) = \sum_{i=1}^{n}\frac{1}{|f'(a_i)|}\delta(x-a_i) \quad \text{(A.108)}$$

但し，(A.108) 式においては，a_i は方程式 $f(x) = 0$ の解を表している．既に述べたように，デルタ関数は，通常の関数と共に積分されて初めて物理的な意味を持つ．これらの公式も，両辺に任意の連続関数を掛けて積分した結果が一致するということである．これは，演算子の等式が任意の関数に作用して初めて具体的な意味を持つのとよく似ている．

あとがき・参考図書

　他の科目についても同じだろうが，量子力学の講義方法については大別して二通りの考え方があると思う．一つは，「大学で量子力学を履修したと言えるためには，これだけのことは勉強しなければならない」という範囲・量を設定し，それを定められた講義回数に従って実際に教えていくというもの，もう一つは学生の理解度を考え，項目を絞り込み，それらをゆっくりと教えていくというものだ．どちらにも一長一短があり，どちらを選ぶかについての正解はないだろう．前者では，学生が教室外でも自主的に勉強してついて来てくれればいいが，そうでなければ「何もわからなかった」という学生が出てしまう恐れもあるし，後者では「習っていない項目」が多くなる．

　私が学生だった頃（古き良き時代？）は，ほとんどの講義は前者の考え方に立って行われていたように思う．「自分で勉強しないなら大学の科目はわからないのが当然で，それで落ちこぼれるような学生の面倒などみる必要はない」という訳だ．そもそもその頃は，やる気のある学生は講義に出席などせず，自分で勉強するのが普通だった．従って，私自身もそのような考え方が身についている．しかしながら，今はもうそのような時代ではないようだし，また，最近は真面目な学生ほどよく出席するという傾向もある．私が徳島大学の総合科学部で量子力学を担当するようになって 10 年程になるが，このような状況の中で，私のスタイルはずっと後者だった．それでも学生はどこまで理解してくれたか心許ないが，ともかく出席しているからには少しでも理解できるように話したいと考えたことがその理由でもある．同時に，私の所属は「物理学科」ではなく，化学や地球科学専攻の受講生もいるという事情もある．

　「はじめに」に書いたように，本書は私のその 10 年間の講義ノートのまとめとも言うべき内容となっている．「扱われている項目が少なすぎて，とても大学の量子力学のテキストとは見なせない」という批判が出ることは予想しているが，私自身，物理を専攻する学生がこれだけで済ませてよいとは全く思っていない．本書においてシュレディンガー方程式の基本的な扱い方に慣れたら，そのような学生諸君には，是非とも本格的な教科書に取り組んで欲しい．その意味では，逆にもっと項目を絞り込んでもよかったかも知れないが，上記のように私の講義には化学系の学生も出席しており，彼らは私の講義の後は化学の中で量子力学の実際的な扱いを学んでいくことになるので，例えば角運動量やスピン・多粒子系の話もある程度は扱う必要があった．ともかく，このような考え方が成功しているかどうかについては，あとは読者の反応を待つしかな

あとがき・参考図書

い．積極的なご意見・コメントをお願いしたいと思っている．

　終わりに，私自身が学生時代に読んだり講義を準備するに際して参考にさせて頂いた本を中心に，より本格的な勉強のためにお薦め出来るテキストを挙げておきたい．但し，あくまで私自身が実際に手元に置いている本に範囲は限っているので，ここに無いテキストが良くないなどという意味では全くない．誤解のないようにお願いしたい．

　本書は非標準的な入門書を目指しているが，入門レベルでの「標準的」なテキストとして私が知っているのは

- 「初等量子力学」（原島鮮 著：裳華房）
- 「理工系基礎 量子力学」（本間昭夫 著：学術図書出版）
- 「量子力学」（原康夫 著：岩波書店）

といったところで，実際，講義ノート作成においてはいろいろと参考にさせて頂いた．特に，「原」は本格的な雰囲気を備えた入門書という印象を受けた．

　これら入門書と以下に示す本格的教科書の中間レベルのテキストとしては

- 「量子力学 (I)・(II)」（小出昭一郎 著：裳華房）
- 「量子力学」（大鹿譲，金野正 著：共立出版）

が，私の学生時代からよく知られている．中間レベルとは言っても，大学院で本格的に物理を勉強するのでなければ，このどちらかで十分と思う．

　私が学生だった頃，本格的教科書の代表格と言えば

- 「量子力学 上・下」（シッフ 著，井上訳：吉岡書店）
- 「量子力学 1・2」（ランダウ，リフシッツ 著，佐々木・好村共訳：東京図書）
- 「量子力学 1・2・3」（メシア 著，小出・田村共訳：東京図書）
- 「量子力学 1・2」（朝永振一郎 著：みすず書房）

だった．そして，今でもその価値は全く失われていない．どの1冊（1セット）でも読み通せば，相当な力がつくことは間違いない．それぞれ特徴があるが，「シッフ」が最も標準的と言えるだろうか．私が履修したクラスでも推薦されていた．「ランダウ・リフシッツ」は独特のスタイルで鋭い物理的な考察も随所に見られる．ちなみに私はこれで勉強した．但し，これは物理全域をカバーする

「理論物理学教程」の中の2冊であり，何箇所かで「力学」など他の巻からの引用がある．「メシア」は3冊から成り，かなりの分量で広範囲の話題を扱っている．「朝永」は量子力学誕生までの歴史にもかなりのスペースが割かれており，量子論発展史としての価値も高いが，それだけに電磁気学や統計力学の勉強が進んでいないと読みづらいという面も若干ある．実際，私はいきなりこの本を読み始めて挫折してしまったが，ある程度上記のような他科目の勉強を行ってから再度挑戦したら実に面白く読めたという記憶がある．

いずれもかなりのボリュームだが，「だから内容も難しい」と勝手に決めつけるのは早すぎる．むしろ，大部なだけに説明も詳しく，わかりやすいというのが事実だ．

同じく本格的な教科書で，(比較的) 新しい本としては
- 「量子力学 I・II」(猪木慶治，川合光 著：講談社)
- 「量子力学」(砂川重信 著：岩波書店)

がある．「砂川」は私の研究室のゼミでも利用させてもらっている．また，上級レベルでかなり特徴的・個性的なテキストを挙げるとすれば，
- 「量子力学」(ディラック 著，朝永・玉木・木庭・大塚・伊藤共訳：岩波書店)
- 「ファインマン物理学 V 量子力学」(ファインマン 著，砂川訳：岩波書店)
- 「現代の量子力学 (上)・(下)」(サクライ 著，櫻井訳：吉岡書店)

だろう．

実際に大きな書店の物理学のコーナーに行ってみると，これ以外にもかなり多くのテキストが並べられており，どれを選んでいいのか迷ってしまう．私自身たまたま上記の本は知っていたから紹介できたが，他にも名著があるに違いない．あとは，自分に合ったものを探すしかない．もし，選んだ本が肌に合わなければ他に乗り換えるのも一つの方法だ．ファッションからコンピュータ・オーディオ製品など現代の学生生活のさまざまな「必需品」に比べたら，テキストの2冊や3冊安いものだ．それに，はじめは馴染めなかったテキストも後から再挑戦したら面白く感じることもあるんだから．

改訂版あとがき

　巻頭「改訂に際して」にも書いたように，気付いたら本書（初版）が世に出てから10年以上が経過していた．執筆時の自分はまだまだ若かった などと図々しいことを言うつもりは毛頭ないが，それでも，この間に自分の考え方や習慣などもそれなりに変化したことを思えば，この年月は短かったとも言えない．今回の改訂の主目的は「調和振動子」を含めることだったが，本音を明かせば，物理を専攻しない初学者に対して調和振動子を講義するのが適切かどうか，今でも自信を持っては判断できていない．それでも改訂に踏み切ったのは，本書が講義用教科書として採用されたとして「結局は（調和振動子の扱いは）実際に担当される先生方の方針次第」という自分なりの結論を出したからである．これは，考えてみれば極めて当然の話であり，自分の講義能力だけで「調和振動子を初学者に理解させるのは無理」などと決めつけるのは傲慢以外の何物でもない．日本中の大学・高専には優れた講義力をお持ちの教員も沢山いらっしゃるはずなので，調和振動子という項目を講義に含めるかどうかも現場にお任せすればよい，と割り切った訳である．仮に扱われないとしても，読者の中から1人でも2人でも何らかの知的刺激を受ける学生が現れれば しめたものでもある．このような考え方も含めて初版と同様に，いや それ以上に忌憚のないご意見を頂ければと願っている．

　なお，当然のことながら，この10年余りの間に新たに出版された量子力学関連のテキストは少なくない．しかしながら，筆者の勉強不足のために，それらを自信を持って参考図書に加えることが出来ないのは大変に残念であり申し訳ないことである．ここでは，筆者の独断に基づく例外として次の1冊だけリストに追加したい：

- 「新版 量子論の基礎」（清水明著：サイエンス社）

　最後になったが，日立製作所・基礎研究所において量子力学の基礎に関わる極めて重要な実験を実現された外村彰 氏が2012年5月2日に逝去された．筆者には，直接お目に掛かれるような機会は残念ながら一度もなかったが，本書（初版）への電子線干渉実験の写真提供を御快諾頂いたことや，贈呈した本書への丁寧なお礼状を関連論文の別刷りと共に頂いたことは，今でも鮮明に記憶している．謹んでご冥福をお祈りしたい．

問 題 の 解 説

ここで，独習している読者のために問題の解説を行っておく．但し，本書に置いた問題のほとんどは，その解答が直前に示されているような形式なので，詳しい記述は行わず，簡単に指針を与える程度に止める．

第 1 章

問題 1.1 指数関数 e^x は，x が大きくなるに従い急激に（まさに指数関数的に！）増大すること，及び x が小さい時には $1+x$ と近似できることを利用する．

第 2 章

問題 2.1 （省 略）

第 3 章

問題 3.1 本文中と全く同じように計算する．この場合には $x=0$ で波動関数が 0 にならなければならないので cos 関数は許されない．従って，本文中の $V(x)$ より扱いは簡単になる．

問題 3.2 （省 略）

第 4 章

問題 4.1 （省 略）

問題 4.2 （省 略）

問題 4.3 係数に対する条件 (4.41)・(4.44) 或いは (4.55)・(4.56) を見れば E の値には何の制限も付かないことは明らか（問題 4.1 に続く段落を参照せよ）．

第 5 章

問題 5.1 デルタ関数の性質を用いれば下記のように直接計算できる：

$$\langle u_k | \psi \rangle = \int_{-\infty}^{+\infty} dk' \, c(k') \, \langle u_k | u_{k'} \rangle = \int_{-\infty}^{+\infty} dk' \, c(k') \, \delta(k-k') = c(k)$$

問題 5.2 部分積分および境界条件（無限遠方で波動関数＝0）を繰り返し用いて，$\langle x \rangle$ と $\langle p \rangle$ の関係を導いた場合と同じ計算を行う．

第 6 章

問題 6.1 式 (6.10), (6.11) をそれぞれ r, θ, ϕ で偏微分し，それらに必要な因子を掛けて足し合わせる．

問題 6.2 この段階では λ は単なる分離定数なので不定性があることに注意．例えば 2λ ととるのも自由．ここではシュレディンガー方程式を

$$\cdots = -\Delta_{\theta,\phi} Y(\theta,\phi) / Y(\theta,\phi)$$

と整理し，ここで 両辺 $=\lambda$ と置いた．

問題の解説

問題 6.3
注意点は問題 6.2 と同じ．分離定数 ν は
$$\cdots = -[d^2\Phi(\phi)/d\phi^2]/\Phi(\phi) = \nu$$
で導入した．

問題 6.4
m と m' が両方とも整数であればオイラーの公式より常に $e^{-2i(m-m')\pi} = 1$ となるので
$$\int_0^{2\pi} d\phi\, \Phi_m^*(\phi)\Phi_{m'}(\phi) = 0$$
が成り立つことは明らか．

問題 6.5 （省略）

問題 6.6
二つの演算子の積に関するエルミート共役の性質
$$(\hat{A}\hat{B})^\dagger = \hat{B}^\dagger \hat{A}^\dagger$$
（付録2の問題 A.5）を利用すれば，例えば $\hat{l}_x = y\hat{p}_z - z\hat{p}_y$ の場合，
$$\hat{l}_x^\dagger = \hat{p}_z^\dagger y - \hat{p}_y^\dagger z = \hat{p}_z y - \hat{p}_y z$$
となるが，$\hat{p}_z$ と y，$\hat{p}_y$ と z はそれぞれ交換する（y を z で，z を y で偏微分しても 0 になるだけ）ので
$$\hat{l}_x^\dagger = \hat{l}_x$$
となる．$\hat{l}_{y,z}$ についても同様．

問題 6.7
(6.49), (6.50) を用いれば，例えば $[\hat{\boldsymbol{l}}^2, \hat{l}_x]$ は
$$[\hat{\boldsymbol{l}}^2, \hat{l}_x] = [\hat{l}_y^2 + \hat{l}_x^2 + \hat{l}_z^2, \hat{l}_x] = [\hat{l}_y^2, \hat{l}_x] + [\hat{l}_z^2, \hat{l}_x]$$
$$= \hat{l}_y[\hat{l}_y, \hat{l}_x] + [\hat{l}_y, \hat{l}_x]\hat{l}_y + \hat{l}_z[\hat{l}_z, \hat{l}_x] + [\hat{l}_z, \hat{l}_x]\hat{l}_z$$
$$= -i\hbar\hat{l}_y\hat{l}_z - i\hbar\hat{l}_z\hat{l}_y + i\hbar\hat{l}_z\hat{l}_y + i\hbar\hat{l}_y\hat{l}_z = 0$$
$[\hat{\boldsymbol{l}}^2, \hat{l}_y]$, $[\hat{\boldsymbol{l}}^2, \hat{l}_z]$ についても同様．

問題 6.8 （省略：問題 6.5 と同様に計算すればよい）

問題 6.9 （省略：ひたすら計算するのみ！）

第 7 章

問題 7.1 （省略）

問題 7.2
この場合は $\hat{V} = x$ なので，補正項の計算に必要な積分は，係数を除いて
$$\int_0^a dx\, x \sin(k\pi x/a) \sin(n\pi x/a)$$
となる．これを $k = n$ と $k \neq n$ の場合に分けて実行し，本文中に与えた式に代入すればよい．

問題 7.3
この場合は $\hat{V} = xe^{i\omega t}$ であるので，(7.59) 式の時間積分は容易に行える．また，$\langle u_k^{(0)}|\hat{V}|u_n^{(0)}\rangle$ から $e^{i\omega t}$ を除いた部分は既に問題 7.2 で求められている．

問題 7.4　関数系 $\{\psi_n^{(0)}(\boldsymbol{r},t)\}$ の直交性，および $\hat{V}$ のエルミート性より $V_{ll} = \langle u_l^{(0)}|\hat{V}|u_l^{(0)}\rangle$ は実数であることを用いる．

第8章

問題 8.1　（省 略）

問題 8.2　$\langle\psi|\psi\rangle$ は $\langle\psi_i|\psi_j\rangle\langle\psi_k|\psi_l\rangle$ $(i,j,k,l=1,2)$ の組み合わせになることに注意する．

問題 8.3　（省 略）

付 録

問題 A.1　（省 略）

問題 A.2
(1) $\sqrt{2}e^{i\pi/4}$　(2) $\sqrt{2}e^{-i\pi/4}(=\sqrt{2}e^{7i\pi/4})$　(3) $2e^{i\pi/3}$　(4) $2e^{i\pi/6}$　(5) $2^{n/2}e^{ni\pi/4}$
(6) $2^{1+n/2}\cos(n\pi/4)$　（偏角 = 0，つまり実数）

問題 A.3
(1) $y = ax^2 + C$　(2) $y = Ce^{-x^2/2} + 1$　(3) $y = (Ce^{2x}+1)/(Ce^{2x}-1)$
(4) $y = Cx$
但し，C は全て積分定数．

問題 A.4　左辺を grad と div の定義に従って具体的に書き下していけばよいが，この種の演算に慣れてくれば $\nabla^2 = \Delta$ に注意して

$$\text{左辺} = \text{div}\left[f(\text{grad}\,g)-(\text{grad}\,f)g\right] = \nabla\left[f(\nabla g)-(\nabla f)g\right]$$
$$= (\nabla f)(\nabla g) + f(\Delta g) - (\Delta f)g - (\nabla f)(\nabla g) = f(\Delta g) - (\Delta f)g$$

と計算できる．

問題 A.5　最初の関係はエルミート共役の定義にそのまま代入すればよい．第2, 第3の関係については，$\hat{A}\psi$ もまた一つの関数だから，例えば $\phi = \hat{A}\psi$ とでも置いて考えてみる．最後の関係では $\hat{B}\hat{C}$ をまとめて一つの演算子として扱えばよい．

問題 A.6　エルミートまたはユニタリの定義の式に代入して確かめてみる．ユニタリとは言えるが，エルミートとは一般には言えない．

問題 A.7　6.2 節で与えた公式 (6.49) 及び $\hat{p}$, x 間の交換関係より直ちに確認できる．

索　引

あ 行

アインシュタイン 11
α 粒子 4
r 方向の基本単位ベクトル 92
位相 24, 40, 73
位置エネルギー 173
位置演算子 84
位置表示 30
位置ベクトル 172
井戸型ポテンシャル 37
陰極線 4
ウィーン 8, 10
ウィーンの式 10
運動エネルギー 173
運動量演算子 84
運動量固有関数 80, 84
運動量の期待値 86
運動量の固有状態 84
運動量表示 30
運動量ベクトル 172
運動量保存則 34, 173
永年方程式 131, 133, 137
エネルギー準位 39
エネルギー量子仮説 11
エルミート演算子 79, 84, 169
エルミート共役 169, 181
　（行列の–） 144

か 行

エルミート性 84
エルミートの多項式 50, 182
エーレンフェストの定理 86
演算子 29, 167
オイラーの公式 27, 154

解析力学 29, 174
回折・干渉 15
階段型ポテンシャル 60
回転 166
角運動量 12, 88, 174
角運動量の合成 110
角運動量の昇降演算子 107
角運動量保存則 88, 174
角振動数 24, 27, 45
角度部分 94
確率 19
確率の波 19
確率保存則 51, 56
確率密度 56
確率流密度 58, 74, 92
重ね合せの原理 80
加速度ベクトル 172
ガーマー 15, 25
慣性の法則 34
完全系（完備系） 81

規格化 39, 51, 52, 178, 180, 181	交換関係 30
規格直交系 54, 98, 123	交換子 30
規格直交性 80	光子 11, 105, 149
奇関数 38, 40, 42, 47, 174	合成関数の微分 158
期待値 81	光電効果 7
基底状態 39, 49, 106	光電効果の困難 7
軌道角運動量 100, 142	光電子 7
基本単位ベクトル	光電流 7
(r, θ, ϕ 方向の–) 92	勾配 165
逆演算子 168	光量子 11
球面調和関数（球関数）.......... 98	黒体輻射 8
球面波 73, 92	黒体（空洞）輻射の困難 8
境界条件 38, 85	個数演算子 180
極座標 89, 103	個数密度 70
虚数単位 151	古典力学 3, 34
虚部 151	古典力学と量子力学 85
偶関数 38, 40, 41, 47, 174	固有関数 32, 168
空洞輻射 9	固有状態 79
クレプシュ−ゴルダン係数 117	固有値 32, 168
クロネッカーのデルタ 54	固有値方程式 32
ケットベクトル 54, 109, 118	固有値問題 168
限界振動数 7	
原始関数 156	**さ　行**
原子構造の困難 4	座標の期待値 85
原子スペクトル 6, 40	座標表示 30, 84
原子スペクトルの困難 5	作用素 167
原子の安定性 5	作用・反作用の法則 34
原子模型	三角関数の加法定理 154
（J. J. トムソンの–）........... 4	3次元での散乱問題 73
（ラザフォードの–）............ 5	散乱実験 56

索　引

散乱振幅 74
散乱断面積 76
J. J. トムソン 4
J. J. トムソンの模型 4
時間に依存するシュレディンガー方程式
　.................... 28, 138
時間を含まないシュレディンガー方程式
　.................. 32, 94, 175
時間を含まない摂動論 123
時間を含む摂動論 138
磁気量子数 105
θ 方向の基本単位ベクトル 92
質点 142
実部 151
自転 142
周期 24, 45
周期関数 23
周期的境界条件 71
自由状態 70, 85
縮退 .. 125, 127, 129, 133, 136, 169, 175
主量子数 105, 149
シュレディンガー 19
シュレディンガー方程式 19, 22, 162
　（時間に依存する–） 28, 138
　（時間を含まない–） 32, 94, 175
昇降演算子 107, 178, 180
衝突実験 56
衝突断面積 76
消滅演算子 177
真空放電 4

進行波 24
ジーンズ 9
振動数 24, 45
振幅 23
水素原子 142
スピノル 144
スピン 143
スピン演算子 144
スピン波動関数 143
スピン変数（スピン座標） ... 143
スピン量子数 143
スレーター行列式 148
生成演算子 177
生成消滅演算子 177
積の微分 158
積分 156
積分定数 156
積分の下限 157
積分の上限 157
積分変数 156, 157
絶対値 153
摂動 123
摂動論 123
　（時間を含まない–） 123
　（時間を含む–） 138
遷移確率 140
全角運動量 111, 113
漸近解 46
線形偏微分方程式 31
線スペクトル 6

全断面積	75
全微分	164
双曲線関数	67
相対論的場の量子論	72, 149
速度ベクトル	172
束縛状態	36, 84, 85

た 行

多重積分	99
単位時間当りの遷移確率	141
弾性散乱	73
置換積分	160
逐次近似法	120
中心ポテンシャル	88
中心力	89, 174
中性子	149
超関数	72, 183
調和振動子	44, 177
直交	54
直交系	54, 71, 72, 98
直交性	79, 98
直積	55
定常状態	12, 33, 37
定常波	25
定積分	157
ディラック	55
ディラック定数	26
テイラー展開	154
デヴィソン	15, 25
適用限界	1

デルタ関数	71, 183
デルタ関数による規格化	71
電荷保存則	56
電子	149
電子波	16
電子波干渉実験	25, 30
電子ビーム	16
電流密度	58
同一粒子の同等性	146
透過率	61, 66
導関数	155
動径部分	94
ド・ブロイ	14, 25, 40
ド・ブロイの関係	15, 25
トンネル効果	68

な 行

内積	52
ナブラ	28, 89, 91, 167
ニュートンの運動方程式	2, 22, 34, 86, 172

は 行

ハイゼンベルク	19
パウリ行列	145
パウリの排他原理（排他律）	149
箱型ポテンシャル障壁	64
波数	24, 27, 64, 71
波束の収縮（波動関数の収縮）	83
波長	23

索 引

発散 166
波動関数 26, 30, 77
波動関数の規格化
　　...... 39, 51, 52, 178, 180, 181
波動関数の収縮（波束の収縮） 83
場の量子論 178
ハミルトニアン（ハミルトン関数）
　　............ 29, 85, 174
反射率 61, 66
被積分関数 156, 157
微分 155
微分演算子 29, 167
微分可能 155
微分係数 155
微分断面積 75
ϕ 方向の基本単位ベクトル 92
フェルミオン（フェルミ粒子） 149
フェルミ–ディラック統計 149
フェルミの黄金律 141
不確定性関係 83
不確定性原理 20, 25, 39, 84
輻射 8
　（空洞–） 9
　（黒体–） 8
複素共役 151
複素数 151
複素数の極形式（極表示） 153
複素平面 152
フックの法則 45
物質の波動性 25

物質波 16
物質波仮説 40
不定積分 156
部分積分 159
ブラ・ケット記法 54
ブラベクトル 55, 109, 118
プランク 10
プランク定数 11
プランクの式 10
フランク–ヘルツ 14
フーリエ解析 23
フーリエ積分 82
フーリエ展開 82
平均値 81
平面波 73
ヘリウム原子 142
偏角 40, 153
変数分離型 161
変数分離法 31
偏微分 164
ボーア 12, 40
ボーアの仮定 12, 15
ボーアの原子模型 12
ボーア半径 105
方位量子数 105, 149
ボース–アインシュタイン統計 149
ボース粒子（ボソン） 149
保存則
　（運動量–） 34, 173
　（角運動量–） 88, 174

(確率−) 51, 56
(電荷−) 56
(力学的エネルギー−) 34, 173
保存力 173
ポテンシャルエネルギー 173

ま 行

マクスウェルの方程式 2, 23

や 行

ヤコビアン 100
有限区間内での規格化 70
ユニタリ演算子 169
陽子 149

ら 行

ラグランジアン（ラグランジュ関数）
.... 174
ラゲールの陪多項式 104
ラザフォード 4

ラザフォードの散乱実験 5
ラザフォードの模型 5, 12
ラプラシアン 28, 89
力学的エネルギー 173
力学的エネルギー保存則 34, 173
離散固有値 39
量子化 29
量子数 39
量子力学 3, 19, 34
ルジャンドルの陪関数 97
励起状態 39, 106
零点エネルギー 39, 50
レーリー 9
レーリー−ジーンズの式 10
連続関数 37
連続固有値 64
連続条件 38, 62, 63, 64, 65, 69
連続スペクトル 6

著者略歴

日置　善郎　（ひおき　ぜんろう）

1951 年 7 月：岐阜県（郡上八幡）に生れる
　　　　　岐阜北高から京大理学部を経て
1980 年：京大大学院博士課程修了（理学博士）
　同年：学振奨励研究員（京大基礎物理学研究所）
1984 年：徳島大学教養部講師
1986 年：日米科学技術協力研究員（スタンフォード大学）
　同年：独・フンボルト財団研究員（マックス－プランク研究所）
1994 年：同 研究員（ミュンヘン工科大学）
1996 年：徳島大学総合科学部教授
2016 年：徳島大学大学院理工学研究部教授
　現在：徳島大学名誉教授（大学院理工学研究部）
　専攻：理論物理学（素粒子論）

（主要著書）
"Electroweak Theory"
Prog. Theor. Phys. Suppl. No.73 1982
（共著，理論物理学刊行会）
"場の量子論"（吉岡書店）1999，同改訂版 2004，同第 3 版 2022
"相対論的量子場"（吉岡書店）2008，同改訂版 2017
"物理が明かす自然の姿"（吉岡書店）2017

量子力学―その基本的な構成―（改訂版）	2014 ⓒ

2001 年 9 月 5 日　　初版第 1 刷発行
2014 年 1 月 15 日　　改訂版第 1 刷発行
2023 年 5 月 1 日　　改訂版第 5 刷発行

著　者　日置善郎
発行者　吉岡　誠

〒606-8225 京都市左京区田中門前町 87
株式会社 吉岡書店
電話(075)781-4747/ 振替 01030-8-4624

印刷・製本亜細亜印刷㈱

ISBN978-4-8427-0363-3